AF865399

crosspaint

ISBN: 978-2-940726-17-2

Verwendete Bibelübersetzungen:
Menge-Bibel, mit freundlicher Genehmigung vom CLV-Verlag. www.menge2020.de
Schlachter 2000, mit freundlicher Genehmigung der Genfer Bibel Gesellschaft
Die Bibelstellen werden nach der Elberfelder Übersetzung (Edition CSV Hückeswagen) angeführt,
www.csv-bibel.de

Druck: GGP Media GmbH, Pößneck
Printed in Germany

crosspaint
Rue du Pechevaux 7,
2606 Corgémont
Schweiz

FSC
www.fsc.org
MIX
Papier | Fördert gute Waldnutzung
FSC® C014496

Für Jesus Christus,
meinen Herrn und Retter,
dem König aller Zeitalter,
der mich geliebt hat
mit einer Liebe,
die mich erzittern lässt.

Es ist die Ironie des Evangeliums,
dass ich dieses Buch schreiben durfte.

Ich sehne mich danach,
dich bald zu sehen.

WENN DU WENIG ZEIT HAST
(2MIN)

Ich weiß, was du denkst. Man sieht ein interessantes Cover, blättert durch das Buch und dann fragt man sich: *Soll ich das Buch lesen? Ist es die Sache wert?* Gute Frage! Diese FAQ geben dir einen kurzen Überblick und in zwei Minuten wirst du genau wissen, ob das Buch was für dich ist.

Ist dieses Buch etwas für *mich*?

„Ja" würde *ich* dir natürlich sagen! Aber vertrau in dieser Sache nicht *meinen* Worten. Schau dir an, was andere zu sagen haben ...

Dieses Buch ist ***nichts*** für dich, wenn ...

... du keinen Realtalk vertragen kannst (Ben, 18).
... du nichts an deinem Leben ändern willst (Matt, 21).
... du um jeden Preis in deiner Komfortzone bleiben willst (Anna, 24).
... du nicht die Bibel als Autorität in deinem Leben anerkennen willst (Steffen, 19).
... du nicht willst, dass dich jemand herausfordert (Isabella, 20).

Aber dieses Buch ***ist*** etwas für dich, wenn ...

... du dich nach wahrer Erweckung in deinem persönlichen Leben sehnst (Tim, 23).
... du dich nach echter Erweckung in deiner Gemeinde sehnst (Nina, 25).

... du deine Sucht loswerden willst (Kayla, 26).
... du deine wahre Identität finden willst (Beverly, 20).
... du für das Wort Gottes begeistert werden willst (Alex, 35).
... du Motivation brauchst, um deine Bibel zu lesen (Ann, 16).
... du wissen willst, wie und wo du mit der Veränderung anfangen sollst (Jean, 29).

„Aber ich habe nicht viel Zeit – soll ich das *trotzdem* lesen?“

Ja, denn das Buch ist super einfach zu lesen und es wird dir tatsächlich Zeit *sparen*.
Du kannst dieses Buch lesen, wenn du fünf Minuten pro Tag investierst. Die Kapitel sind klein und die Sprache einfach. Aber die Botschaft dieses Buches wird dir helfen, Fehler zu vermeiden, die dich 5, 10 oder 25 Jahre deines Lebens kosten könnten. Es spielt keine Rolle, wie schnell du einen Berg besteigen kannst, wenn es der falsche ist. Sei lieber sicher, dass du den richtigen Berg besteigst. Dieses Buch hilft dir, diesen Fehler zu vermeiden.

„Ich lese nicht viel – was kann ich tun?“

Weißt du was? Ich auch nicht. Ich bin ein sehr visueller Mensch. Deshalb kannst du dich auf eine einfache Sprache und viele Illustrationen freuen, die dir das Lesen erleichtern. Am Anfang eines jeden Teils gebe ich dir einen Überblick, damit du immer weißt, wo du gerade bist. Und falls du etwas verpasst hast, gibt es am Ende jedes Kapitels eine kurze Zusammenfassung der wichtigsten Punkte. Vielleicht ist es das erste Buch, das dich wieder zum Lesen bringt!

I

DAS PROBLEM:
WIR SEHEN GOTT NICHT

II

DIE ANALYSE:
WARUM SEHEN WIR
GOTT NICHT?

III

DER SCHLÜSSEL:
WIE KÖNNEN WIR
GOTT SEHEN?

IV

DIE DRINGLICHKEIT:
WIR MÜSSEN GOTT
JETZT SEHEN

V

DIE TAKTIK:
WIE DU GOTT JEDEN
TAG SIEHST

TEIL I

DAS PROBLEM:
WIR SEHEN GOTT NICHT

KAPITEL 1

HYPOXIE

IRGENDWAS LÄUFT HIER DOCH FAUL – ABER WAS?

Blauer Himmel, stiller Tod

„Mir geht's gut!“, sagte Ken, obwohl er fast tot war.

Der Air Force Pilot war für den F-16 Fighting Falcon ausgebildet. Wenn er seinen Jet durch die Lüfte jagte, fühlte er sich schwerelos ... unsterblich. Doch heute gab es ein ernstes Problem. Ken schwebte in Lebensgefahr – ohne es zu ahnen.

Was sein Leben bedrohte, war nicht schmerzhaft.

Es war sogar schmerzlos.

Wenn auch nicht weniger tödlich.

Ken hatte eine *Hypoxie*.

Hypoxie entsteht, wenn das Gehirn nicht genug Sauerstoff bekommt. Das passiert so langsam, dass du gar nicht merkst, dass du stirbst. Für Kampfpiloten ist das eine allgegenwärtige Gefahr, wenn sie – meilenweit über der Erdoberfläche – durch die dünne Luft schießen.

Hypoxie ist wie ein langsamer Blackout, die Sinne werden schwächer, die Reflexe lassen nach, bis man schließlich das Bewusstsein verliert. Die Symptome und Beschwerden entwickeln sich so schleichend, dass sie bereits da sind, bevor du sie bemerkst.

Noch ein paar Sekunden und Ken würde in Ohnmacht fallen. Die Millionen Dollar teure F-16 würde vom Himmel stürzen und in einem Flammenball auf dem Boden zerschellen. Ein Leben wäre ausgelöscht. Eine Familie ohne Vater zurückgelassen.

Dem Mann im Kontrollturm war klar, dass er schnell handeln musste, um Kens Leben zu retten. Er griff nach dem Mikrofon, das das Headset des Piloten anfunkte. „Du hast Hypoxie, Ken! Du bist nicht Herr deiner Sinne!“, schrie er. Kein Erfolg. Man konnte fast das Grinsen in Kens Stimme hören, als er nur noch wie ein Betrunkener lallte: „Nee ... ssschon gut! Mmmir geht's gut."

Das ist das Paradoxe an der Hypoxie. Du *fühlst* dich großartig. Du merkst nicht, in welcher Gefahr du dich befindest.

Mit einem letzten Schrei durchs Mikrofon rief der Fluglotse: „KEN! KEN!"

Aber es war zu spät. Auf den Monitoren, die Kens Vitalparameter anzeigten, blitzten die Alarmglocken.

BAAAM! Mit einem ohrenbetäubendem Knall sprangen die Sauerstoffdüsen auf und ließen alle Zuschauer aufschrecken. Der Simulator füllte sich mit frischer, atembarer Luft und das Erste-Hilfe-Team sprang durch die Tür in den Trainingsraum. Es war nur eine Simulation. Ken war gerettet. Er würde nicht sterben. Das erschütternde Schauspiel, das sich gerade abgespielt hatte, war ein Experiment gewesen. Eine Übung.

Wenig später schaute Ken gebannt auf die Aufnahme. Den Mund weit geöffnet, das Notizbuch in der Hand, dokumentierte er alles, was schiefgelaufen war.

Er würde dieses gefährliche Experiment kein zweites Mal durchmachen müssen. Für den Rest seines Lebens würde er selbstkritisch sein und auf den Kontrollturm hören – auch wenn subjektiv alles anders schien und ...

... auch wenn sich alles gut anfühlte.

Alles ist gut

„Alles ist gut!", sagte ein Ältester einer Gemeinde, die ich oft besuchte.

„Wir haben keine Probleme! Schau dir die anderen Leute an – DIE haben Probleme. Aber wir nicht."

Was? Alles soll in Ordnung sein? Lebe ich in einer anderen Welt? Ich versuchte, meine eigene Erfahrung mit dieser Aussage zu vereinbaren. Aus meiner Arbeit als Jugendbetreuer wusste ich, dass eine ganze Menge schief lag. Süchte, Dekonversionen, Scheidungen, Trennungen, fehlende Evangelisation ... und das Schlimmste: meine *eigene geistliche Realität!*

„Mir geht es gut", sagte ich mit einem gezwungenen Lächeln. Immer wieder.

Aber innerlich lag ich im Sterben.

Versteh mich nicht falsch, ich war nicht „ungläubig"; ganz im Gegenteil, ich war ein Jugendbetreuer, der jede Woche aktiv junge Menschen anleitete. Ich war ein Vorbild, arbeitete auf der Straße und verkündete das Evangelium. Kopfwissen war nicht das Problem. Die Bibel kannte ich in- und auswendig.

Von außen sah es so aus, als hätte ich alles im Griff.

Aber innerlich lag ich im Sterben.

Ich kannte das Wort von Jesus: *„Wenn nun der Sohn euch frei macht, werdet ihr* ***wirklich*** *frei sein."* (Johannes 8,36) Aber trotz all meines Wissens war ich nicht frei. Ich war ein Sklave der Pornografie. Diese Sucht war wie schwere Eisenketten, die mich fesselten. Das Schlimmste war aber, dass sie unsichtbar waren – für alle außer mich. Ich spürte die schreckliche Last dieser Fesseln, aber ich konnte die Ketten nicht sprengen. Einmal hatte ich mich jemandem anvertraut, der älter war als ich, und ihn um Hilfe gebeten. Aber ich wurde betrogen. Bis dahin hatte ich an die Wichtigkeit von Mentoren und Ratgebern geglaubt, die mir helfen sollten, mich weiterzuentwickeln, aber wie es aussah, würde mich die ältere Generation nur weiterhin im Stich lassen. Es schien aussichtslos.

Vielleicht kannst du das nachvollziehen. Vielleicht bist du jemand, der mit der Bibel vertraut ist. Vielleicht ist sie, wie bei mir, schon die meiste Zeit deines Lebens ein Teil von dir. Und doch sehnst du dich nach ... *mehr*. Die Freiheit, die Jesus versprochen hat, scheint schwer zu fassen und unerreichbar weit weg zu sein. Du bist von etwas gefesselt, das nur du sehen kannst und das einen schleichenden Einfluss in jeden anderen Teil deines Lebens hat. Du fängst an, an der Wahrheit der Worte Jesu zu zweifeln, und fragst dich, wozu das alles gut sein soll.

So ist es meinem Freund Claude ergangen.

„Mir geht es gut“, sagte er mir. (Merkst du, wie sich hier etwas wiederholt?)

Wir waren gemeinsam auf der Fähre, die uns über den Genfer See zur Arbeit fuhr. Aber dann ließ er die Bombe platzen: „Ich glaube nicht mehr an Gott.“ Ich war erschüttert und überrumpelt zugleich. Vor ein paar Tagen noch hatten wir zusammen in unserer Wohnung eine Gebets-Zeit gehabt. Jetzt war Claude ein Ex-Christ.

Aber das war nicht das erste Mal. Zwei meiner engsten Freunde hatten zuvor dem Glauben den Rücken gekehrt. Jedes Mal war es, als würde mir das Herz herausgerissen. Was veranlasst jemanden dazu, sich von seinem Glauben abzuwenden? Diese Frage plagte mich und spielte sich immer und immer wieder in meinem Kopf ab. Wenn der Heilige Geist in uns ist, warum gehen die Menschen dann weg?

Vielleicht hilft dir folgende Geschichte, es ein bisschen besser zu verstehen.

Nach einem weiteren katastrophalen Ereignis in meinem Freundeskreis suchte ich einen Jugendpastor auf, der viele Bücher gelesen hatte und dem ich zutraute, mir Antworten geben zu können ... oder zumindest meine Probleme zu verstehen. Ich setzte mich auf die berühmte „Coaching-Couch“ und der Schmerz in meinem Herzen strömte aus mir heraus:

- Warum kommen so wenige aus meiner Generation in die Gemeinden?
- Warum verlassen so viele junge Leute ihre Gemeinden?
- Warum haben fast alle jungen Männer Probleme mit Pornografie?
- Warum sind so viele Christen Sklaven ihrer Sünde?
- Wo ist das Leben in Fülle, das Jesus versprochen hat?

Es waren Fragen, die mein Herz bewegten. Aber ich sollte schnell merken, dass sie als Angriff empfunden wurden. Der nette Jugendpastor wurde plötzlich schroff und verurteilend: „Natha – du bist stolz. Du musst dich demütigen!“ Im ersten Moment war ich wirklich verwirrt. Mehr sogar: verletzt. Ich hatte mich jemandem geöffnet, der nun meine Worte gegen mich verwendete. Ich hatte in der Schule gelernt, dass alle Fragen erlaubt waren. Aber gerade hatte ich eine schmerzhafte Lektion gelernt: Hier waren *nicht* alle Fragen erlaubt. Ich fühlte mich, als wäre ich in seinen Augen zu einem Ketzer geworden. Als ob ich die Gemeinde zerstören wollte. Das Gegenteil war der Fall. Ich wollte reden, *weil* ich die Gemeinde liebte. Ich war zerbrochen, *weil* ich die Gemeinde liebte. Aber allem Anschein nach hatte ich hier die heilige Kuh berührt.

„Hör auf, kritische Fragen zu stellen. Mach dich selbst an die Arbeit! Predige, mach Seelsorge – dann wirst du sehen, wie mühsam es ist.“

„Und genau das werde ich tun“, dachte ich mir.

Mir war in diesem Augenblick klar: Ich wollte mein Leben nicht mit Ausreden verbringen. Meine Generation fuhr gerade mit voller Geschwindigkeit hupend gegen die Wand und ich wollte nicht tatenlos zusehen. Ich würde alles geben, was ich hatte, um wenigstens einen kleinen Unterschied zu machen.

Wir beteten gemeinsam. Dann verließ ich den Raum.

Es gab viel zu tun.

Die hypoxische Gemeinde

Ein gut formuliertes Problem ist ein halb gelöstes Problem.

– Charles Kettering

Du fragst dich vielleicht, warum ich persönliche Geschichten mit dem allgemeinen Zustand der Gemeinden verbinde. Die Antwort ist einfach: Weil sie *eng miteinander verbunden sind*. Es ist jetzt fünfzehn Jahre her, dass ich dieses Gespräch geführt habe, und ich bin mehr denn je davon überzeugt, dass es wahr ist:

Meine Generation steckt in der Kacke!

Sorry, für die realistische Einschätzung, aber es ist an der Zeit, dass wir wirklich über die Themen sprechen, die auf dem Tisch liegen. Über den Elefanten, der schon lange im Raum steht, den aber niemand ansprechen will. Wenn du deswegen dieses Buch weglegen willst, dann bist du wahrscheinlich sowieso nicht die Person, mit der ich dieses Gespräch führen kann. Wir brauchen keine Leute am Tisch, die keinen Realtalk ertragen können. Genau das ist das Problem. Es ist gerade der Wunsch, Spannungen zu vermeiden und mit diplomatischer Zuckerwatte auszutauschen, der uns dieses Schlamassel überhaupt erst eingebracht hat.

Wollen wir fröhlich und blindlings auf der Straße spazieren, die zum Tod führt? Kümmern wir uns mehr um Wortwahl und Takt in unseren Gesprächen und Predigten als um den Schmerz, den diese Generation fühlt?

Fünfzehn Jahre, nachdem ich von dieser ominösen Coaching-Couch aufgestanden bin, hat sich meine Analyse nicht geändert. Dasselbe Problem existiert noch immer.

Es ist eine Krise. Wir befinden uns in einem unsichtbaren Krieg und wenn wir nicht sofort etwas tun, wird es zu spät sein. Wenn du zu den Menschen gehörst, die etwas für diese Generation tun wollen, dann wird dieses Buch wahrscheinlich viele Dinge wiedergeben, die der Herr bereits in dein Herz gelegt hat.

Ich bin sicher nicht der Einzige, der sieht, dass etwas ernsthaft falsch läuft, aber mit diesem Buch und meinen Predigten möchte ich die Situation in Worte fassen. Vielleicht fühlst du auch, dass „etwas" in der Luft liegt, und diese Botschaft gibt dir hoffentlich das nötige Vokabular und die passenden Bibelverse, um es zu formulieren.

Die Kirche als Ganzes ist *betäubt.*

Wir verhalten uns wie jemand, der vom Kiffen high ist. Uns ist alles ziemlich egal, es sei denn, es passiert etwas wirklich Schlimmes. Meistens sind wir froh, wenn wir einfach unser eigenes Ding machen können. Wie in so Junkie Filmen, nur dass es hier kein Film ist, sondern um Leben und Tod geht.

Es ist wie in den Tagen Simsons. Israel war besetzt von Feinden. Wenn Israel in früheren Zeiten belagert wurde, schrien sie zu Gott. Aber zu Simsons Zeiten ging der Schrei verloren. Das Volk Gottes hatte sich an seine Situation gewöhnt. Wie ein Sklave, der sich an seine Ketten gewöhnt, nahmen sie ihre Unterdrückung einfach an, bis sie die Fesseln nicht einmal mehr spürten.

Mein Freund, das verarmte westliche Christentum ähnelt der gleichgültigen Gemeinde von Laodizea mehr als allem anderen. Wir sind weder heiß noch kalt. Wir sind lauwarm. Laodizea war eine Gemeinde, in der die Hypoxie ihre volle Ausprägung erreicht hatte. Die Kirchgänger in Laodizea sagten buchstäblich: „Ich bin reich und bedarf nichts."

Und was sagt Gott zu dieser Gemeinde? *„Du weißt nicht, dass du der Elende und Jämmerliche und arm und blind und nackt bist."* (Offenbarung 3,17)

Die gute Nachricht ist, dass das nicht das Ende ist. Gott ist auch in Laodizea noch am Werk. Er klopft an Türen, weil er die Menschen aufwecken will. Gott will die Gemeinde auf die Situation aufmerksam machen und er macht das, indem er Menschen *individuell* einsetzt, die erkennen, dass die Gemeinde *„elend, jämmerlich, arm, blind und nackt"* ist – und das ist schmerzhaft.

Aber Schmerz ist gut.

Warum Schmerz gut ist

If you're happy and you know it, clap your hands!
(Wenn du glücklich bist, dann klatsche in die Hand!)

– Kinderlied

Er lachte: ,Ja, heutzutage ist jeder glücklich.
Wir verticken das den Kindern schon mit fünf Jahren'.

– Bernard in Schöne Neue Welt

Schöne neue Welt (Originaltitel: *Brave New World*) ist ein faszinierender Roman von Aldous Huxley, der 1932 veröffentlicht wurde. Das Buch beschreibt eine zukünftige Gesellschaft, in der materieller Komfort und körperliches Vergnügen – durch die Droge Soma und Freizeit-Sex – das höchste Gut sind.

Es ist eine Gesellschaft im Zustand der absoluten Hypoxie.

Bernard ist der Hauptdarsteller, ein Alpha (höchster Status), der sich aufgrund seiner unterlegenen körperlichen Statur nicht nahtlos einfügen kann. Die Unsicherheit über seine Größe und seinen Status macht ihn unzufrieden, was ihn schließlich dazu bringt, den Weltstaat in Frage zu stellen, in dem doch „alle so glücklich sind". Allmählich begreift er, dass die Menschen in dieser Welt nicht durch die Tyrannei der *Gewalt*, sondern durch die Tyrannei der *Lust* als Geiseln gehalten werden. Bernard hört auf, die vergnügungsfördernde Droge Soma zu nehmen und verzichtet auf Freizeit-Sex, obwohl er weiß, dass er damit seinen Schmerz vergrößert.

Aber er *wählt* den Schmerz. Denn Schmerz ist sein Tor zur Erkenntnis.

Die hypoxische Kirche braucht mehr „Bernards".

Und vielleicht bist du einer.

Ein junger Mann oder eine junge Frau, die den Schmerz spürt. Eine Person, die in einem benebelt fröhlichen Christentum aufhört, in die Hände zu klatschen, weil sie *nicht* glücklich ist. Du fühlst Schmerz, weil das, was du in der Bibel liest, nicht mit dem übereinstimmt, was du in deinem eigenen Leben siehst. Die Ergebnisse, die du in der Apostelgeschichte siehst, und die Tatsache, dass du dich nicht einmal aufraffen kannst, um nur eine Stunde früher aufzustehen. Die Lehre von einem allmächtigen Erlöser passt nicht zu deiner Realität – die Realität, dass du in den nächsten zwei Wochen wieder Pornos schauen oder in eine andere Sucht zurückfallen wirst.

Und der Glaube, dass es wirklich nichts und niemanden gibt, der dich davor bewahren kann, ist schmerzhaft.

Aber lass mich dir sagen: Das ist *kein* Zufall. Es ist Jesus, der diesen Schmerz in dir verursacht. Du hast wahrscheinlich noch nie so drüber nachgedacht, aber dein Schmerz ist ein „versteckter Segen".

Jesus klopft an deine Tür.

Er bereitet einen „Bernard" vor.

Niemand mag Schmerzen; das ist klar. Aber Schmerzen sind wichtig, weil sie ein *Warnsystem* sind. Wenn du zu den Menschen gehörst, die diesen Schmerz und diese Last spüren, fühl dich in gewisser Weise geehrt! Gott hat dich vielleicht ausgewählt, Teil der Lösung zu sein.

Wenn nun der Schmerz kommt, hast du die Wahl: Nutzt du ihn als Chance zu handeln oder ignorierst du ihn weiterhin? Wenn du noch immer liest, dann wette ich, willst du etwas dagegen unternehmen.

Vielleicht spricht dich diese Botschaft wirklich an und du sagst dir:

> *Der Typ hat nicht unrecht! Wenn ich mich umschaue und manche Menschen sehe, bricht es mir das Herz. Manche fallen vom Glauben ab und andere leben weit unter dem Durchschnitt. Ich habe nie darüber nachgedacht, dass Schmerz ein Warnsignal sein könnte. Aber gerade wird es*

mir klar – ich fühle den Schmerz und ich weiß, dass hier etwas passiert. Vielleicht redet Gott zu mir. Vielleicht hat er etwas vor. Ich will mich damit beschäftigen und freu mich zu sehen, was kommt.

Wenn das auf dich zutrifft, dann lies weiter. Wenn du keine Antworten auf diese tiefen, brennenden Fragen hast, kann ich es verstehen. Wahrscheinlich vernebeln Angst, Zweifel und Unsicherheit dein Denken. Ich bin da auch durchgegangen. Ich habe deinen Schmerz jahrelang gespürt, aber das ist gut so. Lass uns noch ein wenig darüber reden.

Keiner *mag* Schmerzen, aber Schmerzen sind wichtig. Schmerzen sind ein Indikator dafür, dass *etwas nicht stimmt*. Ohne Schmerzen hättest du eine seltene, aber sehr gefährliche Krankheit namens CIPA. Menschen, die diese Krankheit haben, *spüren keine Schmerzen*. Klingt doch traumhaft, oder? Ist es aber nicht.

Diese Menschen laufen oft verletzt, blutend und gebrochen herum.

Weil sie nicht merken, wenn sie in Gefahr sind.

Sie haben keine hohe Lebenserwartung. Und das, weil der Schmerz sie nicht schützt.

Schmerz ist also das natürliche Warnsystem unseres Körpers. Es sagt uns, dass wir uns von gefährlichen Dingen fernhalten sollen.

Der *geistliche* Schmerz, den du spürst, ist also ein Warnsignal. Und weil du Teil *von der Kirche,* dem Körper des Christus, bist, dann ist der Schmerz, den du fühlst, eine Warnung *für* diesen Körper – die Kirche.

Denke noch einmal an den Piloten. Er hat das Problem nicht *gespürt* und wäre deshalb fast gestorben. Was vielleicht mit Kurzatmigkeit und einem beunruhigenden Gefühl begann, wurde schnell zu einer neuen Art von Normalität. Bei einer Hypoxie geht deinem Körper der Sauerstoff aus und dein Gehirn macht einfach mit, in einem Zustand von unwissentlicher Euphorie, bis alles zusammenbricht. Erst als die Stimme aus dem Turm seinen Nebel durchbrach, war er in der Lage zu reagieren. Wenn du also Probleme spürst und siehst – ignoriere sie nicht! Halte inne und suche Gott.

Vielleicht sollte es in dem Kinderlied besser heißen: „Wenn du *un*-glücklich bist, dann falte deine Hände."

Wo soll ich anfangen?

Gute Frage.

Menschlich gesehen ist diese Schlacht verloren. Du schwimmst mit gefesselten Händen gegen einen Ozean. Wenn du nicht einmal dein eigenes Leben in Ordnung bringen kannst, wie viel weniger die Gemeinde? Aber Gott kann es. *Nur* Gott kann es. Und er hat uns einen perfekten Plan gegeben. Diese Situation ist nämlich alles andere als neu.

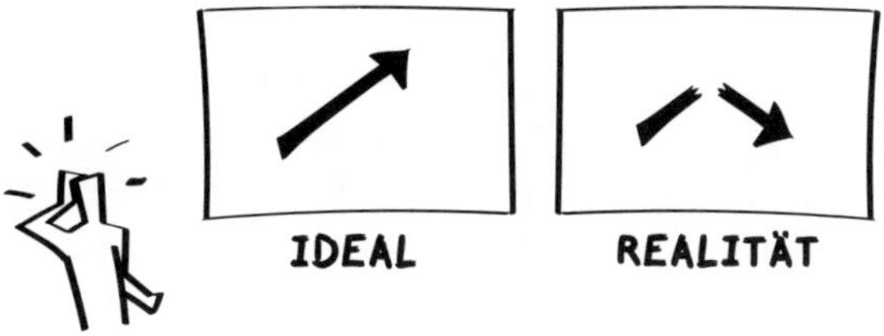

Komm mit mir in die Hügel von Ophra zu einem jungen Mann, der in genau der gleichen Situation war wie du und ich: Gideon. Er sah, dass es in seiner Community ein großes Problem gab, aber er hatte keinen Ruhm und keine außergewöhnlichen Fähigkeiten, um die Situation zu ändern.

Aber er hatte eine wertvolle Sache: Schmerz.

Und sein Schmerz brachte ihn zu dieser erstaunlichen Entdeckung:

„Bitte, mein Herr, wenn der HERR mit uns ist, warum hat denn dies alles uns betroffen? Und wo sind alle seine Wunder, die unsere Väter uns erzählt haben, indem sie sprachen: Hat der HERR uns nicht aus Ägypten heraufgeführt? Und nun hat der HERR uns verlassen und uns in die Hand Midians gegeben.“ – Richter 6,13

Später würde Gideon einen großen Sieg erringen und nicht nur seine persönliche miserable Situation verändern, sondern eine Erweckung für seine gesamte Glaubensgemeinschaft bringen. Aber alles begann an diesem Ort des Schmerzes und deshalb musst du verstehen, was genau hier vor sich geht:

1. Er ignoriert den Schmerz nicht. 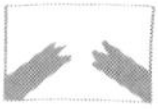
   (Warum hat denn dies alles uns betroffen?)
2. Er analysiert den Ist-Zustand. 
   (Wir sind verlassen und werden gefangen gehalten.)
3. Er vergleicht es mit dem Idealzustand. 
   (Wir wollen Gottes wunderbare Taten erleben.)

Ich weiß, was du jetzt denkst: Keine Ahnung, wie ich diesen Vergleich anstellen soll. Wie soll ich den *Ist*-Zustand und den *Ideal*zustand meines eigenen Lebens vergleichen, geschweige denn den der Kirche? Ich weiß, das scheint eine schwierige Aufgabe zu sein. Aber wir werden das gemeinsam tun. Jeden Tag erhalte ich Nachrichten von Menschen, die diesen Weg mit mir bis zum Ende gegangen sind und die nun bezeugen, wie diese Herangehensweise ihr Leben verändert hat.

Hier ein paar Erfahrungsberichte als Ermutigung:

HALLO NATHA,

Ich möchte dich wissen lassen, dass sich mein Verständnis von Gottesfurcht durch deine Botschaften völlig verändert hat. Mein

Leben in Bezug auf die sexuelle Sünde hat sich vollkommen verändert. Ich danke Gott, dass er dich als effektives Werkzeug benutzt hat. Kein Wischiwaschi-Gelaber, sondern klar und verständlich! Die Serie über die Furcht des Herrn ist großartig, lebensverändernd!! Gelobt sei der Herr Jesus Christus.
– Benni, 23

Ich bin wirklich froh, dass ich dich gefunden habe. Ich bin Teil der katholischen Erneuerungsbewegung und war schon immer sehr stolz auf meinen Glauben. Im negativen Sinne. Denn es hat mich wütend gemacht, dass niemand Gott ernst genommen hat. Keine (evangelische) Kirche predigt das Wort ohne Kompromisse und konnte mir geistliche Nahrung geben. In der katholischen Kirche hast du nicht den evangelischen „Kumpel-Gott". Aber auf der anderen Seite fehlt hier oft das „Leben". Bei dir finde ich beides, das Ernstnehmen Gottes und die Frische des Geistes.
– Theresa, 25

Nach meiner Bekehrung hab ich angefangen, mehr als nur „Respekt" vor dem Herrn zu haben. Ja – es war Angst, aber ich konnte sie nicht wirklich erklären. Es war wie Angst gemischt mit Liebe. Leider habe ich mir einreden lassen, dass die Angst nicht von Gott kam ... „Wir haben nicht einen Geist der Furcht empfangen, sondern ..." Du kennst das Blabla. Also versuchte ich, mit diesem Gottesbild zu leben ... und ich fühlte mich sooo elend und bin sooo unendlich froh, dass ich diese Wahrheit bei dir entdeckt habe. Vor allem, dass es jemanden gibt, der über die Furcht vor Gott spricht. Das hat so viel für mich verändert. Vielen Dank dafür!
– Anna, 18

Deine Botschaft hat mir wirklich die Augen geöffnet. Ich beginne plötzlich zu erkennen, wer Gott wirklich ist. Ich finde das so erschreckend. Ich habe die ganze Zeit gelesen und gebetet, aber alles nur so oberflächlich und mit kaum echter Ehrfurcht.
– Peter, 29

Ich sehe auch so oft, dass dieses Thema (Gottesfurcht) für viele, mich eingeschlossen, oft unterschätzt und sogar falsch gesehen und gelehrt wird! Umso dankbarer bin ich jetzt für diesen Dienst und diese Gedanken. Jetzt verstehe ich selbst die Gottesfurcht biblisch besser und kann diese Gedanken auch an andere weitergeben, an dem Ort, an den Gott mich gestellt hat! Du sprichst mir aus dem Herzen, denn es ist meine Leidenschaft, junge Christen (vor allem solche, die christlich aufgewachsen sind) tiefer und in die wahre Nachfolge Jesu zu führen und selbst zu wachsen!
– *George, 32*

Bis vor kurzem bestand mein Leben zu 90 % aus Glücksspiel und YouTube, wobei ich mir nachts im Bett Videos auf anderen Seiten ansah. Diese Message hat alles verändert. Ich habe das Spielen und alles, was damit zu tun hat, sowie YouTube aus meinem Leben verbannt und angefangen, die Bibel zu lesen. Plötzlich merkte ich, wie ich keine Gedanken mehr an Selbstbefriedigung und Pornografie verschwendet hab. Echte Freiheit!!!
– *Ryan, 17*

Du bist dafür verantwortlich, dass sich mein Leben um 180 Grad verändert hat. Ich habe alles durchgemacht, aber erst jetzt, mit 34 Jahren, habe ich verstanden, was die Furcht des Herrn ist. Besser jetzt als nie! Halleluja!
– *Gary 34*

Ich hoffe, dass du dieselbe Erfahrung durch den Heiligen Geist und Gottes Wort machen wirst. Die Lösung ist da, wenn du weißt, wo du suchen musst. Und es beginnt, indem wir den Ist-Zustand mit dem Idealzustand vergleichen.

TAKEAWAYS

1. **Es gibt ein Problem. Dieses wird aber nicht erkannt.** Die Christenheit hat ein großes Problem. Sie scheint jedoch so weit von der Realität entfernt zu sein, dass sie das Problem nicht einmal mehr sieht.

2. **Schmerz ist das Warnsignal.** Schmerz ist ein Alarmsignal, das auftritt, wenn der Körper in Gefahr ist. Bestimmte Menschen im Leib Christi empfinden diesen Schmerz besonders stark. Diese Menschen haben die Verantwortung, sich in Liebe für die Heilung und den Schutz des ganzen Leibes einzusetzen.

3. **Der Schmerz muss analysiert werden.** Wir können den Schmerz nicht ignorieren. Wir müssen die Situation analysieren. Der erste Schritt besteht darin, eine „Ist- vs. Soll-Analyse“ durchzuführen. (2. Korinther 13,5)

GEBET

Bitte, Herr, zeige mir im Detail,
woher der Schmerz kommt,
den ich und viele andere spüren!
Amen.

KAPITEL 2

IDEAL VS. REALITÄT

WIR MÜSSEN DER REALITÄT INS AUGE SCHAUEN

Ein Stern fällt vom Himmel

Ein Erdbeben erschütterte im Februar 2021 die evangelikale Welt.

Der Fall Ravi Zacharias.

Die Sache ist dir sicherlich nicht unbekannt. Ravi war ein Leben lang eine führende Stimme der christlichen Apologetik. Er veröffentlichte mehr als dreißig Bücher und baute eine Organisation mit weltweiter Reichweite auf. Außerdem reiste er selbst als Botschafter für Christus um die Welt.

Im März 2020 wurde bei ihm Krebs diagnostiziert. Im Mai 2020 erlag er den Folgen.

Aber das war nicht das Schlimmste.

Der Schock kam am 9. Februar 2021. Fast ein Jahr später. Die Organisation, die seinen Namen trug, veröffentlichte einen vernichtenden, dreizehn-seitigen und unabhängigen Bericht, der ein schockierendes, jahrzehntelanges Muster sexuellen Missbrauchs aufzeigte.

Der Krebs nahm Ravi das Leben; dieser Bericht nahm ihm seinen Ruf.

Als ich es erfuhr, dauerte es drei oder vier Tage, bis ich wieder halbwegs normal denken konnte. Ich fühlte einen tiefen Schmerz. Ich fühlte mich verraten. Ravi war mehr als nur ein guter Redner. Er war ein ruhiger und weiser Mann. Er war der Vater, nach dem sich jeder junge Mann sehnte. Wie zahllose andere schaute ich auf zu ihm als Vorbild, was ein einzelner Mensch tun kann, um die Welt für Jesus zu verändern.

Aber was mich und viele andere am meisten erschütterte: Wie konnte dieser Mann, dessen eigentliche Mission es war, Menschen auf Gott hinzuweisen, ein solcher Heuchler sein? Wie konnte er auf der Bühne über Heiligkeit sprechen, während er privat Frauen zu sexuellen Handlungen verführte? Wie konnte er über die philosophischen Wurzeln der Pornografie sprechen, während er selbst ganz offensichtlich ein Sklave sexueller Lust war?

Es gab eine Kluft zwischen dem *Ideal,* das wir in ihm sahen, und der *Realität,* die der Bericht an die Oberfläche gebracht hatte.

Eine Kluft zwischen dem Ist-Zustand und dem Soll-Zustand.

Das war zutiefst verwirrend. Aber weißt du, was noch viel verwirrender ist?

Du und ich – wir haben das gleiche Problem. Zwischen dem, was in der Bibel als „Christ" bezeichnet wird, und dem, was du in deinem täglichen Leben erlebst – was die Gemeinde *sein sollte* und was sie *wirklich ist* – liegt eine riesige Kluft. Aber es ist noch frustrierender, denn dein inkonsequentes christliches Leben ist keine Ausnahme, sondern die Regel. Die Kirche insgesamt leidet unter dieser „Krankheit". Und gefallene Pastoren sind keine Anomalie – sie sind nur die Spitze des Eisbergs.

Und das ist ein gewaltiges Problem.

Nicht nur, weil es unseren christlichen Ruf versaut. (Vergessen wir mal für einen Moment unser „Image"). Die Kluft zwischen dem idealen und dem aktuellen Zustand ist der Beweis für ein viel größeres Problem. Sie führt uns eine ernüchternde Realität vor Augen: Wir sind nicht mehr *wirklich* in Kontakt mit Gott.

Wieso komme ich darauf?

Das lässt sich mit dem Sonnenblumen-Prinzip erklären.

Das Sonnenblumen-Prinzip

> *...dass jeder, der den Sohn sieht und an ihn glaubt, ewiges Leben habe.*
>
> – Johannes 6,40

> *Denn es ist uns unmöglich, nicht von dem zu reden, was wir gesehen und gehört haben![1]*
>
> – Apostelgeschichte 4,20

Hast du schon einmal ein Sonnenblumenfeld gesehen?

Ein ziemlich genialer Anblick, oder? Sonnenblumen können bis zu drei Meter hoch werden. Ihre dicken Stängel sind stark genug, um den sonnig gelben Blütenkopf zu halten – manche werden bis zu 30 Zentimeter breit. Ein ganzes Feld voll von diesen goldenen Blüten strahlt so hell und wunderschön, dass es seinem Namen alle Ehre macht. *Sonnen*blumen.

Und dabei fällt auf, dass alle Blütenköpfe in dieselbe Richtung „schauen".

Weißt du, warum?

Sie sind nicht alle gleich ausgerichtet, weil der Landwirt beim Anbau Pflanzstangen benutzt hat. Nein – das passiert automatisch, durch ein „Naturgesetz" namens *Heliotropismus*. Bevor die Blume zu blühen beginnt, dreht und wendet sie sich, bis sie der Sonne zugewandt ist. Das sorgt dafür, dass sie in ihrem Wachstumsprozess so viele Sonnenstrahlen wie irgend möglich einfängt.

Und darin finden wir ein schönes Bild, ein starkes Beispiel, das wir auf unser Leben anwenden können.

Wenn du eine unreife Sonnenblume im Sonnenlicht pflanzt, wendet sie sich der Sonne zu und wächst. Das Gleiche gilt für ein geistliches Gesetz: Christen wachsen nicht, weil sie gezwungen werden, bestimmte Prinzipien zu befolgen – sie wachsen, weil sie in einer Beziehung mit Gott leben.

Genauer gesagt, weil sie auf Gott *schauen*. Das ist das

1 Zitiert nach Schlachter

Sonnenblumen-Prinzip. Das kannst du auch in der Bibel finden. In 2. Korinther 3,18 heißt es: *„Wir alle aber, mit aufgedecktem Angesicht die Herrlichkeit des Herrn anschauend, werden verwandelt nach demselben Bild von Herrlichkeit zu Herrlichkeit, als durch den Herrn, den Geist."*

Dieser Vers zeigt uns, dass wir verwandelt werden, indem wir auf die Herrlichkeit Gottes schauen. Ist das nicht der Hammer? Ich will dir mal zeigen, wie das auf drei wichtige Phasen des christlichen Lebens zutrifft:

Stufe 1: Bekehrung[2]

> *„Wir sehen auf Jesus, der für unsere Sünden am Kreuz gestorben ist, und bekommen ewiges Leben."* – Johannes 3,14

Schauen wir uns noch einmal das Sonnenblumen-Prinzip an. Ein Bauer pflanzt die Samen in die Erde, ohne zu wissen, wie (oder ob) sie keimen und wachsen werden. Zarte Pflanzen sprießen aus dem Samen hervor und strecken sich nach der Wärme der Sonne aus. Wenn sie wachsen und die Blumen zu blühen beginnen, drehen und winden sie sich der Sonne zu. Damit stellen sie sicher, dass sie in der richtigen Position sind, um das Sonnenlicht einzufangen und weiter zu wachsen. Wenn sie sich nicht herum drehen, werden sie auch nicht gedeihen.

Bei uns ist das genauso. Wie der Same beginnen auch wir im Dreck, getrennt von Christus. Durch Gottes Gnade und sein Wort bekommen wir einen Blick auf Jesus am Kreuz und stehen vor der Wahl: Wir können auf ihn und sein Werk schauen und zulassen, dass es unser Leben und unsere Richtung verändert. Oder wir können ihn ignorieren, unseren eigenen Weg gehen und werden die Konsequenzen dafür tragen.

2 **Bekehrung (Start):** Johannes 3,14-15: „Und wie Mose in der Wüste die Schlange erhöhte, so muss der Sohn des Menschen erhöht werden, damit jeder, der an ihn glaubt (die Israeliten *schauten* auf die Schlange), nicht verloren gehe, sondern ewiges Leben habe."

Stufe 2: Heiligung[3]

> *„Wir **sehen** täglich auf Christus Jesus und werden verwandelt.“* – 2. Korinther 3,18

Zurück zu den Sonnenblumen: Sie wenden sich der Sonne zu und erhalten so ihre gesamte Kraft und Energie. Die Verwandlung geschieht Tag für Tag, Sonnenstrahl um Sonnenstrahl, während das Licht der Sonne über, um und durch die Blumen wirkt.

Auch wir werden durch die Kraft des Sohnes verwandelt. Wenn wir täglich auf Christus schauen, richtet sich unser Denken, unser Handeln und unser Umgang mit anderen danach aus. Dieser Transformationsprozess ist langsam und stetig und entfaltet sich im Laufe unseres gesamten Lebens.

Stufe 3: Verherrlichung[4]

> *„Wir werden ihn **sehen** und ihm gleich sein.“* – 1. Johannes 3,2

Eine Sonnenblume ist *nicht* die Sonne. Und trotzdem können wir nachvollziehen, warum sie den Namen *Sonnen*blume bekommen hat. Mit ihrer charakteristisch runden Form, den leuchtend goldenen Blütenblättern und ihrer kraftvollen Ausstrahlung sieht sie aus wie die Sonne.

Menschen, die Jesus begegnen, die ihn wirklich *sehen*, können gar nicht anders, als verändert zu werden. Sie werden dem Sohn jetzt und hier immer ähnlicher – bis sie eines Tages vollkommen sein werden, so wie er es ist. Dieses nennt man Verherrlichung. Wir werden so perfekt sein wie Jesus, weil wir ihn sehen werden.

3 **Das Leben eines Christen (Mitte):** 2. Korinther 3,18: „Wir alle aber, mit aufgedecktem Angesicht die Herrlichkeit des Herrn anschauend, werden verwandelt nach demselben Bild von Herrlichkeit zu Herrlichkeit, als durch den Herrn, den Geist.“

4 **Wenn wir in den Himmel kommen (Ende):** 1. Johannes 3,2: „Wir wissen, dass wir … ihm gleich sein werden, denn wir werden ihn sehen, wie er ist.“

Was für ein krasser Vorgang. Die Herrlichkeit Gottes und wie sie unser Leben verändert, wenn wir sie im Auge behalten.

Aber schau genau hin. Was hast du in allen drei Phasen *nicht* gefunden? Ganz einfach: Niemand kann die Herrlichkeit Gottes *ansehen* und *nicht* verwandelt werden. Es ist schlichtweg unmöglich, den wahren Gott anzubeten, ohne verändert zu werden. Anbetung ohne Veränderung ist fake.

ANBETUNG ⟶ VERWANDLUNG

ANBETUNG ⟶ ~~VERWANDLUNG~~ = FAKE

Entweder du siehst seine Herrlichkeit und wirst verwandelt oder du siehst seine Herrlichkeit nicht und wirst *nicht* verwandelt. Ich weiß, dass das keine einfache Pille zu schlucken ist, aber es ist so wichtig, um das Problem zu verstehen. Schauen wir uns mal das Gesamtbild an, damit wir auf derselben Wellenlänge sind. Ich will mit dir ein einfaches Experiment machen, um herauszufinden, ob du wirklich eine Beziehung zu dem wahren Gott hast.

Die persönliche Kluft

Sie blickten auf ihn und strahlten.

– Psalm 34,6

Als Mose vom Berg Sinai herabstieg ... da wusste er nicht, dass die Haut seines Angesichts strahlte, weil er mit ihm geredet hatte.

– 2. Mose 34,29-30

Jedes Kind kennt den Kniescheibenreflex. Das ist *der* Test bei einer ärztlichen Untersuchung. Der Arzt tippt auf eine Stelle direkt unter der Kniescheibe und dein Bein schnellt automatisch vor. Im Grunde prüft der Arzt nur, ob du „normal" reagierst. Die meisten Kinder lieben diesen Test, weil sie die Reaktion nicht verhindern können.

Der *Automatismus* ist das Kuriose.

Ähnlich verhält es sich, wenn wir uns der Gegenwart Gottes bewusst werden: Es gibt eine automatische Reaktion. Du kannst dabei nicht gleichgültig bleiben, genauso wenig wie du auf einer Klippe des Grand Canyon stehen kannst, ohne tiefe Ehrfurcht zu empfinden.

Wie *genau* sieht eine typische Reaktion aus, wenn ein Mensch in die Gegenwart Gottes tritt? Um das herauszufinden, müssen wir einen Blick in die Bibel werfen.

Unsere Reaktion offenbart die Kluft

Was ist also eine typisch menschliche Reaktion in der Gegenwart Gottes? Schauen wir uns einige Beispiele in der Bibel an.

Als Gott Adam im Garten Eden besuchen kam, sagte Adam: *„Ich hörte deine Stimme im Garten, und ich **fürchtete mich**."* (1. Mose 3,10)

Jakob war auf Reisen, als Gott sich ihm im Traum offenbarte. Daraufhin sprach er: *„Gewiss, der HERR ist an diesem Ort, und ich wusste es nicht!" Und er* ***fürchtete sich*** *und sagte: „Wie furchtbar ist dieser Ort!"* (1. Mose 28,16-17)

Mose sah einen brennenden Dornbusch, der nicht verbrannte. Zuerst hielt er es für ein interessantes Phänomen, aber dann sprach Gott zu ihm aus dem Busch. Seine Reaktion: *„Da verbarg Mose sein Angesicht, denn er* ***fürchtete sich****, Gott anzuschauen."* (2. Mose 3,6)

Hiob hatte sich nie etwas zu Schulden kommen lassen (Hiob 1,1) und war sich sicher, dass er sich nicht davor fürchten würde, vor Gott zu stehen (Hiob 13,15). Daraufhin nahm ihn Gott beim Wort und begegnete ihm, von Angesicht zu Angesicht. Hiob sagte: *„Mit dem Gehör des Ohres hatte ich von dir gehört, aber nun hat mein Auge dich gesehen. Darum verabscheue ich mich und bereue in Staub und Asche."* (Hiob 42,5-6)

Petrus, Jakobus und Johannes gehörten zu den engsten Freunden von Jesus. Doch als sie mit ihm auf dem heiligen Berg waren, erschien die Wolke Gottes und *„sie fürchteten sich, als sie in die Wolke eintraten."* (Lukas 9,34)

Die Liste der Beispiele lässt sich endlos fortsetzen. Sowohl im Alten als auch im Neuen Testament. Alle zeigen das gleiche Muster: Gläubige, die in engen Kontakt mit Gott kamen – so nah, dass sie ihn auf intime Weise erleben, hören und sehen konnten – hatten alle die gleiche Reaktion: *FURCHT!*

Mein Freund, ich habe eine sehr ernüchternde Frage für dich. Hast du jemals Furcht in der Gegenwart Gottes erlebt? Bist du jemals so tief in Gottes Wort und ins Gebet eingetaucht, dass du in seiner Gegenwart von ihm überwältigt und erschüttert warst? Hast du jemals eine Predigt gehört, die dich so sehr in Gottes Licht gestellt hat, dass du wie erstarrt zuhören musstest, was Gott dir sagt? Hast du jemals Passagen in der Bibel gelesen, die dich innerlich zum Zittern gebracht haben? Ich weiß, dass diese Frage sehr schmerzhaft ist. Aber deswegen haben wir die Sache mit dem „Schmerz aushalten" schon besprochen. Er hilft dir. Wir haben jetzt einen Moment der Wahrheit. Gott *möchte* genau jetzt zu dir sprechen. Lass die Ausreden in deinem Kopf verstummen. Schau den Tatsachen direkt in die Augen. Erinnere dich an Gideon! Er hat die Dinge nicht beschönigt. Zieh die Analyse bis zum Schluss durch: Die Bibel macht es sonnenklar, dass gottesfürchtige Männer in Gottes Gegenwart *Furcht empfanden*. Hast du diese Furcht schon einmal gespürt?

Um das zu verdeutlichen und vielleicht in einen verständlichen Zusammenhang zu bringen, hier nochmal ein Beispiel: Du kannst nicht neben einem Blauwal schwimmen, *ohne* dich unwohl zu fühlen. Auch wenn du Wale *liebst*. Auch wenn die „Wal-Theorie" dir sagt, dass er dich niemals angreifen wird. Der Blauwal ist das größte Lebewesen der Welt. Die schiere Größe dieses kolossalen Seeungeheuers reicht aus, um dich erzittern zu lassen. Und hier kommt's: Gott ist *größer* als ein Blauwal.

Wenn du in seiner Gegenwart *noch nie* einen Ansatz von Furcht empfunden hast, dann bist du vielleicht noch nie dem *wahren und lebendigen* Gott begegnet. Leg das Buch jetzt für eine Minute zur Seite und lass Gott zu dir sprechen – ER ist *jetzt* da.

Unsere Untätigkeit offenbart die Kluft

So, jetzt gibt es aber noch eine weitere *positive* Reaktion, wenn man Gott erlebt hat. Die passiert auch automatisch. Vielleicht dazu einfach eine kurze Story:

Vor ein paar Jahren bin ich mit ein paar Freunden durch Neuseeland gereist. Als wir eines Tages schnorcheln waren, wurden wir von einem Dutzend Delfine überrascht. Zuerst waren wir uns sicher, dass sie weiterschwimmen würden, bevor wir sie erreicht hätten. Aber als sie nach einer Weile immer noch nicht verschwanden, konnte wir uns ihnen nähern, bis sie schließlich überall um uns herum waren! Das Gefühl war unbeschreiblich! Fast paradiesisch! Du kannst dir sicherlich vorstellen, dass wir in den nächsten Tagen *jedem* davon erzählt haben. Es war Thema Nr. 1.

Aber, weißt du was? Gott ist noch viel *genialer* als Delfine.

Wenn Delfine uns schon zum Schwärmen bringen, wie viel mehr Gott? Es ist unmöglich, mit Delfinen zu schwimmen und *nicht darüber zu reden.* Wie ist es dann möglich, dass wir so wenig über unsere Begegnung mit Gott erzählen? Vielleicht, weil wir noch keine Begegnung hatten? Oder schon lange nicht mehr hatten?

Johannes 12,41 sagt: *„Dies sprach Jesaja, weil er seine Herrlichkeit sah und von ihm redete."*

Gott zu sehen, brachte in Jesaja eine automatische und positive Reaktion hervor: Er sprach darüber. Er erzählte den Menschen davon. Er drängte sie dazu, sich mit Gott zu versöhnen. Paulus sah Jesus und widmete ihm sein Leben, indem er über ihn sprach. Petrus und die anderen Apostel fassten es so zusammen: *„Denn es ist uns unmöglich, nicht von dem zu reden, was wir gesehen und gehört haben!"*[5] (Apostelgeschichte 4,20)

Sie sahen ... und deswegen sprachen sie.

Wir *sagen*, dass wir sehen, aber wir reden nicht darüber.

Und warum? Weil wir Gott vielleicht nie so gesehen haben, wie sie ihn gesehen haben!

Lass mich noch einmal auf die Geschichte mit den Delfinen zurückkommen. Wenn du Delfine in einem Film oder auf einem Foto siehst, sehen sie freundlich und sogar niedlich aus. Aber als ich ins Wasser sprang und auf die Delfine zugeschwommen bin, habe ich plötzlich etwas Sonderbares gespürt: Furcht! Ich würde mit Kreaturen schwimmen, die viel größer waren als ich und die mich sogar umbringen konnten. Zumindest könnten sie mich ernsthaft verletzen.

Jesaja, Paulus und Petrus kannten Gott nicht von einem Foto oder aus einem Film. Sie waren in seiner *Gegenwart.* Von Angesicht zu Angesicht. Und sie spürten den Schrecken. Jesaja schrie auf: *„Wehe mir, denn ich bin verloren!"* (Jesaja 6,5) Petrus hörte auf dem Berg der Verklärung die Stimme Gottes, fiel auf sein Angesicht und hatte „große Angst". (Matthäus 17,6) Paulus wurde zu

5 Zitiert nach Schlachter

Boden geworfen und war drei Tage lang blind.

Hättest du sie drei Minuten nach ihrer Begegnung mit Gott gesehen, hätten sie vermutlich ausgesehen wie nach einem kleinen Autounfall. Paulus erklärt später, dass dies das Geheimnis ist: *„Da wir nun den Schrecken des Herrn kennen, so überreden wir die Menschen.“* (2. Korinther 5,11) Noah baute die Arche „von Furcht bewegt“ nach einer göttlichen Begegnung. (Hebräer 11,7)

Jesaja, Paulus, Petrus und Noah (und viele mehr) kannten den *Schrecken* des Herrn.

Nicht durch Kopfwissen, sondern aus *Erfahrung*.

Und das führte dazu, dass sie von ihm sprachen. Oft und laut. Mutig und ruhig. Es war egal, ob die Leute ihnen damit drohten, sie zu töten oder sie verspotteten – sie *mussten* es tun, weil sie Gott gesehen hatten. Das geschah so automatisch, wie der Kniescheibenreflex.

Unser Fehlverhalten offenbart die Kluft

Es gibt eine dritte Kategorie, in der wir unseren aktuellen Stand mit dem in der Bibel dargestellten Ideal vergleichen müssen. Wir haben gesehen, dass die Furcht vor dem Herrn und der Kontakt zu Ungläubigen seltsam wenig verbreitet sind, während das in der Bibel die absolute Norm war.

KÄMPFST DU DAMIT?
SCHAU MAL AUF SEITE 288

Eine Sache haben wir aber, die weit verbreitet ist: Pornos. Ich weiß, dass dich das hart trifft, aber Bro ... wir müssen es leider ansprechen. Und das nicht, weil ich gerne darüber rede (tu ich nämlich überhaupt nicht), sondern weil es ein deutliches Zeichen dafür ist, dass etwas nicht stimmt. Johannes sagt in 1. Johannes 1,6: *„Wenn wir sagen, dass wir Gemeinschaft mit ihm haben, und wandeln in der Finsternis, so lügen wir und tun nicht die Wahrheit.“*

Stell dir vor, der Gott, der Jesaja, Paulus, Petrus und Johannes vor Angst zu Boden fallen ließ, würde in deinem Zimmer auftauchen – würdest du dir dann Pornos ansehen? Oder bewusst einen Ältesten aus deiner Gemeinde verleumden? Das würdest du nie machen. Es ist ein absolutes Ding der Unmöglichkeit, eine innige Verbindung zu Gott zu haben, wenn du gleichzeitig in diesen Kategorien gewohnheitsmäßig sündigst.

Aber jetzt kommt der beängstigende Teil. Es gibt einige, die *denken,* sie hätten Gemeinschaft mit Gott, aber sie leben in der Finsternis. Mich hat immer wieder eine bestimmte Bibelstelle erschreckt, in der Jesus sagt: *„Viele werden an jenem Tag zu mir sagen: Herr, Herr, haben wir nicht durch deinen Namen geweissagt und durch deinen Namen Dämonen ausgetrieben und durch deinen Namen viele Wunderwerke getan? Und dann werde ich ihnen erklären: Ich habe euch niemals gekannt; weicht von mir, ihr Übeltäter!"* (Matthäus 7,22-23)

Es wird tatsächlich Menschen geben, die *dachten,* sie würden Christus folgen und sogar erstaunliche Dinge in seinem Namen tun ... und doch in der Hölle enden! Das ist absolut beängstigend!

Wie sowas passieren kann, erkläre ich dir in Kapitel 6, aber jetzt müssen wir uns erst einmal fragen: „Woher hätten sie wissen können, dass sie auf dem falschen Weg sind?" Und du kennst die Antwort bereits: *Vergleiche das Ideal mit der Realität.*

Das Ideal war: Für Gott zu leben. Sie dachten, sie würden es tun.

Aber Jesus zeigt ihnen ihre Realität: Sie waren alle Übel*täter* – Das heißt, sie taten schlechte Dinge. Gottes Urteil ist nicht einfach wahllos.

Und Jesus nennt sie „Gesetzlose". Gesetzlosigkeit bedeutet, dass man eine Grenze überschreitet. Man kann es also messen. Es gab bestimmte Stellen im Leben dieser Menschen, an denen sie *wussten,* dass etwas ganz und gar nicht in Ordnung war. Aber sie haben es bereitwillig ignoriert.

Also hier die Frage an dich:

Hast du eine Gewohnheitssünde in deinem Leben?

Das ist eine ernste Angelegenheit. Wenn du dich als Christ bezeichnest, aber in deinem Leben ein sich wiederholendes Muster von Sünde auftaucht, dann sind Hophni und Pinehas ein warnendes Beispiel. Sie waren im Grunde „Pastorenkinder“, die heilige Tempelarbeit verrichteten und gleichzeitig mit den Frauen, die zum Gottesdienst kamen, Ehebruch begingen. Heute würde man sagen: Morgens im Gottesdienst den Lobpreis leiten und abends Pornos reinziehen.

Die Bibel macht uns unmissverständlich klar, warum sie das taten: *„Sie kannten den Herrn nicht.“* (1. Samuel 2,12) Sie hatten keine tiefe Beziehung zu Gott. Sie wussten nicht, dass Gott der Schrecken der Sünder ist – ganz egal, wie heilig sie von außen aussahen. Als ihr Vater ihnen von der schrecklichen Seite Gottes erzählte, steht über sie geschrieben: *„Aber sie wollten nicht auf die Stimme ihres Vaters hören.“* (1. Samuel 2,25)

Und was hat Gott über all das gedacht? *„Es war der Wille des Herrn, sie zu töten.“*

Hophni und Pinehas verrieten sich durch ihr eigenes Verhalten. Ihre Taten zeigen uns, dass sie keine echte Verbindung zu Gott, dem Herrn, hatten. Auch unser Verhalten ist ein Zeichen für unser geistliches Leben. So wie wir uns verhalten, nachdem wir die Gegenwart Gottes verlassen haben (in unserer Andacht, im Gottesdienst oder auf welche Weise auch immer du „mit Gott zusammen bist“), zeigt, ob wir ihn wirklich erlebt haben.

Wenn deine Taten gottlos sind, bist du dann wirklich Gott begegnet?

Es besteht die erschreckende Möglichkeit, dass Du vielleicht nicht in der Gegenwart Gottes lebst. Dass du IHN nicht *siehst.* Wenn dich deine persönliche Erfahrung noch nicht überzeugt hat, lass mich dir das große Ganze näher bringen.

Die kollektive Kluft

Sieh der Realität ins Auge, wie sie ist,
nicht wie du sie gerne hättest.

– Anonym

Wir sehen also, dass es in unserem *persönlichen* Leben Warnzeichen gibt, die uns dazu bringen sollten, innezuhalten und die Echtheit unseres Glaubens zu überprüfen. Wir finden sie, indem wir unsere *Ist*-Situation mit der *Soll*-Situation der Bibel vergleichen. Was *ist* und was sein *sollte*. Und dabei haben wir drei Punkte entdeckt, die sich radikal von unseren geistlichen Vorfahren in der Bibel unterscheiden:

1. Unsere Reaktion (auf die Gegenwart Gottes)
   – Keine Angst
2. Unsere Untätigkeit (nach der Gegenwart Gottes)
   – Kein Outreach
3. Unser Fehlverhalten (trotz der Gegenwart Gottes)
   – Keine Heiligkeit

Und jetzt möchte ich dir einmal erschreckende Fakten aus unserem *kollektiven* Leben als Gemeinde zeigen, die uns alarmieren und zum Zittern bringen sollten. Mein Hauptargument wird der dritte Punkt sein, die Heiligkeit, aber zuerst gehe ich noch kurz auf die ersten beiden ein – die brauchen wir nämlich später noch.

Ist das wirklich Gottes Anwesenheit?

Jean-Louis, ein atheistischer Kollege, hat mir einmal von einer „christlichen Erfahrung“ erzählt, die er in den USA gemacht hatte. Sein Gastgeber nahm ihn – sicherlich mit den besten Absichten – zu einem Konzert mit, ohne ihm zu sagen, dass es „christlich“ war. Da Jean-Louis in Frankreich aufgewachsen ist (welches sehr auf ein laizistisches, weltliches Bildungssystem setzt), hatte er noch nie eine „Gotteserfahrung“ gemacht. Aber das sollte sich anscheinend an diesem Tag ändern. Er war auf ein Gospelkonzert mitgegangen, ohne es zu merken. Später hat er mir Folgendes berichtet:

> *„Da drin war's wie auf einem Heavy Metal Konzert. Wir sind rumgehüpft und hatten mächtig Spaß dabei. Plötzlich wurde alles still und der Leadsänger hatte über diesen ‚Jesus-Kram‘ geredet. Ihr nennt sowas wahrscheinlich das Evangelium. Ich war noch ganz außer Atem vom Tanzen und dachte: ‘Machst du Witze? Soll das hier was Religiöses sein?’ Ich hatte zwar mords den Spaß, aber meine gottesfürchtige Großmutter hätte einen Schock bekommen.“*

Jetzt vergleich diese „Evangelisationserfahrung“ einmal mit einer weiteren aus dem Jahr 1741 in Enfield. Ein junger Prediger begann zu einer Menschenmenge zu sprechen, die Religion gegenüber ganz besonders gleichgültig war. Während er predigte, wurden die Menschen vom Heiligen Geist überführt. Sie schrien und schluchzten. Einige weinten unter ihrer Sündenlast so sehr, dass der Redner letztendlich gezwungen war, die Predigt abzubrechen. Der Heilige Geist war in Bewegung. Statt die Predigt fortzusetzen, gingen Helfer unter die Leute und beteten in Gruppen mit ihnen. Viele Menschen fanden Jesus Christus und die moralische Struktur der ganzen Stadt veränderte sich. Es war der Beginn einer Erweckung, die bis heute noch in den USA ihre Spuren hinterlässt.

Die Predigt trug den Titel: „Sünder in den Händen eines zornigen Gottes“.

Ich weiß, wie unsere Antwort darauf im 21. Jahrhundert aussehen würde: „Damals hatte es seine Berechtigung. Heute ist das anders.“ Ja, heute *ist es* anders. Heute verurteilen wir Prediger, deren feurige Botschaften erwiesenermaßen Tausende von Menschen retteten, während wir noch nie eine einzige Seele zum

Herrn geführt haben. Was für eine Blindheit! Was für eine Arroganz!

Wir nennen sie „Feuer und Schwefel"-Prediger und vergessen, dass der „Jesus", den wir auf unseren Hipster-Merchandise drucken, mehr über die Hölle gesprochen hat als jeder andere. T-Shirts und Tassen über Furchtlosigkeit sind in den christlichen Shops der absolute Hit. Sicherlich gut gemeint, aber vielleicht ironischerweise ein Zeugnis dafür, wer wir wirklich sind: eine ganze Generation, die die Furcht vor ihrem Gott verloren hat.

Ist *das* wirklich Mission?

Wir haben bereits gesehen, wie die Furchtlosigkeit vor dem Herrn zu einem Mangel an Liebe für Andere und zu Untätigkeit im Evangelium führt. Traurigerweise trifft das auch auf das Kollektiv zu. Viele Christen sind, genau wie der Rest der Welt, selbstbezogen und egozentrisch geworden.

Werfen wir mal einen Blick auf die Zahlen.

Laut Missionary Portal[6] fließen für jede 100.000 Dollar, die ein Christ verdient, nur magere *107 Dollar* in die Weltmissionen. Und noch viel schlimmer: Es gibt etwa 3,1 Milliarden Menschen, die in unerreichten Volksgruppen leben. Das sind Menschen, denen die Sprache, die Kultur, die Geografie oder ein anderes Hindernis den Zugang zum Evangelium versperrt. Und jetzt kommt der Clou: Von den 107 Dollar kommen nur magere 1 % bei diesen unerreichten Bevölkerungsgruppen an.

Das ist wirklich herzzerreißend.

Wenn man dann noch bedenkt, dass sich das Christentum in ganz Europa, Südamerika, Nordamerika und Australien/Ozeanien im Rückgang befindet, sieht man, dass unsere *Untätigkeit,* nachdem wir in der Gegenwart Gottes waren, das direkte Gegenteil von Jesu Gebot ist: *„Geht nun hin und macht zu Jüngern alle Völker.*[7]*"* (Matthäus 28,19)

6 http://missionaryportal.webflow.io/stats

7 Zitiert nach Schlachter

Ziemlich überführende Fakten. Also frag dich doch mal: Wann hast du das letzte Mal jemandem das Evangelium erzählt? Können wir wirklich behaupten, dass wir täglich vor demselben Gott stehen wie die vorigen Generationen, wenn die Zahlen eine völlig andere Realität zeigen?

Ist *das* ein wahres Bild für Heiligkeit?

„Ich mag euren Christus, aber nicht euer Christentum."

– Mahatma Gandhi

Die ersten beiden Punkte sind herzzerreißend, das stimmt, aber sie sind nicht das größte Problem. Um das Ausmaß dieser Krise kristallklar zu machen und die Vorurteile zu beseitigen, möchte ich dir einen statistischen Beweis dafür liefern, dass wir ernsthaft vom Kurs abgekommen sind.

Ganz am Anfang des Kirchenzeitalters musste ein Ehepaar aufgrund von Sünde sterben. Warum? Weil die beiden passiv gelogen hatten. Nur eine kleine Notlüge. Das Resultat: Tod. Junge christliche Männer schafften die Leichen dieses toten Paares von Petrus' Füßen fort.

Im Vergleich dazu schauen heute junge christliche Männer wöchentlich unehelichen Sex an, um zu masturbieren. Ist das zu fassen? Und das ist nicht nur ein Problem von Gemeindemitgliedern, sondern auch von Pastoren.

In einer Studie der Barna Group mit dem Titel *Porn Phenomenon*[8] finden wir diese aussagekräftigen Statistiken: 64 % der Jugendpastoren geben zu, dass sie bereits Probleme mit Pornografie hatten oder haben. Bei den älteren Pastoren sieht es nicht viel besser aus. 57 % geben zu, dass sie Probleme mit Pornografie haben oder hatten. Covenant Eyes, ein Unternehmen, das Verantwortlichkeit und Freiheit von der Pornosucht anbietet, sagt,

8 https://shop.barna.com/products/porn-phenomenon

dass jeder fünfte Pastor und jeder siebte Jugendpastor regelmäßig Pornos konsumiert und zugibt, dass er akute Probleme damit hat. Allein in den USA sind das über 50.000 Pastoren.[9]

Wie weit sind wir gefallen?

Die Kirchengeschichte ist voll von Menschen, die buchstäblich ihr Leben für die Herde aufgegeben haben. Im 19. Jahrhundert lag die Lebenserwartung eines Missionars in Afrika zwischen zwei und acht Jahren. Viele starben innerhalb der ersten drei bis sechs Monate.[10] Im Vergleich dazu ist Hirtendienst im biblischen Sinne bis heute kaum noch vorhanden. Keiner hat mehr Lust, sich für den anderen aufzuopfern.

Für die ersten Christen war die Ehe heilig. Heutzutage sind die Scheidungsraten unter Christen häufig genauso hoch wie unter Nichtgläubigen. Laut dem Pew Research Center bezeichnen sich 74 % der geschiedenen oder getrennt lebenden Erwachsenen als „Christen".[11]

Früher war das Gebet die Säule der Gemeinde. Und heute? Im Durchschnitt werden Gebetstreffen von weniger als 10 % der Gemeinde besucht. Wie der englische Evangelist Leonard Ravenhill einmal gesagt hat:

„No man is greater than his prayer life. The pastor who is not praying is playing; the people who are not praying are straying. We have many organizers, but few agonizers; many players and payers, few prayers; many singers, few clingers; lots of pastors, few wrestlers; many fears, few tears; much fashion, little passion; many interferers, few intercessors; many writers, but few

9 https://www.covenanteyes.com/pornstats/

10 https://www.mcser.org/journal/index.php/mjss/article/view/2380

11 https://www.pewforum.org/religious-landscape-study/marital-status/divorcedseparated/

fighters. Failing here, we fail everywhere.“[12]

Junge Menschen kennen die Story und den Alltag ihres Lieblingsvereins bis ins kleinste Detail. Oder sie studieren komplexe Themen wie die Quantenmechanik an den Universitäten. Aber sie verstehen kaum die biblischen Geschichten, geschweige denn einzelne Wahrheiten im Neuen Testament ... und noch weniger die großen Taten und die Gnade Gottes in der Kirchengeschichte.

Am Anfang war die Kirche gleichgesinnt: ein Herz und eine Seele. Heute ist die Kirche in über 45.000 Konfessionen aufgeteilt.[13] Und trotzdem kommen kaum neue Besucher dazu. Wenn eine Gemeinde wächst, dann oft nicht durch gezielte Evangelisation, sondern weil die Mitglieder von der einen Gemeinde zur anderen wechseln und die kleineren Ortsgemeinden schrumpfen.

Christen sind genauso handysüchtig wie die Welt. Sie verbringen mehr als 3,5 Stunden pro Tag an ihrem Handy und nehmen es mehr als 50 Mal am Tag in die Hand. Wie oft musst du auf etwas schauen, bevor es zu einem Götzen wird?

Siehst du, wie weit wir vom Ideal entfernt sind?

Und das, obwohl die Macht Gottes sich nicht verändert hat. Der Heilige Geist ist heute genauso verfügbar wie er es zu Pfingsten war.

Was sich verändert hat, ist unsere *Verbindung zu ihm.* Die Kraft fließt nicht, weil es keinen Kontakt gibt. Keine Intimität. Wir Christen behaupten, Gott zu sehen, und sündigen trotzdem ununterbrochen. Wir bekennen, Intimität mit Gott zu haben, aber suchen pornografische Intimität im Netz. Wir genießen das

12 „Kein Mensch ist größer als sein Gebetsleben. Ein Pastor, der nicht betet, spielt nur; Menschen, die nicht beten, verirren sich. Wir haben viele Organisatoren, aber nur wenige Quälgeister; viele die spielen, aber nur wenige die beten; viele, die singen, aber nur wenige, die klammern; viele Pastoren, aber nur wenige, die wirklich ringen; viele Ängste, aber nur wenige Tränen; viel Mode, aber wenig Leidenschaft; viele, die sich einmischen, aber nur wenige, die fürbitten; viele Schreiber, aber nur wenige Kämpfer. Wenn wir darin versagen, versagen wir überall.“ https://www.goodreads.com/author/quotes/159020.Leonard_Ravenhill

13 https://www.gordonconwell.edu/center-for-global-christianity/research/quick-facts/

Leben mit Gott und finden es zugleich spannend, wenn man uns in Filmen vorspielt, wie jemandem das Leben genommen wird.

Das ist eine spirituelle Unmöglichkeit. Es ist ein Entweder-Oder. Gott oder Sünde.

Du musst eine Entscheidung treffen. Unsere Augen können nicht auf zwei Punkte gleichzeitig schauen. Das ist unmöglich. Wenn wir also auf die Sünde schauen, nehmen wir unsere Augen von Gott weg. Um es noch weiter zu vereinfachen: Du kannst nicht in der einen Hand eine aufgeschlagene Bibel und in der anderen ein Handy voller weltlicher Lüste halten. Wenn wir unseren Blick von Gott abwenden, öffnen wir uns für die Verlockungen der Sünde.

Ich warne nicht davor, dass das passieren *könnte*.

Es *ist* bereits geschehen.

Wenn wir unseren Kurs nicht ändern und die Probleme an der Wurzel packen, werden wir eine ganze Generation verlieren. Die haben nämlich inzwischen herausgefunden, dass dieses ganze Kirchen-Blabla nur *gefakt* ist.

Bitte nimm dir kurz zehn Minuten Zeit und hör dir an, was sie zu sagen haben ... im nächsten Kapitel.

TAKEAWAYS

1. **Es gibt eine Kluft.** Es gibt eine Kluft zwischen dem Standpunkt der Kirche heute und dem, wo sie eigentlich sein sollte. Das zeigt sich, wenn wir das Ideal mit dem Ist-Zustand vergleichen. Diese Kluft muss geschlossen werden.

2. **Wenn du auf Gott schaust, schließt sich diese Lücke automatisch.** Nach dem „Sonnenblumen-Prinzip“ sollte sich die Kluft automatisch schließen – durch unsere tägliche Gemeinschaft mit Gott.

3. **Die Kluft wird aber *nicht* kleiner.** Das bedeutet, dass es ein Problem gibt. Die Kirche als Ganzes ist nicht erweckt und die Zahlen belegen das. Für Christen ist das eine Chance.

GEBET

Herr, warum gibt es einen solchen Unterschied zwischen der Wahrheit, die du uns in deinem Wort zeigst und unserer Lebens-Praxis? Hilf mir zu erkennen, wo in meinem eigenen Leben eine Kluft zwischen dem Ideal und der Wirklichkeit steht, und fang an, sie in mir zu schließen.

KAPITEL 3

WARUM MILLENNIALS WEGGEHEN

WARUM ES SO LEICHT IST, VOM GLAUBEN ABZUFALLEN

Dann werden sie zu mir rufen, und ich werde nicht antworten; sie werden mich eifrig suchen und mich nicht finden.

– Sprüche 1,28

Deine Bosheit züchtigt dich, und deine Abtrünnigkeiten strafen dich; so erkenne und sieh, dass es schlimm und bitter ist, dass du den HERRN, deinen Gott, verlässt und dass meine Furcht nicht bei dir ist, spricht der Herr, der HERR der Heerscharen.

– Jeremia 2,19

Ein leeres Heiligtum

Das Jahr 70 n. Chr. war eins der dunkelsten Jahre der jüdischen Geschichte. Jerusalem in Flammen. Erobert durch Rom. Der römische Soldat Marcus Quirinus schritt durch den heiligen jüdischen Tempel. Ein qualvoller Anblick für die Juden: Ein Heide im Haus Gottes. Vor Marcus hing der schöne, massive Vorhang, der ihn vom heiligsten Ort der Erde trennte:

Dem Allerheiligsten.

Unmittelbar dahinter befand sich die Wohnung Gottes: seine Herrlichkeit.

Jeder, der sie betrat, würde sofort sterben. Zumindest jeder außer dem Priester, der einmal im Jahr diesen Ort betreten durfte. Aber selbst dieser würde sterben, wenn er eine Sünde unbereinigt auf sich behalten hatte. Als Marcus Quirinus auf den Vorhang zuging und seine Schritte über den kalten Boden hallten, ahnte er nicht, welcher Schrecken hinter dem Vorhang auf ihn wartete.

Mit einem selbstbewussten Blick schob er den Vorhang zur Seite, betrat den Raum und …

… nichts geschah.

Die Bundeslade war nicht mehr hier.

Die Herrlichkeit hatte den Tempel schon vor langer Zeit verlassen. All die Jahre hatten die Menschen Opfer gebracht, doch das Allerheiligste war leer gewesen.

Gott war nicht da.

Ich kann natürlich nicht sagen, ob es sich *genauso* abgespielt hat. Aber ich denke, dass es ein gutes Bild davon ist, was jungen Christen jeden Tag passiert. Sie fangen an, in ihrem Glauben tiefer zu graben und sich über ihren heiligen Glauben ernsthaft zu erkundigen, und finden heraus: *Vieles stimmt nicht*. Einiges ist nicht *so*, wie es ihnen erzählt wurde. Sie finden Gott nicht hinter dem Vorhang.

Die Barna-Studie zeigt, dass fast sechs von zehn Kindern und Jugendlichen (59 %), die in christlichen Gemeinden aufwachsen, irgendwann entweder ihren Glauben oder die Gemeinde verlassen werden.

Lass dir das mal auf der Zunge zergehen. Du hast eine Jugendcamp-Gruppe von zehn Kindern und weißt, dass sechs von ihnen irgendwann abfallen werden!

Wenn das nicht laut und deutlich zu uns spricht, dann weiß ich auch nicht, was uns sonst wachrütteln soll. Meine Bedenken, die ich vor fünfzehn Jahren auf der Couch geäußert habe, waren eine milde Analyse im Vergleich zur heutigen Realität. Es ist eine Tsunami-Welle, die die evangelikalen Küsten erreicht hat.

Und das Frustrierendste daran? Wir hätten es verhindern können.

Nicht indem wir sagen, dass Jugendlichen, die die Gemeinde verlassen, oberflächlich sind und nie wirklich fest im Glauben standen. Das ist eine Vereinfachung, die schlichtweg falsch ist. Die meisten Menschen, die sich vom Glauben abwenden, haben ein ziemlich gutes Verständnis von der Bibel und sind bestens mit christlicher Apologetik vertraut. Lass mich dir einige Beispiele nennen: Josh Harris war ein Prediger, Rhett und Link Missionare, Marty Sampson und Audrey Assad waren angesagte Worship-Sänger und Derek Webb ein Calvinist und so weiter ...

Wir können nicht sagen, dass sie es nicht versucht haben. Oder dass sie eine Abkürzung nehmen wollten. Nein, diese Leute haben sich hingesetzt und Bücher über Gott und die Bibel gelesen. Und nicht selten haben sie in diesen Büchern gerade deshalb gelesen, weil sie zeigen wollten, *dass* Gott existiert! Sie wollten ihn verteidigen. Ihre Beweggründe waren also *für Gott*.

Aber irgendetwas ist komplett nach hinten losgegangen!

Bestimmte Dinge passten nicht zusammen.

Sie haben hinter den Vorhang geschaut ... aber Gott war nicht da.

Der Himmel schlägt zu

Denn die Zeit ist da,
dass das Gericht beginnt beim Haus Gottes.[14]

– 1. Petrus 4,17

Es gibt zwei Optionen: Entweder die Gemeinde stellt sich der Realität, oder die Realität wird die Gemeinde einholen.

Große Frage: Gibt es einen direkten Zusammenhang zwischen Realität und Spiritualität?

Hat die Tatsache, dass junge Menschen weglaufen, etwas mit dem geschwächten geistlichen Zustand der Gemeinden zu tun?

Ja, hat sie!

Lass mich erklären, wie ich zu der kühnen Behauptung komme, dass Gott *aktiv* durch Umstände zu uns als Kollektiv spricht.

Stell dir vor, ein Blinder läuft auf eine Klippe zu. Wenn du diesen Menschen liebst, wirst du ihn nicht über die Klippe laufen lassen! Du wirst alles in deiner Macht Stehende tun, um ihn zu retten – ihm hinterherlaufen und notfalls sogar umschmeißen. Du wirst alles, was nötig ist, tun, um ihn von seinem Kurs abzu-

14 Zitiert nach Schlachter

bringen. *Selbst* wenn er dadurch kurzfristig Schmerz empfinden wird. Liebe kann nicht zusehen, wie ein Mensch in die Irre läuft und NICHT eingreifen.

Das Gleiche gilt für Gott. Weil Gott uns liebt, greift er ein, wenn wir ihn aus den Augen verlieren. Dafür gebraucht er die Stimme von Menschen. Wir nennen sie Propheten. In der Bibel oder in Predigten kannst du hören, was sie zu sagen haben.

Wenn Gott uns geistig nicht mehr erreichen kann, wird er uns physisch berühren.[15] Weil aber zwischen diesen zwei Phasen (1. geistig; 2. physisch) oft ein wenig Zeit vergeht, verstehen wir Menschen das Prinzip von Ursache und Wirkung nicht direkt und ignorieren deshalb auch das eigentliche Problem. Aber die Wahrheit bleibt dieselbe: Wenn Gott uns nicht durch Worte erreichen kann, wird er es uns auf dem materiellen Weg spüren lassen. Er kann unseren Körper, unsere Wirtschaft oder sogar unsere Umwelt antasten. Dabei benutzt Gott die physische Welt absichtlich, um uns auf ein *geistliches* Problem aufmerksam zu machen.

Haggai 1 könnte nicht deutlicher sein:

> *„Richtet euer Herz auf eure Wege! Ihr habt viel gesät und* ***wenig eingebracht;*** *ihr esst, aber nicht zur Sättigung; ihr trinkt, aber nicht zur Genüge; ihr kleidet euch, aber es wird keinem warm; und der Lohnarbeiter erwirbt Lohn für einen durchlöcherten Beutel ...“*

> *„Ihr habt nach vielem ausgeschaut, und siehe, es wurde wenig; und brachtet ihr es heim, so blies ich hinein. Weshalb das?, spricht der HERR der Heerscharen.* ***Wegen meines Hauses, das wüst liegt,*** *während ihr lauft, jeder für sein eigenes Haus. Darum hat der Himmel den Tau über euch zurückgehalten und die Erde ihren Ertrag zurückgehalten.“*

15 Siehe Sprüche 3,11-12: „Mein Sohn, verwirf nicht die Züchtigung des HERRN und sei nicht unwillig über seine Zurechtweisung; denn wen der HERR liebt, den züchtigt er, wie ein Vater den Sohn, an dem er Wohlgefallen hat.“

Das **geistliche Problem** (Mein Haus, das wüst liegt) führt zur **materiellen Zurechtweisung** (Ihr habt viel gesät und wenig eingebracht).

Das ist nicht nur ein alttestamentlicher Grundsatz. In 1. Korinther 11,29-30 sagt der Geist: *„Denn wer unwürdig isst und trinkt, isst und trinkt sich selbst Gericht, indem er den Leib nicht unterscheidet. Deshalb sind viele unter euch schwach und krank, und ein gut Teil sind entschlafen."*

Das **geistliche Problem** (kein Selbstgericht) bringt **materielle Zurechtweisung** (Schwäche, Krankheit und Tod).

Wir müssen unsere Augen für die schwindenden Zahlen in der Christenheit öffnen und den Grund dafür im Gebet herausbekommen, um letztendlich die Lösung für diese Generation in der Bibel zu finden. Im nächsten Kapitel gehen wir das zusammen an.

Sie begegnen Gott nicht in den Gemeinden

In Gesprächen mit vielen jungen Menschen haben sich drei Dinge herauskristallisiert, die sie stutzig machen und sie fragen lassen, ob Gott wirklich da ist:

- Keine ***innere*** **Kraft**, was zu Süchten und fehlender Selbstdisziplin führt.
- Keine **Hilfe von *außen***, was ihnen das Gefühl gibt, dass niemand *wirklich* zuhört.
- Keine **Einheit**, was zu Streit und Spaltung innerhalb der Gemeinde führt.

Was haben diese drei Dinge mit Gott zu tun? Eine ganze Menge. Sie sprechen indirekt von der Dreieinheit. Oder besser gesagt: Dem Fehlen des dreieinigen Gott. Wenn Jugendliche diese drei Dinge nirgends sehen können, werden sie auch Gott nicht sehen.

Ich will dir zeigen, wie das zustande kommt. Auch hierbei verwende ich die „Soll- vs. Ist-Analyse". Was jungen Menschen erzählt wird (Soll-Zustand), stimmt nicht mit dem überein, was sie wirklich erleben (Ist-Zustand).

JESUS

Jungen Menschen wird erzählt, dass sie einen allmächtigen Retter haben, der uns in der Vergangenheit gerettet hat (Rechtfertigung) und uns in der Zukunft retten wird (Verherrlichung). Aber was ist mit *heute* (Heiligung)? Keine Spur von Heiligung im eigenen Leben. Es ist nicht gerade leicht, das Evangelium weiterzugeben und jemandem zu sagen, dass er *wirklich* frei sein wird[16] (wirklich, wirklich frei!), wenn du selbst ein Porno-Sklave bist, nicht mit dem Rauchen aufhören kannst oder dein Handy an deiner Hand klebt.

Fazit:
Der Retter rettet nicht WIRKLICH.
Er ist nicht hinter dem Vorhang. Zumindest nicht für mich.

VATER

Jugendlichen wird gesagt, dass es einen liebenden Vater im Himmel gibt. Außerdem soll diese Realität auch auf der Erde widergespiegelt werden: Dazu werden wunderbare Vater-Sohn-Beziehungen von Mose und Josua, Elia und Elisa und Paulus und Timotheus herangezogen. Problem: Diese Ideale werden im 21. Jahrhundert nur selten verwirklicht. Für junge Menschen von heute scheinen sich die Verantwortlichen in den örtlichen Gemeinden nicht wirklich zu kümmern. Nur wenn es darum geht, ihre Gemeindearbeit zu unterstützen, oder wenn jemand mal unehelichen Sex hat oder andere „Kardinal-Sünden" begeht. Dann wird man aktiv.

16 „Wenn der Sohn euch also frei macht, werdet ihr wirklich frei sein." Johannes 8,36

Fazit:

Du kannst dich glücklich schätzen, wenn du einen Vater hast, der gut zu dir ist.
Aber geistliche Väter gibt es keine mehr.
Zumindest nicht hinter dem Vorhang.

GEIST

Als der Heilige Geist an Pfingsten erschien, vereinte er zwei Gruppen, die sich weit voneinander entfernt hatten: Juden und Nichtjuden. Jugendliche hören solche Geschichten voller Begeisterung und mit weit aufgerissenen Augen. Schade eigentlich, dass der Heilige Geist heute nicht mehr in der Lage ist, Menschen zu vereinen, die sich darüber streiten, ob wir Kleinkinder oder Erwachsene taufen sollen, ob man wählen gehen sollte oder nicht oder ob die Musik zu laut oder zu leise ist. Und während die „Eltern" streiten, sterben die „Kinder" unbeachtet.

Fazit:

Der Geist schafft kein Zusammenhalt.
Zumindest nicht im 21. Jahrhundert.
Es gibt keinen Geist hinter dem Vorhang.

Millennials, die die Kirche verlassen, sind oft stark in kirchliche Aktivitäten eingebunden gewesen. Pastorenkinder und dergleichen. Und sie haben aus erster Hand erfahren, dass es im Leben der Leiter keinen Gott gibt. Diese Leere „hinter dem Vorhang" hinterlässt einen unauslöschlichen Eindruck.

Ich weiß, was du denkst! Das alles vernichtende Argument: „Schau nicht auf den Menschen. Schau auf den Gott der Bibel." Und genau das werden wir tun. Wir werden folgende Frage stellen und beantworten: *Welche „Gott"-Definition wurde den Millennials in der Evangelikalen Welt beigebracht?* Vielleicht steckt ja in der Lehre noch eine gewisse Hoffnung, wenn schon in der praktischen Anwendung keine zu finden ist.

Aber werden sie *diesen* Gott in der Bibel finden?

Sie finden „Gott" in der Bibel nicht

> *Darum wird mein Volk weggeführt aus Mangel an Erkenntnis, und seine Edlen verhungern.*
>
> – Jesaja 5,13

Rhett und Link sind super bekannte YouTuber in den USA. Ihre YouTube-Show *Good Mythical Morning* [17] kennt so ziemlich jeder, aber was kaum jemand kannte, war ihre „Dekonstruktionsgeschichte".

Dekonstruktion ist ein kompliziertes Wort dafür, dass man seinen eigenen Glauben hinterfragt. Man zerlegt Glaubensgrundsätze in kleinere Bestandteile, um deren Grundlage und Wahrheitsgehalt zu untersuchen.

Dieser Trend ist tragisch und doch nur allzu üblich für Millennials und die darauffolgende Generation.

Ich habe Rhett und Link rausgepickt, weil ich die Jungs einfach sehr mag und ihre Geschichte uns sehr wichtige Einblicke gibt, wie sie Gott kennen gelernt haben. Sie haben die Kirche nicht verlassen, weil sie von ihr enttäuscht waren. Rhett ist da sehr deutlich: *„Viele Menschen haben eine traumatische spirituelle Erfahrung in einer Kirche gemacht. Bei mir war das nicht so. Ich habe da nur Gutes für mich rausziehen können."*[18]

Etwas anderes hat ihren Glauben zerstört, und genau das möchte ich mit dir analysieren, weil es auch für uns interessant und gleichzeitig eine Warnung ist.

17 Wenn du Rhett und Link noch nicht kennst, lies weiter. Im weiteren Verlauf dieses Abschnitts erfährst du mehr über ihren Weg zur Popularität und warum ihre Bekehrungsgeschichte ein Spiegelbild dessen ist, was in der Kultur passiert.

18 Ear Biscuits, *„Rhett's Spiritual Deconstruction"* https://www.youtube.com/watch?v=1qbna6t1bzw

Als ich ihre Geschichte gehört habe, hat es sich angefühlt wie damals mit meinem Freund auf dem Boot – und wie die Geschichte vieler anderer.

- Die Dekonstruktion fand im selben Zeitraum statt.
- Sie hatten den gleichen Schmerz gefühlt.
- Sie hatten dieselben Argumente.

Ich will nicht sagen, dass jede Dekonstruktionsgeschichte gleich ist. Aber es gibt ein paar auffällige Gemeinsamkeiten bei denen, die glauben, Gott gesehen zu haben, sich dann aber von ihrem Glauben abwenden. Während du die folgende Geschichte liest, bitte ich dich, genau zwischen den Zeilen zu lesen und zu verstehen, was geistlich vor sich geht. Ich möchte, dass du verstehst, welches Bild von „Gott" ihnen beigebracht wurde und wie dies letztendlich dazu geführt hat, dass sie *die Bibel* und den *Gott,* den diese Lehre und dieser Lebensstil darstellt, *abgelehnt* haben.

Jesus – der Joker, um der Hölle zu entkommen

Link beginnt die Geschichte seines „Abfalls" ironischerweise mit seiner Bekehrung. Und wer hätte es gedacht: Die fand auf einer Evangelisationsveranstaltung statt, die die Menschen dazu bringen sollte, „Entscheidungen zu treffen". Seine Worte über die Predigt:

„Meine Gemeinde hat eine Reihe von Abenden organisiert, an denen wir zusammenkamen und verschiedene Redner (aus aller Welt) gesprochen haben. Es ist so richtig zur Sache gegangen. Und dann ging's auf einmal um dieses Konzept der *ewigen Trennung* von Gott. Und ich bin mir ziemlich sicher, dass auch solche Dinge wie ewige Qualen und feurige Hölle und sowas erwähnt wurden – also ich war da gerade mal zehn, stellt euch das mal vor, ein 10-jähriger Link! Damals hab ich noch mit einem Kuscheltier geschlafen. Das war 'ne Riesensache! Ich mein, darüber haben die in unserer Gemeinde schon auch gesprochen, aber bei so einem Event-Abend war das was ganz anderes. Da haben die Leute mal richtig zugehört. Und es hat sich halt wirklich heftig angehört – ich mein, ewige Verdammnis und so. Da kriegt man richtig Angst. Und vor allem, wenn es von jemandem kommt, der den ganzen Weg aus Schottland oder Irland gekommen ist, um mir das zu erzählen.“ [19]

Rhett und Link wurde also ein Bild von der Hölle präsentiert. Und du denkst vielleicht: „Ja, das ist zumindest, was die Bibel lehrt. Feuer und Schwefel.“ Stimmt zwar, aber es war eine ziemlich fehlerhafte Darstellung von der Hölle. In ihren Vorstellungen war die Hölle nicht mit dem Charakter Gottes verbunden, sondern eher ein Ort, der durch seine Schrecklichkeit die Menschen dazu motivieren soll, in den Himmel zu wollen. Wie ein Marketinginstrument. Tu das Richtige und nimm Jesus an, sonst hat Gott eine Folterkammer für dich vorbereitet.

Das ist völlig falsch.

Solange Zuhörer des Evangeliums nicht verstehen, dass die Hölle ein Ausfluss von Gottes Gerechtigkeit ist, werden sie auch nicht das wahre Wesen von Hölle und Gott verstehen. Sie werden Gott misstrauen, ohne es vielleicht zu bemerken. Sie werden denken: „Ich verstehe nicht genau, warum diese Hölle notwendig ist, aber ich bin froh, dass Gott mich davor bewahrt hat.“

Und das mit einem großartigen Werkzeug: Jesus!

Für manche Christen ist die Hölle nichts weiter als eine beängstigende Taktik, um Menschen „an den Haken“ zu bekommen. Und sobald man da einmal dran hängt, ist alles Friede und Liebe. Und wie! Christen sind Weltmeister im Süßigkeiten-um-sich-schmeißen! Das ist es, was Rhett und Link bekommen haben: Das evangelikale Disneyland mit vielen coolen kirchlichen Aktivitäten, fetziger Musik und besten Unterhaltungsprogrammen.

19 Ear Biscuits, *„Link's Spiritual Deconstruction“*
https://www.youtube.com/watch?v=w1AZhlyoD9s

Alle Augen auf mich

Rhett und Link waren ziemlich talentiert und bekamen sofort die Aufmerksamkeit von christlichen Veranstaltern. Ruckzuck kletterten sie die christliche Influencer-Leiter nach oben. Wenn man bedenkt, dass es dabei niemanden wirklich interessiert hat, was in ihnen vorging, bricht es einem das Herz.

Sie hatten begonnen, Christus aus pragmatischen Gründen zu folgen, und keiner merkte etwas. Rhett sagt heute ganz offen: „Ich glaube, es gibt einen Grundsatz, der sich durch alles durchzieht, was wir machen: *Wann immer wir sehen, dass es ein Publikum gibt*, versuchen wir einen Weg zu finden, vor diesem Publikum aufzutreten."

Das bedeutet, Rhett und Link suchten nach Möglichkeiten, im Rampenlicht zu stehen. Rhett erzählt von einem Typen namens Garrett, den er in einer Jugendgruppe kennengelernt hatte: „Er war richtig lustig. Er hatte die Menge im Griff, als würde er sie an einer Schnur halten. Als Garrett das erste Mal da oben stand, weiß ich noch genau, wie ich dachte: Das will ich auch. Alles, woran ich denken konnte, war: *Ich will dieser Typ sein*. Ich will das Gleiche machen."

Rhett wollte die Fähigkeit besitzen, einen Raum zu fesseln und eine Menge zu beeinflussen, wie Garrett das konnte.

Und das hat er auch geschafft. Zum Zeitpunkt, an dem ich dieses Buch schreibe, haben die beiden über 17 Millionen YouTube-Abonnenten und sind knapp an der 8-Milliarden-Views-Marke.[20] Link hatte seinen eigenen Weg gewählt, aber aus denselben Gründen: „Ich dachte mir nur: ‚Schau mal, da draußen sind all diese Leute. Ich kann mich vor sie stellen.' Ich fühl mich ganz gut, vor Leuten zu singen. Also machte ich beim Musikteam mit. Das hab ich dann zur gleichen Zeit angefangen – und an das alles geglaubt, was ich gemacht hab. Aber es hat mich auch *gereizt, vor*

20 https://socialblade.com/youtube/user/rhettandlink2

diesem Publikum zu stehen.“

Sowohl Rhett als auch Link waren vom Rampenlicht geblendet und spürten das Hochgefühl, das aufkam, wenn alle Augen auf sie gerichtet waren. Das wurde zu einer treibenden Kraft in ihrem Glauben. Es war eher ein Rausch durch Einfluss als der Einfluss des Geistes Gottes.

Aber während ihre evangelikale Umwelt sie in den Himmel jubelte, fühlte sich ihr Inneres mehr nach der Hölle an.

Keine Intimität

Äußerlich schossen Rhett und Link hoch hinaus. Sie wurden zu Stars. Jeder kannte ihren Namen. Jeder liebte sie. Aber innerlich fehlte ihnen beiden eine wichtige Sache, und sie wussten genau welche.

Sie hatten keine Intimität mit Gott.

In ihren eigenen Worten klingt es so:

> „Den ersten Teil unserer Gebete haben wir immer so beendet: ‚Oh Mann, Gott, *wir sind echt richtige Nieten.* Du hast uns so viel gegeben. *Du hast uns alles gegeben, was wir uns je gewünscht haben.*‘ Und wir hatten echt eine Menge Schuldgefühle. Wir hatten das Gefühl, dass wir uns irgendwie nach vorne bewegen, ohne dafür Gott die Ehre zu geben und ohne ihn zu fragen. Damit haben wir uns schlecht gefühlt.“

Die zwei versuchten, die Abwesenheit Gottes in ihrem Leben mit Regeln aufzufüllen. „Wir waren auf jeden Fall gesetzlich.“ Link war besonders hart mit sich selbst und versuchte ständig, eine bessere Verbindung zu Gott aufzubauen. „Ich ging streng mit mir ins Gericht, weil ich *keine wirklich gute Beziehung zu Gott hatte,* die mich motiviert hätte, mich mit ihm wirklich in Verbindung zu setzen, zu beten und Bibelstudium zu machen. All die Dinge zu tun, von denen ich dachte, dass sie ein Test für die Intimität mit

Gott sind.“ Während Link mehr ein emotionaler Typ ist, ist Rhett eher intellektuell.

Er erklärt, wie er versuchte, seine innere Leere zu füllen: „Ich war schon immer ein *skeptischer Mensch*. Sogar mitten in einem lebendigen christlichen Glauben hatte ich meine Zweifel.“

Damals suchte er Rat bei älteren und klügeren Männern. Statt Beziehung brauchte er gute Gründe für seinen Glauben an die Bibel. „Ich hab mir also jemanden gesucht, der schlauer war als ich und der mir dann gesagt hat: ‚Nein, nein, hier steht's doch. Es ist total vernünftig, daran zu glauben. Es gibt richtig gute Gründe dafür.‘ Und das sollte meine Zweifel in dem Bereich irgendwie überdecken.“

Das war einfach Rhetts Ding – Er wollte Gründe für seinen Glauben finden. Er wollte seinen Kopf benutzen, um diese „Gott-Sache“ irgendwie zu checken. Er „liebte das.“ Das Christsein „logisch zu erklären. Zu beweisen, dass der Glaube vernünftig ist und dass auch kluge Leute daran glauben. So Zeug hab ich in mich aufgesaugt!“

Er war intelligent genug, um Leute durch Argumente vom Glauben zu überzeugen: „Ich hab natürlich alle Bücher darüber gelesen, dass die Evolution nicht wahr ist. Ich habe mich hingesetzt und mit Leuten darüber debattiert. Es hat mir Spaß gemacht, Leute, die an die Evolution geglaubt hatten, davon zu überzeugen, dass es sie gar nicht gab.“

Das war nichts anderes als Apologetik – also die Verteidigung des Glaubens. Ohne Herz. Ein Söldner-Christ quasi.

Rhett und Link waren also Christen, die „eine Entscheidung für Jesus getroffen“ hatten, aber damit kämpften, sich ihm wirklich zu nähern. Die Bibel zu studieren und zu beten. Und das alles ironischerweise, während sie im Rampenlicht standen, Worship Songs schrieben und sich mit guten, apologetischen Argumenten brüsten konnten.

Aber dann veränderte sich etwas Entscheidendes in ihrem Leben: ihr Publikum.

Ein historischer Wandel

Rhett und Link geben ganz offen zu, dass sich ihr christliches Weltbild zur selben Zeit verändert hatte, in der sie versuchten, mit YouTube Karriere zu machen.

> „Von 2008 bis 2011 haben wir *unsere Karriere als YouTuber gestartet*. Und als wir unsere neue Karriere ins Laufen brachten, *entwickelte* ich auch eine *wachsende spirituelle Ernüchterung*. Und es gab zwei parallele Wege für mich. Der eine war der intellektuelle Weg. Der andere war die Erfahrung, also alles, was in meinem Innern und in meinem Umfeld passiert."

Was war das Hauptproblem?

Link sagt: „Von der Lehre über die *Hölle* wollte ich loslassen. Und die Diskriminierung von LBGTQ+-Gemeinschaften innerhalb der Gemeinde auch. Das hat mich ernsthaft jahrelang beunruhigt."

Link wollte von der Lehre über die Hölle nichts mehr wissen, weil er eine „neue Hölle" auf sich zukommen sah: Ein „homophober" Christfluencer sein.

Es fühlte sich mehr so an, als würde er die Hölle bereits auf der Erde erleben, in ständigem innerlichen und äußerlichen Konflikt mit diesem Thema über Homosexualität.

Rhett und Link hatten Freunde, die homosexuell waren, und erklärten, dass diese Freundschaften es nicht leicht gemacht haben, in einer konservativen, biblischen Sichtweise über Sexualität zu bleiben. Oder in eine Gemeinde zu gehen, die nicht „Ja und Amen" dazu sagte. Dazu meint Rhett: „Ich hatte das Gefühl, dass es ein *Verrat an meinen Freunden* war. Und auch an dem, was ich glaubte zu glauben, weißt du. Und deshalb bin ich auch nicht mehr gegangen."

Was ich dir zeigen will, ist, dass es den beiden nicht nur um den *gegenwärtigen Druck* ging, sich dem Denken der Welt anzupassen, sondern auch um die *zukünftigen Konsequenzen.*

Sie waren sich darüber im Klaren, dass sie sich zwischen *Karriere* und *bibeltreuem Christentum* entscheiden mussten.

Eins von beidem musste aber geopfert werden.

Rhett erklärt, wie seine Entscheidung von seinen Überzeugungen beeinflusst wurde:

> „*Einer der Hauptgründe, warum so viele Menschen die Gemeinden verlassen*, ist, dass diese *Spannung* nur dazu führen kann, dass Spannungen gebrochen werden. Niemand außer einer Handvoll von Randsekten wird in 100 Jahren noch gegen LGBT sein, aber wenn man sich die Geschichte und die kulturelle Entwicklung ansieht, werden die Gemeinden irgendwann sagen: ‚Okay, ab jetzt integrieren wir das auch. Wenn wir's nicht machen, werden wir aussterben.' Aber ich glaube, die Gemeinden machen das nur sehr langsam, und das führt zu einer existenziellen Krise und einer Krise im Bezug auf ihren Blick auf die Bibel. Die jungen Leute sagen einfach: ‚*Ich bin raus, bei sowas mache ich nicht mehr mit.*'"

Ernüchternde Worte. Ernüchternde Gedanken.

Und ein herzzerreißender Mangel an Beziehung, an Intimität mit dem Gott der Bibel.

Ein tödlicher Cocktail

Rhett und Link standen also vor dieser Entscheidung. Während Jesus und die Bibel damals der Startpunkt waren, der sie zum Erfolg katapultierte, wurden sie jetzt zu einem Stolperstein. Ein Hindernis auf dem Weg zum Mega-Influencer.

Aber das „Glaubensschiff" fing schon viel früher an zu sinken. Rhett hatte ein Buch mit dem Titel *The Language of God* von Francis Collins gelesen, das ihn *„irgendwie erschüttert"* hatte.

Als er es 2006 das erste Mal gelesen hatte, hatte es dabei noch keinen Druck von außen gegeben. Er hatte sich damals ausführlich mit Link darüber unterhalten. Aber jetzt, da sie auf eine Karriere hinzielten, bei der ihre konservativen Ansichten im Weg standen, trafen die zwei Wege von intellektuellem Zweifeln und einem steigenden sozialen Druck wie ein tödlicher Cocktail aufeinander.

Zusammengemischt wurde dieser Cocktail zu einem Mischmasch aus geistlicher Verwirrung und Frustration.

Das Schwierige daran war vor allem, dass sie immer noch Diensten in der Gemeinde nachkommen mussten.

Link sagt: „Ich weiß noch, wie ich jeden Sonntag nach der Kirche sagte: ‚Ich bin einfach nicht der, für den sie mich alle halten. Sie denken, ich schließe meine Augen, weil ich gerade eine bedeutungsvolle Erfahrung mache. Aber ich schließe meine Augen einfach nur, *weil ich nichts finden kann … Ich erlebe keine Intimität mit Gott.*‘“

Was, wenn es einen dritten und besseren Weg gibt?

Heute haben Rhett und Link keine Beziehung mehr zu Gott. Für sie ist er etwas, das *früher* mal wichtig für sie war.

Ich könnte wirklich weinen, während ich das hier schreibe, weil ich so viele „Rhetts“ und „Links“ kenne. Ihre Leben erzählen uns eine Geschichte. Eine tragische Geschichte zwar, aber nichtsdestotrotz ist es eine Geschichte. Und wir sollten sie nicht vergessen. Sie sollten nicht auf eine theologische Fußnote herabgesetzt werden.

Wir sollten genau zuhören, wenn wir sie lieben … und wir sollten genau zuhören, wenn wir nicht aussterben wollen.

Ich mach hier mal 'ne kleine Pause, damit du durchatmen kannst. Es ist leicht, sich traurig abzuwenden, wenn man darüber nachdenkt, welchen Kurs die Millennials einschlagen. Aber das ist nicht das Ende. Noch lange nicht.

Auch wenn viele von uns den wahren und lebendigen Gott im Moment nicht sehen, heißt das nicht, dass es unmöglich ist, ihn wiederzuentdecken. Bevor du jetzt aber das Problem lösen kannst, musst du das Problem *verstehen*.

Genau das ist unser nächster Punkt. Ich will dir zeigen, *warum* wir Gott nicht sehen und *wie* wir ihn auf eine neue und frische Weise erkennen können. Erst kümmern wir uns um das Warum und dann um das Wie. So einfach.

Das Einzige, was du tun musst, ist, Rhetts Rat zu befolgen. Er endete seine Deconversion Story mit einem Hoffnungsschimmer: „Ich werde der Wahrheit folgen, egal wohin sie mich führt, *ohne Angst vor unbequemen Konsequenzen*. Selbst wenn es heißt: Weißt du was? Du wirst *eine Begegnung mit Gott haben*, die dich an einen *neuen Ort* bringt oder dich wieder ganz zurückschickt, dann soll genau das geschehen."

Amen – genau das soll geschehen!

TAKEAWAYS

1 **Zwischen Realität und Spiritualität gibt es eine Verbindung.** Gott benutzt absichtlich die *physische* Welt, um uns auf ein *geistliches* Problem aufmerksam zu machen. Das ist eine weitere Möglichkeit, die Kluft zwischen dem, wo wir sind, und dem, wo wir sein sollten, zu erkennen.

2 **Die Realität ist: Junge Menschen verlassen die Gemeinden.** Wenn die Verantwortlichen nicht zugeben, dass es ein Problem gibt, wird es die nächste Generation tun. Wir können entweder etwas dagegen unternehmen oder die Konsequenzen tragen.

3 **Jugendliche wollen echte – nicht falsche – Spiritualität.** Sie werden nicht mit dem *wahren* Gott der Bibel konfrontiert und deshalb bleiben sie nicht. Sie sehnen sich nach einer echten Begegnung mit dem *wahren* Gott. Es liegt an uns, sie in seine Richtung zu führen.

GEBET

Herr, du bist der wahre und lebendige Gott. Aber es gibt so viele Christen, die dich nicht erkennen. Zeig mir und einer im Sterben liegenden Generation noch einmal deine Herrlichkeit und hilf mir, ein Licht zu sein, das den Weg weist.

TEIL II

DIE ANALYSE:
WARUM SEHEN WIR GOTT NICHT?

KAPITEL 4

DIE WISSENSLÜCKE

WELCHES WISSEN FEHLT UNS TROTZ GOOGLE?

Wissen ist Macht – Unwissen ist Ohnmacht

Die ganze Firma stand still. Nichts ging mehr.

Hacker hatten sich einen Weg durch die internen Firewalls gebahnt, die eigentlich vor solchen Angriffen schützen sollten. Ein bösartiger Code hatte alles zum Stillstand gebracht. Wie fast alle Unternehmen des 21. Jahrhunderts waren auch sie völlig auf ihre Computersysteme angewiesen.

Telefone klingelten, Stimmen schrien und die Frustration wuchs.

Die IT-Abteilung hatte stundenlang gründlich die Protokolle durchgearbeitet. Sie hatten einen Experten nach dem anderen hinzugezogen, aber keiner von ihnen konnte herausfinden, wie das System gehackt worden war, geschweige denn, wie man es reparieren konnte. Noch beunruhigender war, dass die Cyberkriminellen, die den Angriff verübt hatten, jetzt ein unverschämt hohes Lösegeld forderten.

Keiner wusste eine Lösung, bis plötzlich ein junger Mann in der Ecke seine Stimme erhob: „Sir, ich glaube, ich kann das System in einer Stunde wieder zum Laufen bringen." Der Geschäftsführer, der zu diesem Zeitpunkt auf ein Wunder hoffte, antwortete pragmatisch und vielleicht auch ein wenig sarkastisch: „Wenn du das in einer Stunde hinbekommst, zahle ich dir 10 % des Lösegelds."

„Abgemacht", sagte der junge Mann, als er nach den Anmeldedaten fragte und sich ruhig an die Arbeit machte. Er griff in die Tasche und zog sein iPhone heraus. Schnell scrollte er durch seine Kontakte und fand den Namen, den er suchte. Ein alter Freund, der in seinem früheren Leben selbst ein erstaunlicher Hacker gewesen war, nahm beim ersten Klingeln ab.

Der junge Mann spürte die Blicke der Leute in dem überfüllten Computerraum, als er ruhig das Problem, die Forderungen des Hackers und die Tatsache erklärte, dass niemand in der Lage war, das Problem zu lösen. Er gab die Anmeldedaten weiter und schon hörte er die Tastenanschläge am anderen Ende der Leitung.

Nach circa 30 Minuten flackerten die Bildschirme im Kontrollraum auf. Die Festplatten und Server begannen zu summen, als sie mit Strom versorgt wurden. Die Maschinen erwachten wieder zum Leben.

Einfach so war der Virus verschwunden. Die Malware war vernichtet. Und das Unternehmen, das auf dem Trockenen saß, war plötzlich wieder quicklebendig. Keine Daten verloren. Kein Lösegeld gezahlt.

Eine Woche später erhielt der Geschäftsführer von dem jungen Mann eine Rechnung über die zehn Prozent.

„Was?!", rief der Geschäftsführer aus. „Der hat doch kaum was gemacht!"

Also schrieb er dem jungen Mann eine E-Mail mit den Worten: „Bitte schick uns einen Einzelverbindungsnachweis."

Der junge Mann, unbeeindruckt von der harschen Mail, schickte eine Rechnung, die folgende Leistung auflistete:

Beratungsgespräch (1min)..€ 1.00
Einen Anruf tätigen...€ 1.00
Wissen, wen man anrufen muss ....€ 999.998

Das ist natürlich nur eine erdachte Geschichte, um einen Punkt zu illustrieren. Sie erinnert dich daran, dass *Wissen wahres Gold* ist und dass fehlendes Wissen katastrophale Folgen haben kann. Ob bei einem Cyberangriff, in einer Erste-Hilfe-Situation, wenn jemand bewusstlos vor dir auf dem Boden liegt, oder während deiner Abschlussprüfung – wenn du nicht weißt, was zu tun ist, sind die Folgen katastrophal.

Wenn mangelndes Wissen in der natürlichen Welt zu großem Verlust und Armut führt, wie viel wichtiger ist dann das Wissen im geistlichen Bereich? Interessanterweise ist – laut Bibel – genau dieser Mangel an Wissen die Ursache dafür, dass das Christentum so schlecht dasteht. In den letzten Kapiteln habe ich dir viele verschiedene Gründe für unsere Probleme genannt, aber die Bibel fasst sie in einer universellen Aussage zusammen:

*„Darum wird mein Volk weggeführt aus Mangel an **Erkenntnis**.“* (Jesaja 5,13).

Das ist eine interessante Feststellung, denn es entspricht ganz und gar nicht dem, was wir erwartet hätten. Viele Menschen, die ihren Glauben dekonstruiert haben, kommen aus christlichen Elternhäusern. *Mangelndes Wissen* ist nicht das Problem. Denk nur an Rhett und Link. Wissen war im Überfluss vorhanden. So viel sogar, dass man sagen könnte, dass der *Überfluss* an Wissen eher das Problem war.

Sie hatten große Köpfe, aber kleine Herzen.

Deswegen gingen die jüngsten Bemühungen der Evangelikalen eher dahin, den Wissensinput *zu reduzieren*, damit die Kinder ihn besser verdauen können. Weniger ist mehr. Aber das funktionierte auch nicht.

Es stellt sich heraus, dass weniger *nicht* mehr ist, sondern tatsächlich weniger. Schock!

Wir befinden uns also in einem Dilemma. Entweder gibt es zu viel Wissen, was dazu führt, dass die Menschen *denken,* sie wüssten mehr, als es der Fall ist. Deshalb fühlen sie sich schlauer als Gott und wenden sich von ihrem Glauben ab. Oder es gibt zu wenig Wissen, was dazu führt, dass die Menschen Gott einfach nicht kennen.

In beiden Fällen sehen wir das gleiche Ergebnis – eine geistliche Hungersnot.

Meine Vermutung ist, dass wir uns nicht auf das richtige Wissen konzentrieren.

Vielleicht macht es dieses Beispiel deutlicher. Stell dir eine

Gruppe von durstigen Menschen vor. Wir beschließen zu helfen und geben ihnen Salzwasser. Wasser ist Wasser, richtig? Aber das Endergebnis ist nicht, dass der Durst gestillt wird. Im Gegenteil! Sie bekommen noch mehr Durst.

In der Übertragung: Die Menschen haben geistlichen Durst, weil sie ständig geistliches Salzwasser bekommen: falsches Wissen. Es *scheint,* als wäre es Wissen – genau wie Salzwasser deinen Durst an einem heißen Tag zu stillen *scheint*. Aber das tut es nicht.

Was ist nun dieses geistliche Salzwasser, dieses *falsche* Wissen?

Falsches Wissen

Pass auf, dass du nicht von Büchern verschluckt wirst!

– John Wesley

Falsches Wissen ist in der Bibel ein ziemlich großes Thema.

Im ersten Jahrhundert, als das Neue Testament geschrieben wurde, war es fast ein allgegenwärtiges Problem. Nachdem Jesus gestorben und auferstanden war und die Botschaft des Christentums bis an die Enden des Römischen Reichs gelangte, verbreiteten sich auch viele „Fake News". Sie versuchten, die „gute Nachricht" zu imitieren, verdrehten aber die wahre Botschaft des Evangeliums, um sie den Bedürfnissen und Überzeugungen der Überbringer anzupassen.

Eine Sekte wurde sogar „Wissen" genannt, weil sie ein neues, aber letztlich *falsches* Wissen namens „Gnostizismus" verbreitete. *Gnosis* ist das griechische Wort für Wissen. Und diese *Gnostiker* verbreiteten Lehren, die gut klangen und logisch erschienen, aber letztlich falsch waren und dem Evangelium widersprachen.

Deshalb wirken so viele Briefe des Paulus an die Gemeinden des Neuen Testaments so, als würden sie falsches Denken korrigieren. Und das ist *genau* das, was damals geschah. Falsches Wissen verbreitete sich wie ein Lauffeuer. Aber das ist eigentlich etwas

Gutes, denn jetzt haben wir eine Anleitung zu diesem Thema *direkt* vom Heiligen Geist.

1. Timotheus 6,20 gibt uns den ersten Hinweis: *„O Timotheus, wende dich weg von den ungöttlichen, leeren Geschwätzen und Widersprüchen der* ***fälschlich so genannten Kenntnis.*** *“* Es gibt also eine Art von Wissen, das kein wahres Wissen ist. Dieses falsche Wissen besteht aus „Ideen“, die durch Worte (Geschwätz) ausgedrückt werden und die „Wissen“ genannt werden, aber kein Wissen sind.

FALSCHES WISSEN ≠ WAHRES WISSEN

In 2. Timotheus 3,7 zeigt Paulus, dass es in der Endzeit Christen geben wird, *die allezeit* ***lernen*** *und niemals zur* ***Erkenntnis*** *der Wahrheit kommen können.* Das bedeutet, dass es Menschen geben wird, die *sich ständig Wissen aneignen* (lernen), aber nie zur Erkenntnis kommen. Das klingt widersprüchlich, aber denk einmal darüber nach. Hast du schon einmal jemanden getroffen, der ein neues Hobby lernen wollte?

Vielleicht Gitarre spielen. Also kauft er eine Gitarre in einem Musikgeschäft. Er kauft Bücher über das Gitarrenspiel. Er schaut sich stundenlang YouTube-Videos an, die zeigen, wie man Gitarre spielt. Er sammelt cool aussehende Plektren. Er spricht mit anderen Menschen, die Gitarre spielen. Er tritt Gitarrengruppen auf Facebook bei. Er folgt Gitarren-Herstellern und -Lehrern auf Instagram. Er schaut sich lustige Gitarren-Hacks auf TikTok an. Er hat ein schickes Stimmgerät, um seine Gitarre spielbereit zu halten. Vielleicht besorgt er sich sogar einen schicken Wandhalter, schaut jeden Tag sehnsüchtig auf seine Gitarre, voller Freude auf den Tag, an dem er endlich *Gitarre lernen* wird.

Siehst du, worauf ich hinaus will?

Er hat alles Wissen über die Gitarre „gelernt“, aber spielen kann er immer noch nicht. Das Lernen führt nicht zu wahrem Wissen.

LERNEN ≠ WAHRES WISSEN

Die Frage ist also: Wo ist der Haken? Was ist an diesem „Lernen“ falsch?

„Lernen“ in 2. Timotheus 3,7 heißt auf Griechisch „μανθάνω“ (manthanō), was bedeutet: „sein Wissen vermehren“. Das sagt uns noch nicht sehr viel. Schauen wir uns also weitere Verse an. Johannes 7,15 gibt uns einen guten Tipp: *„Da verwunderten sich die Juden und sagten: Wie besitzt dieser Gelehrsamkeit, da er doch nicht manthanō hat?“* Das ist eine wichtige Erkenntnis, um manthanō zu verstehen.

Manthanō bedeutet hier „studieren“. Am Ende von manthanō weißt du, wie man *liest*.

Das heißt, wir reden hier gerade über „Kopfwissen“/ „Buchwissen“.

Setzen wir also unsere neuen Erkenntnisse in unseren Vers ein, um Klarheit zu schaffen.

2. Timotheus 3,7 könnte nun lauten: *Die allezeit* ***ihr Kopfwissen vermehren*** *und niemals zur Erkenntnis der Wahrheit kommen können.“* Das macht es viel klarer.

KOPFWISSEN ≠ WAHRES WISSEN

Ist die Schlussfolgerung jetzt, keine Bücher mehr zu lesen? Ist die Bibel nicht ein Buch? Hat nicht Paulus selbst viele Teile davon geschrieben? Sagt Paulus nicht im selben Brief, dass Timotheus *„die heiligen* ***Schriften*** *kennt, die imstande sind, ihn weise zu machen“*? Spricht Paulus nicht gegen seine eigene Sache?

Schauen wir uns das genauer an.

Wahres Wissen

Es gibt ein Wort in der Bibel, mit dem ich früher nicht so recht etwas anfangen konnte. In einigen Bibelversen heißt es, dass ein Mann seine Frau „erkennt".

Das Endergebnis? Ein Baby.

Was?

Mann erkennt Frau = Baby

Diese Formel ergab für mich keinen Sinn.

Später fand ich heraus, dass das mit meiner Erziehung zu tun hat. Der Westen wurde vom griechischen Denken beeinflusst. Auf Griechisch hat Erkenntnis/Wissen mit dem *Erwerb von Informationen zu* tun. Im Grunde ist es Buchwissen (Kopfwissen). Du lernst z. B. bestimmte Fakten, um sie später zu nutzen, einen guten Job zu bekommen und Geld zu verdienen.

Diese Informationen lernen wir in der Schule, der Ausbildung oder der Universität. Diese Art von „Wissen" kommt hauptsächlich durch Bücher. Deshalb hat „deine Frau erkennen" für mich keinen Sinn ergeben. Wollte die Bibel sagen, dass die Männer im Alten Testament ihre Frauen wie ein Buch lasen?

Offensichtlich nicht. Deswegen müssen wir ins Hebräische eintauchen. Im hebräischen Denken hat Wissen eine andere Bedeutung. Die Menschen lebten in einfachen und ungebildeten Kulturen. Sie lernten nicht an der Uni, sondern zu Hause durch Beobachtung. Man beobachtete z. B. die Eltern oder ältere Geschwister, mit denen man unter einem Dach wohnte. Also durch *enge Verbindung* und *Nähe.* Diese Herangehensweise hat ihren Weg in die Sprache gefunden. Jemanden zu kennen, bedeutet im Hebräischen, dass man eine *intime, erfahrungsbezogene Verbindung* zu dieser Person hat.

Siehst du den Unterschied?

„Jemanden zu kennen" bedeutet im griechischen Denken, dass du seine Art zu denken und mit der Welt zu interagieren wirklich verstehst. „Ich checke diese Person“ bedeutet im griechischen Sinne, dass du sie *verstehst.*

Im Hebräischen bedeutet „jemanden erkennen“, dass du jemanden intim, das bedeutet sogar sexuell kennst. Ein großer Unterschied, oder? Das Wort, das diese Art von „kennen“ im Hebräischen beschreibt, ist *yada*. Deshalb sagte man ursprünglich im Englischen *yada, yada, yada* ... um auszudrücken, dass eine Beziehung so weit führte, dass ein Paar Sex hatte.

Ok. Stopp. Ich bin sicher, du denkst: *Natha, ich kann dir folgen, aber was in aller Welt hat das damit zu tun, Gott zu kennen*? *Ich verstehe: Wenn ein Mann seine Frau „erkennt“, bedeutet das, dass sie Geschlechtsverkehr hatten. Aber ich habe ein Problem damit, das auf die Beziehung zu Gott zu übertragen.*

Wenn du jetzt verwirrt die Stirn runzelst, verstehe ich das. Ich habe dir gesagt, dass sich nach der Lektüre dieses Buches dein Bild von Gott und, genauer gesagt, von dem, was er in einer Beziehung mit dir will, ziemlich verändern wird.

Was wir gerade besprechen, ist ein Schlüssel zum Verständnis dieses Buches.

Gott will dir nahe kommen.

Ganz nah.

Für einige von uns *unangenehm* nah. Keine Geheimnisse. Keine Lügen. Nichts versteckt.

Einfach offen, verletzlich, *„erkennend“*.

Diese Liebesbeziehung ist genau das, was der Heilige Geist im Alten Testament (in Büchern wie dem Hohelied) oder im Neuen Testament (mit all den Beispielen, die sich auf die Braut Christi beziehen) verwendet, um die Beziehung zu erklären, die er mit uns haben möchte.

Daher denke ich, ist das beste Wort, um die Beziehung zu beschreiben, die Gott will: *Intimität*.

Jemanden aus eigener und inniger Erfahrung gut kennen.

Und dieses intime *Yada-Wissen* ist es, worüber Paulus mit Timotheus spricht. Ich erfinde das nicht, du kannst es im Text nachlesen. Er benutzt nicht das Wort *Gnosis*. Nein, er verwendet einen anderen Begriff.

Wir haben bereits gesehen, dass das „fälschlich so genannte Wissen" *Gnosis* genannt wird. Es ist Buchwissen. Es ist gut für viele Dinge, aber nicht genug für den Aufbau einer intimen Beziehung. Wenn Paulus also über das *wahre* Erfahrungswissen spricht, das er die „Erkenntnis der Wahrheit" nennt, benutzt er ein anderes Wort mit einer anderen Bedeutung: *epi-gnosis*.

Epignosis ist eine verstärkte Form von *Gnosis* durch die Vorsilbe „epi", was „tiefer" bedeutet.

Epignosis ist dieses tiefere Wissen.

Ein *Yada*-Wissen. Ein *wahres* Wissen. Erfahrungswissen. Erkenntnis.

GNOSIS = KOPFWISSEN

EPIGNOSIS = ERFAHRUNGSWISSEN

Und dieses tiefe, intime Wissen ist das, was man braucht, um eine wahre Beziehung zu Gott zu haben. *„Darum wird mein Volk weggeführt aus Mangel an Erkenntnis [intim, wahr und tief].*" (Jesaja 5,13)

Wenn wir dieses Erfahrungswissen über Gott nicht haben, geht es bergab.

Wir gehen ins „Exil", was heute bedeutet, dass wir Gefangene von Süchten und Weltlichkeit werden.

Warum haben wir dieses Erfahrungswissen verloren?

Du wirst die Antworten im nächsten Kapitel finden.

DAS BESTE WORT, UM DIE BEZIEHUNG ZU BESCHREIBEN, DIE GOTT WILL, IST:

INTIMITÄT.

TAKEAWAYS

1. **Mangelndes Wissen ist die überraschende Ursache für den Niedergang.** Das ist ironisch, denn es scheint, dass Wissen überall vorhanden ist. Wir müssen lernen, zwischen *wahrem* und *falschem* Wissen zu unterscheiden.

2. **Kopfwissen ist falsches Wissen.** Das Lesen von Büchern ist für Christen unerlässlich, denn die Bibel ist ein Buch. Aber intellektuelles Wissen ist nur der erste Schritt. Es bringt dich nicht nah genug an Gott heran, um dich zu verändern.

3. **Wahres Wissen bedeutet intimes Wissen.** Gott möchte mit jedem Menschen eine intime Beziehung haben. Nicht das *Kopfwissen*, dass eine intime Beziehung wichtig ist, sondern die *gelebte Realität* einer intimen Beziehung.

GEBET

Herr, gib mir eine innige Beziehung zu dir. Lass mich nicht nur Dinge lesen, sondern mich an deinem Wort erfreuen und Tag und Nacht darüber meditieren! Lass es mich ausleben, meine Arme für die Armen und mein Herz für meine Mitmenschen öffnen.

KAPITEL 5

WARUM WIR GOTT UNBEWUSST MEIDEN

ABGELENKT, ABWESEND UND ABHÄNGIG

Gott der HERR, der im Garten wandelte bei der Kühle des Tages.

– 1. Mose 3,8

Und der HERR sprach zu Mose: Siehe, ich werde zu dir kommen im Dunkel des Gewölks.

– 2. Mose 19,9

Beziehungskrise

Frankenstein ist ein Roman aus dem Jahr 1818 von Mary Shelley. Ich habe ihn als Teenager gelesen und erinnere mich noch gut an den Eindruck, den er bei mir hinterlassen hat – er gilt zwar als Klassiker, aber für mich war es eine schreckliche Geschichte.

Wenn du an Frankenstein denkst, hast du vielleicht ein Bild im Kopf von dem grünen Monster, das einen Bolzen im Nacken und eine tiefe Stimme hat. *Dr. Frankenstein* ist erstens der Name des Schöpfers und nicht der „Kreatur" (die keinen Namen hat) und zweitens war die Absicht des Autors viel tiefer, als nur so einen grünen Typen zu erfinden. Es geht in der Geschichte um soziale Zurückweisung. Diese schrecklich aussehende Monsterkreatur versucht, sich mit den Menschen anzufreunden, wird aber wegen seines „Andersseins" zurückgewiesen.

Ein Abschnitt in dem Buch veranschaulicht dieses Problem auf brillante Weise. Das Monster lebt allein im Wald und findet Unterschlupf in einer Hütte, in der eine Familie wohnt. Die Familie weiß nicht, dass das Monster dort ist. Es beobachtet die Familie und empfindet eine große Liebe für sie. Da es die Hüttenbewohner bei Laune halten will, wird das Monster heimlich zu einem Helfer der Familie.

Es schleppt unbemerkt Brennholz zur Hütte und repariert fleißig, was kaputt ist – alles im Schutz der Dunkelheit. Eines Nachts, als der Großteil der Familie weg ist, findet das Monster endlich den Mut, sich zu zeigen. Ein alter, blinder Mann ist zu Hause geblieben. Aufgrund seiner Blindheit sieht er die äußere Erscheinung des Monsters nicht.

Ihre scheinbar erfolgreiche Unterhaltung wird jedoch harsch unterbrochen, als die Familie die Hütte betritt. Sie sehen das Monster und sind angewidert. Dann greifen sie es sogar aus Angst an. Wegen dieser Reaktion muss das Monster vor der Familie fliehen, die es geliebt und umsorgt hat.

Dieses Verhalten hat mich sehr an die Menschen erinnert und wie wir mit Gott umgehen.

Ich habe den Eindruck, dass sich diese Situation jedes Mal wiederholt, wenn Gott auftaucht.

Warte, was?

Lass dich mal auf den Gedanken ein und ich zeige dir, was ich meine.

Gott schenkt uns das Leben, kümmert sich um uns, führt uns durch Täler, heilt unsere Wunden und wir nehmen das Geschenk, die *Gabe*, freudig an. Aber sobald der *Geber* auftaucht, sind wir entsetzt und wollen, dass er geht. Es ist ein Paradoxon. Wir lieben das Geschenk, aber in der Gegenwart des Gebers fühlen wir Angst und Abscheu. Ein Beispiel dafür finden wir in Matthäus 8. Jesus kommt in eine neue Gegend und befreit zwei besessene Männer. Er treibt die Dämonen aus und schickt sie in eine Herde von Schweinen. Die Schweine stürzen sich daraufhin über die Klippen in den Tod.

Jetzt stell dir dieses Bild vor. Diese beiden besessenen Männer hatten wie Monster gelebt. Sie waren ein Schrecken für jeden, der vorbeikam. Wie aggressive Meth-Junkies, die man auf der Straße trifft, wurden sie gemieden und ignoriert.

Aber Jesus *sieht* sie. Er *befreit* sie. Er *rettet* sie.

Und wie reagieren die anderen Menschen?

„Und als sie Jesus sahen, baten sie, dass er aus ihrem Gebiet weggehe." (Matthäus 8,34)

Wie muss das Herz von Jesus geschmerzt haben.

Es war kein Problem für die Menschen, mit zwei monsterhaften Männern zu leben, die *sehr wütend* waren, *sodass niemand auf jenem Weg vorbeizugehen vermochte,* aber sie hatten ein Problem damit, dass Jesus da war.

Er sollte gehen.

Er war unwillkommen.

Er war das Monster in *ihren* Augen.

Warum? Diese Heilung hatte den Menschen etwas gekostet und zutiefst gestört. Jesus hatte das Portemonnaie und den Hedonismus angetastet. Das ist immer so, wenn man dem lebendigen Gott von Angesicht zu Angesicht begegnet. Intimität befreit, aber hat auch einen Preis. In diesem Fall war der Preis das Leben von 2000 Schweinen.

Diese Schweineherde war ein Batzen Geld wert, aber Schweine durften eigentlich nicht gegessen werden. Sie waren unrein. Doch Geld und Unreinheit sind oft nah beieinander.

Und jetzt ließ ein einziges Wort des Sohnes Gottes die Grillparty ins Wasser fallen. Er zerstörte ihren hedonistischen[21], sündigen Lebensstil. Und deshalb musste er gehen. Das „schmerzverursachende Monster" war nicht erwünscht, egal wie wunderbar die Befreiung war.

Merkwürdiges Verhalten.

Warum behandeln Menschen Gott wie ein Monster?

21 Was das genau bedeutet, werden wir in späteren Kapiteln näher anschauen.

Wie Gott zu einem „Monster“ wurde

Es ist herzzerreißend, die ersten vier Kapitel der Bibel zu lesen.

Diesen Kontrast zu sehen.

Höchste Vollkommenheit in den ersten beiden Kapiteln und dann der Abgrund des Bösen in Kapitel 3 und 4, der im Brudermord gipfelt.

Hast du bemerkt, wie von Kapitel 3 an alles und jeder gefährlich wird? Eva gegenüber Adam, Adam gegenüber Eva, die Schlange gegenüber Eva, Eva gegenüber der Schlange, der Mensch gegenüber den Tieren usw. ...

Aber das Grausamste und Herzzerreißendste ist vielleicht etwas, was du nie in Betracht gezogen hast: *Gott* wurde gefährlich.

Das muss das Herz Gottes so geschmerzt haben. Stell dir vor: Gott *„wandelte im Garten bei der Kühle des Tages“*. Die Bibel lässt das so klingen, als wäre das eine Gewohnheit gewesen. Vielleicht kam Gott jeden Tag und hatte ein wenig Gemeinschaft mit diesen wunderbaren, perfekten Wesen, die ihm ähnlich sahen. Wie ein Vater, der von der Arbeit nach Hause kommt und mit seinen Kindern spielt, gingen sie zusammen spazieren und führten vertraute Gespräche. Oder sie begnügten sich damit, in Stille zusammen zu sein.

Ringsherum gab es perfekte Schönheit, sinnvolle Arbeit, ein friedliches Leben.

Doch plötzlich versteckte sich Adam vor Gott, als wäre er ein Serienmörder.

Plötzlich schien Gott wie ein *Monster*, das man fürchten musste, statt wie ein Freund, den man *schätzt*. Warum plötzlich diese Distanz, diese Mauer zwischen Gott und Mensch? In Jesaja 59,2 heißt es: *„... eure Ungerechtigkeiten haben eine Scheidung gemacht zwischen euch und eurem Gott“*.

Was ist passiert?

Gott hat sich nicht verändert, denn Gott ist derselbe gestern, heute und in Ewigkeit.

Was sich verändert hat, war der Mensch. Er nahm das Prinzip der Sünde an und veränderte den Kern seiner Identität – er wurde ein Kind des Teufels. Auf einmal war die Gegenwart Gottes selbst unerträglich. In Jesaja 59,2 heißt es weiter: „... *und eure Sünden haben sein Angesicht vor euch verhüllt*". Wenn du dich fragst, wie es dazu kam, dass wir nicht mehr mit Gott im Garten spazieren gehen, sondern vor seiner Gegenwart in Angst und Schrecken fliehen – hier hast du deine Antwort.

Aber wir sind so egoistisch, dass wir dieses Ereignis oft nur aus unserer Perspektive betrachten. Wir sehen uns die Begegnung auf dem Berg Sinai an und wie Gott in einer dichten Wolke herabkommt und denken darüber nach, wie beängstigend das *für uns* ist. Wir denken nie darüber nach, wie schmerzhaft das *für Gott* sein muss. Dass er sich vor uns verborgen halten muss. Vor seiner eigenen Schöpfung!

Dass das Geschöpf von seinem Schöpfer getrennt wurde, war ein so tiefer Schmerz, dass wir ihn nicht erklären können. Und es geht noch weiter. Gott, der heilig und völlig von Sünde und Tod getrennt ist, muss nun mit ansehen, wie seine Kinder, die er geschaffen und „gut" genannt hat, geistig tot und auf ewig von ihm getrennt sind.

Es muss ihm das Herz gebrochen haben, Adam und Eva zu verbannen.

Sich in eine Wolke zu hüllen.

Sich zu distanzieren.

Von dem Moment an, als der Mensch gesündigt hat, ist nicht nur der Mensch untergetaucht, sondern auch Gott.

Und dafür gibt es einen erstaunlichen Grund.

Der verborgene Gott

Als Jesus das erste Mal auf der Bildfläche erschien, klatschten alle: Er war der Weinmacher! Unglaublich! Er war eine Vergnügungs-Maschine und alle Hedonisten jubelten. Wer den Bauch der Menschen füllt, ist König.

Und logischerweise wollte das Volk ihn zum König machen. Aber Jesus hatte andere Pläne: *„Da nun Jesus erkannte, dass sie kommen und ihn ergreifen wollten, um ihn zum König zu machen, zog er sich wieder auf den Berg zurück, er allein."* (Johannes 6,15)

Sie wollten ihn nach *ihren eigenen Vorstellungen* zum König machen. Mit Gewalt!

Deshalb begann Jesus sein Wirken im Verborgenen. Er wusste, dass er sich diesen Menschen nicht öffnen konnte, weil sie völlig von sich eingenommen waren. Sie waren unbußfertige Sünder.

Und die Dinge änderten sich auch schnell, als er sein wahres Wesen zeigte: *„Da hoben sie* (die Juden) *Steine auf, um auf ihn zu werfen. Jesus aber verbarg sich und ging aus dem Tempel hinaus."* (Johannes 8,59)

Warte mal eine Sekunde: Der Gott des Universums verbirgt sich?

Der große Jahwe, derjenige, für den der Tempel gebaut worden war und der – vermeintlich – darin angebetet wurde, versteckte sich nun – in seinem eigenen Tempel!

Weißt du, warum sie ihn verfolgten? Weil er verkündete, wer er war – Gott.

Jedes Mal, wenn Jesus sich öffnete, wurde er mit Feindseligkeit „belohnt". Sie hielten ihn für einen Gotteslästerer, einen Sünder, ein „Monster". Und sie wollten das Monster töten.

Niemand wollte Jesus auf eine Art und Weise „kennenlernen", die zu intimer Erkenntnis führte. Im ersten Fall wollten sie Intimität zu ihren Bedingungen (ihn zu früh zum König machen), im zweiten Fall wollten sie keine Intimität haben (ihn töten). In beiden Fällen aber keine wahre Intimität.

Und das bringt mich zu meinem Punkt.

Mit Intimität kommt Verletzlichkeit.

Hast du schon einmal darüber nachgedacht, dass Gott traurig sein kann? *„Und es reute den HERRN, dass er den Menschen gemacht hatte auf der Erde, und es schmerzte ihn in sein Herz hinein."* (1. Mose 6,6)

Der Gott des Himmels und der Erde kann wirklich traurig sein. Er trauert über die Bösartigkeit der Sünde. Der kürzeste Vers in der Bibel beschreibt diesen Kummer.

„Jesus weinte." (Johannes 11,35[22])

Er weinte wegen der Sünde. Sünde, die die Ursache für den Tod seines Freundes Lazarus war.

Sünde schmerzt Gott.

Was tut Gott, um sich davor zu schützen?

Finsternis machte er zu seinem Bergungsort. (Psalm 18,12)

Das tun wir auch, wenn wir unser Herz schützen wollen. Wir verstecken uns. Wir sind sehr vorsichtig, mit wem wir unsere tiefsten Gedanken und Geheimnisse teilen. Wir werfen keine Perlen vor die Säue.

„Säue" sind für Gott leichtsinnige Sünder. Menschen, die sich nicht reinigen, bevor sie das Heiligtum betreten. Menschen, die die Bibel nur oberflächlich lesen und Gottes Prinzipien für ihre eigene Verherrlichung benutzen.

Deshalb hat Gott einen Abwehrmechanismus in die Bibel eingebaut. Gott öffnet das tiefe Wissen seiner selbst *nur* denen, die in der täglichen Trennung von der Sünde leben. In Psalm 25,14 heißt es ausdrücklich: *„Das Geheimnis des HERRN ist für die, die ihn fürchten."* Sich zu fürchten bedeutet nach Sprüche 8, das Böse zu hassen. *„Die Furcht des HERRN ist: das Böse hassen."* (Sprüche 8,13)

Das bedeutet, dass die Geheimnisse, das Gold, das Wirkliche nur für diejenigen ist, die das Böse so hassen, wie Gott es tut. Für die, die davor fliehen wie Josef vor Potiphars Frau. Sie meiden es nicht nur. Sie *hassen* es mit Leidenschaft.

Der Herr Jesus sagte: *„Glückselig, die reinen Herzens sind, denn sie werden Gott sehen."* (Matthäus 5,8) Gott will Intimität, aber er öffnet sein Herz nur für Menschen, die verantwortungsvoll damit umgehen können. Menschen, die verantwortungsvoll

22 Zitiert nach Menge

damit umgehen können, sind Menschen, die den Herrn fürchten. Deshalb ist die Furcht des Herrn der Anfang einer tieferen Beziehung zu ihm.

Sie macht den verborgenen Gott offenbar und schafft Intimität.

Aber wie viele gottesfürchtige Christen findet Christus in den Kirchen von heute?

Ist *Furcht* Teil unseres Lebensstils?

Furcht fürchten

> *„Das Einzige, was wir fürchten müssen, ist die Furcht selbst."*
>
> – Franklin Roosevelt

Was in der Antrittsrede von Präsident Franklin Roosevelt im Jahr 1933 stand, könnte die Schlagzeile der heutigen Christenheit sein. Ein christlicher Lehrer fand sogar, dass Roosevelt nicht weit genug ging, und schrieb: „Die Bibel macht ein noch kühneres Versprechen: Wir haben nichts zu fürchten. Punkt."[23]

Dieses Mantra wurde in die Popkultur übertragen und deshalb wirst du es schwer haben, christliches „Merch" zu finden, das keine Shirts mit Slogans wie „No Fear" und „Love over Fear" verkauft. Versteh mich nicht falsch, ich weiß, was diese Leute meinen. Aber lasst uns das Kind nicht mit dem Bade ausschütten. Es stimmt zwar, dass die Bibel uns ermutigt, „keine Angst zu haben", aber sie lehrt nie, dass Menschen furchtlos sein können. Dass der Mensch frei von Angst sein kann. Aber das ist die gängige Meinung. „Fürchte dich nicht vor dem Feind" ist zu „Fürchte dich überhaupt nicht" geworden. Anstatt unsere Furcht auf Gott zu lenken, ist die Angst als Ganzes zum Erzfeind geworden. Sie ist das Einzige, was beseitigt werden muss.

Komfortzone um jeden Preis. „Unwohlsein" ist die Krankheit!

23 https://www1.cbn.com/teaching/overcoming-fear

Diese Abneigung gegen das Verlassen der eigenen Komfortzone ist überraschend, denn die Bibel lehrt genau das Gegenteil!

In der Bibel ist Angst ein wesentlicher Bestandteil der „Gotteserfahrung". Die Psalmen ermutigen die Gläubigen sogar, Furcht zu *empfinden*. In Psalm 2,11 heißt es: *„Dient dem HERRN mit Furcht und freut euch mit Zittern!"* Furcht wird als etwas Positives gesehen. Wie kommt es also, dass es heute einen übergreifenden Konsens gibt, die Angst aus der Bude zu kicken, damit die Party starten kann?

Diese Abneigung gegen das Verlassen der eigenen Komfortzone ist überraschend, denn das natürliche Leben zeigt das Gegenteil.

Fortschritt im natürlichen Leben ist immer damit verbunden, aus deiner Komfortzone herauszukommen.

Oft ist es sogar schmerzhaft.

Denk mal einen Moment darüber nach.

Wenn du jemals versucht hast, dich in Form zu bringen, hast du deine Muskeln trainiert, Muskelkater gehabt und *Schmerzen* verspürt. Wenn du jemals in einer Beziehung warst, hattest du Konflikte, die hoffentlich zu Kommunikation und damit zu Wachstum geführt haben. Aber der ganze Weg war mit *Schmerzen verbunden*. Oder wenn du jemals die Geburt eines Kindes miterlebt hast, die qualvollen Schreie einer Mutter in den Wehen gehört hast und gesehen hast, wie anstrengend es war, das Baby auf die Welt zu bringen, dann hast du auch *Schmerzen* erlebt.

Alle diese Dinge sind schmerzhaft, aber Schmerz ist notwendig, um zu wachsen. Und trotzdem wollen wir ein schmerzfreies Leben. Wir wollen einen fitten Körper ohne Muskelkater. Die gute Beziehung ohne das schwierige Wachstum. Das süße Baby ohne die anstrengenden Wehen.

Wir wollen ein „get-rich-quick"-System, um unseren Weg zum Erfolg abzukürzen.

In 1. Mose bot die Schlange Eva einen Plan an, um schnell zum Ziel zu kommen.

Es handelte sich um rasante Wissensaneignung.

Gott wollte, dass Adam und Eva im Garten arbeiteten und langsam an Erkenntnis zunahmen. Arbeit bedeutet Zeit. Arbeit bedeutet Anstrengung. Aber Gottes Plan für die Arbeit war eine *angenehme* Anstrengung. Satan hatte einen leichteren Weg: Keine Anstrengung. Schnell zum Ziel.

Aber der Preis war hoch: Statt mit der Zeit *Erfahrungswissen* mit Gott zu erlangen, bekamen sie *Kopfwissen* ohne Gott. Zuerst schmerzfrei, aber nachdem ihnen die Augen geöffnet wurden, schmerzhaft bis zum Tod.

Sie dachten, müheloser Fortschritt würde sie glücklich machen.

Das hat es aber nicht.

Es entfremdete sie von der Intimität mit Gott und vertrieb sie aus dem genussvollen Garten. Gott zog sich aus der Vertrautheit von Angesicht zu Angesicht in eine Wolke der Verwirrung und Trennung zurück.

Gott war nicht mehr nah. Er war nicht mehr genießbar. Er war unergründlich. Gefährlich. Schmerzhaft.

Wenn du denkst, dass das ein Einzelfall der Geschichte war, wird dir das nächste Kapitel die Augen öffnen.

TAKEAWAYS

1. **Als die Sünde ins Spiel kam, versperrte sie uns den Blick auf Gott.** Jetzt ist Gott vor uns verborgen und wir haben Vertrautheit verloren.

2. **Die Sünde hat Gott für uns gefährlich gemacht.** Weil Gott die Sünde hasst und wir uns mit der Sünde identifiziert haben, haben wir Gott zu unserem Feind gemacht. Das bedeutet, dass wir Gott um jeden Preis meiden wollen, weil seine Anwesenheit Schmerz verursacht.

3. **Die Gegenwart Gottes bedeutet nun Schmerz.** Anstatt die Gegenwart Gottes zu genießen, fühlen wir uns jetzt in seiner Gegenwart unwohl und Gott ist nicht mehr in der Lage, Dinge frei mit uns zu teilen.

GEBET

Herr, ich möchte dich klar sehen, aber ich weiß, dass das mit Schmerzen verbunden ist. Hilf mir, die Furcht zu verstehen und anzunehmen, durch die ich wirkliche Erkenntnis bekommen kann.

KAPITEL 6

ABLENKUNG UM JEDEN PREIS

WIE WIR GOTT AUS UNSEREM LEBEN SWIPEN

Clap along if you feel like happiness is the truth.

– Pharell Williams

In den letzten Tagen werden die Menschen das Vergnügen mehr lieben als Gott.

– Apostel Paulus[24]

2017 habe ich ein sehr interessantes Experiment[25] in einer YouTube-Show namens *Mind Field* gesehen. Die Folge behandelte das Thema „Isolation" und das erste Experiment begann mit einer Person in einem geschlossenen Raum. Bevor die Versuchsperson den Raum betrat, wurde ihr ein kleines Gerät mit einem Knopf gegeben. Beim Drücken des Knopfes bekam man einen Stromschlag. Stark genug, um das *nicht* noch einmal machen zu wollen.

Aber jetzt kommt das Verrückte.

Als die Person nun alleine, ohne Ablenkung im Raum saß, hielt sie es keine zwei Minuten aus. Die Hand bewegte sich auf den Knopf zu. Sie schwebte eine Minute lang darüber. Dann ... *ZACK!*

Weißt du, warum sie das getan hat? Weil ihr langweilig war! Das sagt etwas darüber aus, wie sehr wir auf Reize konditioniert sind und wie unfähig wir sind, mit unseren Gedanken allein zu sein. Der Sprecher und Moderator der Sendung, Michael Stevens, sagte: „Wir mögen Langeweile so wenig, dass wir körperliche Schmerzen vorziehen."

Denk mal darüber nach: Ein negativer Reiz (ein schmerzhafter

24 Siehe 2. Timotheus 3

25 https://www.youtube.com/watch?v=iqKdEhx-dD4

Stromschlag) war besser als kein Reiz (das Alleinsein). Wenn das für dich keinen Sinn macht (so wie für mich am Anfang), ist es an der Zeit, über *Hedonismus zu* sprechen.

Liebhaber des Vergnügens

Wer das Vergnügen liebt, muss für das Vergnügen fallen.

– Christopher Marlowe

Der Begriff Hedonismus leitet sich von dem griechischen Wort ἡδονή (hēdonē) ab, das „Vergnügen“ bedeutet. Hedonismus ist ein Lebensstil, bei dem es nur darum geht, Spaß zu haben. Das Motto des Hedonismus lautet: „Man lebt nur einmal, also muss man alles auskosten, das man bekommen kann.“ Vergnügen ist das einzig wahre Gut und Schmerz das einzig wahre Übel. Der Hedonist stellt das Streben nach Vergnügen und die Vermeidung von Schmerz über alle anderen Ziele im Leben.

Hedonismus ist nichts Neues.

Schon Paulus hat in 1. Korinther 15,32 geschrieben: „Lasst uns essen und trinken, denn morgen sterben wir!“ Dieser Gedanke war sogar schon lange vor Paulus bekannt und findet sich im alttestamentlichen Buch Prediger.

Aber um das im Kern zu verstehen, müssen wir dahin gehen, wo alles begann.

Zu dem Garten des Genusses.

Eden.

Gottes Plan war es, den Menschen durch eine persönliche Beziehung zu ihm zu verändern. Gott wollte in ständigem Kontakt mit den Menschen stehen und durch diesen Kontakt sollte der Mensch, der nach dem Bild Gottes geschaffen war, kontinuierlich das Bild Gottes *widerspiegeln.*

Aber das brauchte Zeit und Kontakt.

Der Teufel hatte eine andere Agenda. Er wollte diesen Prozess zerstören, weil er das Bild Gottes hasste. Er wollte nicht, dass die

Menschen wie Gott aussahen. Aber er konnte nicht einfach zu den Menschen gehen und sagen: „Hey, schaut nicht auf Gott". Er musste sehr vorsichtig sein, um seine erste Begegnung mit den Menschen nicht zu ruinieren.

Aber kein Problem! Der Teufel ist schließlich heimtückisch. Raffiniert. Der Vater der Lügen.

Deshalb hat er anfangs nicht über Gott gesprochen. Er sprach auch nicht über die schwierigen Themen: Rebellion, Sünde, den Baum des Lebens und den Baum des Guten und Bösen. Er begann damit, über legitime Dinge und irdische *Genüsse* zu sprechen.

Zuerst sagte er zu der Frau: *„Hat Gott wirklich gesagt: Ihr sollt nicht essen von jedem Baum des Gartens?"* (1. Mose 3,1)

Er sprach zuerst zum weiblichen Teil der Menschheit und lenkte ihren Blick auf materialistische Dinge – auf Vergnügungen: die wunderbaren Bäume im Garten. Die waren in der Tat wunderschön. Und ganz schön verlockend. Also sprach Satan über positive Dinge. Er sagte im Grunde genommen: Ist es nicht eine wunderbare Sache, dass ihr von *jedem* Baum im Garten essen könnt?

Man kann fast das warme Säuseln in seiner Stimme hören, als er Eva ins Ohr flüsterte.

Und es begann zu funktionieren. Eva analysierte ihre irdische Genusserfahrung und fand heraus, dass sie *unvollständig* war. Es *fehlte* nämlich ein Baum. Es gab einen Baum, von dem sie nicht essen durfte.

Es gab einen *Mangel*, eine Kluft.

Und eine Kluft bedeutet *Spannung*.

Innerlich wusste sie, dass das ultimative Vergnügen nicht hier auf Erden, sondern im Himmel zu finden war: in Gott. Das war ihre Quelle der höchsten Zufriedenheit – ihre Beziehung zu dem Schöpfer. Auch wenn sie sich an allen Bäumen erfreuen konnte, sollte ihr höchstes Vergnügen allein in Gott zu finden sein.

Und das *wusste* sie. Aber Lügen und Vergnügen sind verführerisch. Sie wenden unseren Blick oft ab.

Der Teufel hatte den Haken ausgeworfen. Er gab der Leine

einen kleinen Ruck. Und einfach so wandte Eva ihre Augen von Gott ab und begann, auf irdische Dinge und Vergnügungen zu schauen.

Gott war nicht mehr die ultimative Erfüllung – sondern der Baum.

Gott war nicht mehr die Wahrheit – sondern das Glück.

Der Fokus hatte sich völlig verändert. Und sie war kurz davor zu fallen.

Und jetzt *wusste* sie, dass ihr in ihrer Welt der Vergnügungen etwas fehlte. Wenn genug nicht mehr genug ist, lauert der Hedonismus um die Ecke. Der Philosoph Epiktet hat es so formuliert: *„Das Vergnügen wird wie eine Art Köder vor alles geworfen, was wirklich schlecht ist, und lockt gierige Seelen leicht an den Haken des Verderbens."*

Eva nahm die Frucht. Sie aß. Und sie gab sie an ihren Mann weiter. Nun, wir kennen den Rest der Geschichte.

Nichts war mehr so wie früher!

Technologiegetriebener Hedonismus

Hedonismus ist seither der Lebensstil der Menschheit. Doch in den letzten Jahren haben zwei Dinge seine Intensität und Anziehungskraft noch verstärkt:

erstens die industrielle Revolution des 19. Jahrhunderts,

zweitens die technologische Revolution des 20.

Der Hedonismus wurde zweimal getuned. Wie ist das passiert?

Das 19. Jahrhundert war eine Wissensexplosion, die die westliche Welt durch den industriellen Fortschritt in eine Welt der Annehmlichkeiten katapultierte. Die Industrielle Revolution brachte materiellen Wohlstand wie nie zuvor.

Es war der Garten Eden in moderner Form.

Und Eden bringt immer die Schlange mit sich. Parallel zur industriellen Revolution lieferte der Humanismus die *intellektuelle* Grundlage für die Ablehnung Gottes. Er machte Gott mehr und mehr überflüssig.

Millionen haben sich diesen neuen atheistischen Lebensstil zu eigen gemacht. Du glaubst mir nicht? Schau dir einfach die atheistische Buskampagne aus London an, die typisch ist für die Denkweise der letzten Jahrzehnte: „Es gibt – mit an Sicherheit grenzender Wahrscheinlichkeit – keinen Gott. Jetzt hör auf, dir Sorgen zu machen, und genieße dein Leben.“[26]

Genieße dein Leben.

Das ist das Motto der heutigen Gesellschaft. *Das Streben nach Glück,* wie es in der Unabhängigkeitserklärung der Vereinigten Staaten steht, ist *die* vorherrschende Wahrheit geworden. Augustinus hätte gesagt: „Wir sind sicherlich in einer gemeinsamen Klasse mit den Tieren; jede Handlung des tierischen Lebens ist darauf ausgerichtet, körperliches Vergnügen zu suchen und Schmerz zu vermeiden.“

All das hat sich mit dem Aufkommen neuer Technologien im 20. und 21. Jahrhundert beschleunigt. Du weißt wahrscheinlich genau, was ich meine, und das zeigt sich in dem kleinen Smartphone, das du wahrscheinlich gerade in Reichweite hast.

(Und? Hast du gerade nachgeschaut?)

Aber die Sache ist die: Das Smartphone, der Zugang zu sozialen Medien und ständige Erreichbarkeit sind nicht neutral. Sie üben eine starke Anziehungskraft aus, die du nur zu gut kennst. Und diese Anziehungskraft hat ihre Wurzeln in chemischer Abhängigkeit, die das gleiche Suchtverhalten auslöst, das auch Drogenabhängige plagt.

Hier ein Zitat aus einem Artikel der Harvard University: „Dopamin ist eine Chemikalie, die von unserem Gehirn produziert wird und die eine Hauptrolle bei der Motivation spielt. Es wird ausgeschüttet, wenn wir in ein leckeres Essen beißen, wenn wir Sex haben, wenn wir Sport treiben und vor allem, wenn wir er-

26 https://en.wikipedia.org/wiki/Atheist_Bus_Campaign

folgreich soziale Interaktionen haben."[27] Dopamin ist also sowohl eine *Belohnung* für Verhaltensweisen, die uns guttun (oder den Anschein erwecken), als auch ein *Auslöser* dafür, dass wir diese Verhaltensweisen weiterhin ausführen. Das Problem ist, dass das Gehirn nicht weiß, ob das Verhalten gut oder schlecht ist. Es gibt dir einfach den Dopaminstoß.

Ein Kuss von jemandem, den du liebst = Dopamin.

Kokain für einen Süchtigen = Dopamin.

Ein Social Media Like oder Follow = Dopamin.

Wenn du jemals das Gefühl hattest, dass es unmöglich ist, dein Handy wegzulegen oder aufzuhören, gedankenlos durch die sozialen Medien zu scrollen – *das* ist der Grund. Dein Gehirn regt dich ungewollt dazu an, auf der Suche nach einer Belohnung weiterzumachen.

Und die Macher der sozialen Medien wissen das und versuchen, dieses Verhalten auszunutzen.

In dem Harvard-Artikel heißt es weiter: „Smartphones versorgen uns mit einem praktisch unbegrenzten Angebot an sozialen Reizen, sowohl positiven als auch negativen. Jede Benachrichtigung, sei es eine Nachricht, ein ‚Like' auf Instagram oder eine Facebook-Benachrichtigung, kann ein positiver sozialer Stimulus und ein Dopaminschub sein."

In einem anderen Artikel im *The Guardian*[28] interviewte ein Journalist Dr. Anna Lembke, Autorin des Buches *Dopamine Nation,* und fasste ihre Warnung so zusammen:

> „[Das Buch] betont, dass wir heute alle bis zu einem gewissen Grad süchtig sind. Sie nennt das Smartphone die ‚moderne Injektionsnadel': Mit jedem Swipe, jedem Like und jedem Tweet suchen wir nach Aufmerksamkeit, Bestätigung und Ablenkung. Seit der Jahrtausendwende haben die Ver-

27 https://sitn.hms.harvard.edu/flash/2018/dopamine-smartphones-battle-time/

28 https://www.theguardian.com/global/2021/aug/22/how-digital-media-turned-us-all-into-dopamine-addicts-and-what-we-can-do-to-break-the-cycle

haltenssüchte (im Gegensatz zu den Drogensüchten) stark zugenommen. *Jede freie Sekunde ist eine Gelegenheit, sich stimulieren zu lassen,* sei es durch das Eintauchen in den Tik-Tok-Strudel, das Scrollen auf Instagram, das Swipen auf Tinder oder das Konsumieren von Pornos, Online-Glücksspiel und E-Shopping."

Noch mal: Ich will niemanden an den Pranger stellen. Aber ich bin sicher, du kannst das nachvollziehen.

Ich zumindest kann es!

Aber was wirklich neu ist (und noch alarmierender), ist, dass dieser Hedonismus die Kirche überschwemmt hat. Heutzutage muss jeder Gottesdienst mit einem Witz beginnen. Das hält den Dopaminspiegel hoch. Neulich war ich in einer Jugendgruppe und fing an zu reden. Mir fiel auf, dass sie nur darauf warteten, dass etwas *ein bisschen* lustig ist, bevor sie anfingen zu lachen. Ich war ziemlich verwirrt. Es war fast unmöglich, eine Botschaft zu vermitteln.

John Piper hatte einmal ein ähnlich merkwürdiges Erlebnis während einer Predigt.[29]

Er stand auf der Bühne und sprach über seine persönlichen Misserfolge. Er meinte es ernst, aber das Publikum lachte die ganze Zeit. Sie dachten, es sei ein Scherz. Er sagte ihnen, sie sollten aufhören. Aber sie verstanden es nicht.

Sie waren gekommen, um eine „gute Zeit" zu haben, nicht um traurig zu sein.

Wenn es eine alberne Jugendgruppe gewesen wäre, wäre das verständlich gewesen. Aber das Schockierende daran war: Das war *kein* Jugendtreffen. Es handelte sich um geistliche Führer. Es war das Event einer Organisation, die sich der Unterstützung der gesamten „Community of Care" verschrieben hat, einschließlich der Pastoren. Das hier waren die Pastoren der Pastoren.

29 https://www.youtube.com/watch?v=AdTddzmIvWA

Und sie zeigten, worauf sie in dieser Predigt achteten: Witze und Lachen. Sie wollten ihren Gott treffen: Das Glücklichsein.

Aber Vergnügen ist nicht der wahre Gott.

Liebhaber des Vergnügens anstelle von Gott

> *Je mehr wir digital abgelenkt sind, desto mehr werden wir geistlich abgehängt.*[30]
>
> – Tony Reinke

Tony Reinke wirft in seinem gut recherchierten Buch *Wie dein Smartphone dich verändert* einen alarmierenden Blick darauf, wie Technologie den Menschen verändert. In diesem Kapitel möchte ich noch einen Schritt weiter gehen und dir zeigen, wie dieser „durch die Technologie aufgeladene" Hedonismus *dein Bild von Gott verändert.*

Wir denken, dass das „Streben nach körperlichem Vergnügen und das Vermeiden von Schmerz" nur kleine Schwachstellen sind, aber es ist viel schlimmer als das. Es wird dich in einen Zustand der Blindheit führen, einen Zustand der Hypoxie, die den wahren Gott für Dich unsichtbar macht.

Adam erkannte nicht, was ihn die Suche nach irdischem Vergnügen kostete – die Intimität mit Gott. Das Gleiche gilt für mich und dich. Wir sind süchtig nach unseren Handys – wir tippen, scrollen und swipen durchschnittlich 2-4 Stunden pro Tag, aber wir denken: „Ich habe das unter Kontrolle. Das ist nur ein bisschen Spaß, der zu Gott hinzugefügt wird. Und Spaß ist in Ordnung. Sind unsere Kirchen nicht voll davon? Ein Todesfall oder extremer Reichtum – das sind vielleicht Gefahren, von Gott unabhängig zu werden. Aber Spaß in Form von sinnlosem Scrollen ist harmlos."

Wusstest du, dass Spaß genauso gefährlich für den Glauben ist,

30 Tony Reinke, Wie dein Smartphone dich verändert: 12 Dinge, die Christen alarmieren sollten (Bethanien, 2018), 254.

wie einen schrecklichen Verlust zu erleiden oder ein Millionär zu werden, dem es nur ums Geld geht? Lies Lukas 8,14: *„Was aber in die Dornen fiel, das sind solche, die gehört haben und hingehen und durch Sorgen und Reichtum und Vergnügungen des Lebens erstickt werden und nichts zur Reife bringen.“*

Erstickt.

Vergnügungen ersticken unsere Sehnsucht nach Gott – unsere Lust auf Gott – und lassen uns abgehängt zurück. Aber aufgepasst! Die Gefahr ist nicht nur, dass man nicht auf Gott schaut, während man auf das Vergnügen schaut. Nein, es gibt etwas noch Gefährlicheres:

Vergnügungen verändern unser *Bild von Gott*.

Das Scrollen und Swipen bewirkt, dass Gott für dich immer unsichtbarer wird. Adam und Eva dachten, sie könnten beides haben. Die Frucht und Gott. Aber plötzlich wurde die Gegenwart Gottes unerträglich.

Das passiert auch bei dir.

Dein Handy macht dich mehr und mehr zu einem Feedback-Junkie. Es ist ein Teufelskreis. Wie bei jeder Sucht brauchst du mehr davon, um die gleichen Ergebnisse zu erzielen. So wirst du immer weniger tolerant gegenüber jeder Erfahrung, die dir kein Dopamin, keine sofortige Befriedigung gibt.

Lange Sätze in der Bibel zu lesen oder fünfundvierzig Minuten lang einer Predigt zuzuhören, ist nicht vergleichbar mit dem Anschauen von YouTube-Videos, bei denen du alle zehn Sekunden einen Dopaminschub bekommst. Vielmehr wird sich Bibel lesen wie Folter anfühlen. Etwas, durch das man sich durchquälen muss. Am Ende *hasst* du Gemeinde oder irgendetwas, das mit der Bibel zu tun hat.

WILLST DU DIE BIBEL BESSER VERSTEHEN?
SCHAU HIER: SEITE 287

Selbst wenn die Botschaft ermutigend ist, ist die Übermittlung einfach zu langsam.

Und Ermahnung? Hör mir auf!

Genau diese Denkweise finden wir auch in Jesaja bei dem Vers über den Mangel an Erkenntnis.

Weißt du, was die Ursache für diesen Mangel war? Mangel an Zeit, Büchern oder Lehrern? Nein!

Hedonismus.

Lies Jesaja 5,11-13:

> *„Wehe denen, die sich frühmorgens aufmachen, um starkem Getränk nachzulaufen, bis spät am Abend bleiben – der Wein erhitzt sie! Und Laute und Harfe, Tamburin und Flöte und Wein sind bei ihrem Gelage; aber auf das Tun des HERRN schauen sie nicht, und das Werk seiner Hände sehen sie nicht. Darum wird mein Volk weggeführt aus Mangel an Erkenntnis …“*

Ihre großen Partys machten sie blind für Gott. Ihre Freude am irdischen Vergnügen veränderte sie so, dass sie Gott nicht mehr sehen konnten. Durch die ständige Suche nach Vergnügen (Dopamin-Hits) lösten sie sich nicht nur von Gott los, sondern sie *wurden* gottlos. Sie sahen Gott nicht mehr.

Stattdessen schufen diese Genussliebhaber einen neuen Gott. Den „Genuss-Gott“.

Ein Gott, der keine Spannungen in deinem Leben erzeugt. Der nur gut und nur treu ist und der immer da ist, um dir die bestmöglichen Erlebnisse zu ermöglichen. Wie ein Flaschengeist.

Wir könnten ihn auch „Glücksgott“ nennen.

Lasst uns klatschen, denn schließlich ist ja „Happiness the truth“.

Willkommen in der Hypoxie-Kirche!

TAKEAWAYS

1 **Wir wollen Schmerzen um jeden Preis vermeiden.** Es überrascht nicht, dass unsere Generation über alle Mittel verfügt, um das zu tun – vor allem Ablenkung und Vergnügen durch soziale Medien.

2 **Wir vermeiden Schmerz, indem wir uns ablenken.** Heute macht uns der technologiegetriebene Hedonismus zu Liebhabern des Vergnügens und nicht von Gott. Diese Ablenkung befindet sich in unseren Taschen und an unseren Fingerspitzen.

3 **„No Pain, No Gain" … aber kein Gott.** Wenn wir die Gemeinschaft mit Gott ohne Unannehmlichkeiten haben wollen, führt uns das zu einem falschen Gott. Wir werden dem nachjagen, was uns glücklich macht, ohne zu merken, dass es uns leer macht.

GEBET

Herr, öffne mir die Augen, um meinen eigenen Hedonismus zu erkennen und zu sehen, ob ich etwas anderem nachjage als dir. Hilf mir, klar zu sehen, wo ich deine Realität mit einem billigen Ersatz der Welt getauscht habe.

KAPITEL 7

EINSCHLÄFERNDE LEHRE

WIE DIE MODERNE BIBELLEHRE UNS BLIND MACHT FÜR GOTT

Sie heilen die Wunde der Tochter meines Volkes leichthin und sprechen: „Frieden, Frieden!", und da ist doch kein Frieden.

– Jeremia 6,14

In Gottes Aufwachraum

Im Sommer 2005 führte mich der Herr aus den glänzenden Lichtern der Stadt Genf in ein kleines Dorf in Andhra Pradesh, Indien, mit nur sechs Stunden Strom pro Tag. Ich hatte kein Laptop oder Smartphone dabei, sondern „nur" die Bibel.

Obwohl ich Vergnügen liebte (wie jeder westliche Millennial), wurde ich plötzlich „gezwungen", die Bibel zu lesen. Der Grund: Ich war zum neuen Prediger in der Gegend ernannt worden. Predigen heißt: Ich musste mich vorbereiten.

Gleich zu Beginn meiner Biblestudy stolperte ich in Psalm 34 über den Begriff „Furcht des Herrn". Das war mir vorher nie aufgefallen. Es war so, als würde König David direkt zu mir sprechen. Er forderte mich liebevoll heraus: *„Komm, ich will dir die Furcht des Herrn beibringen"* (nach Psalm 34,12). Als wollte er mir ein großes Geheimnis verraten. Bevor der König aber mit der Unterrichtseinheit begann, gab's noch eine kleine Ermutigung. Einen kleinen Spoiler. Quasi die Aussicht auf das Endresultat.

„Wer ist der Mann, der Lust zum Leben hat, der Tage liebt, um Gutes zu sehen?" (Psalm 34,13)

Lust zu Leben? Klar, das hatte ich.

Gutes sehen? Wer will das nicht?

Ich war dabei.

Und sofort ging der Unterricht los. Später entdeckte ich in Sprüche 1, dass sein Sohn Salomo wohl auch im Klassenraum gewesen war, denn er machte diese Unterweisung zum Eckpfeiler seiner gesamten Suche nach Weisheit: *„Die Furcht des Herrn ist der Anfang der Erkenntnis."*

Die Furcht des Herrn.

Zuerst war das so seltsam für mich.

Ich sollte den Herrn fürchten? Und daraus sollte etwas Positives entstehen? Furcht war ein Gefühl, das ich nie mit Gott in Verbindung gebracht hatte. Also durchforstete ich die Bibel. Von vorne bis hinten. Von Anfang bis Ende. Je tiefer ich in das Wort einstieg, desto mehr wurde mir klar, wie zentral das Thema für das gesamte Glaubenssystem ist. Mir wurde klar, dass fast jeder biblische Bericht über treue Menschen, denen Gott sich offenbart hatet, von Furcht berichtete.

Das war etwas, das ich noch nie wirklich erlebt hatte.

Also ließ ich mich auf die Idee ein, den Herrn zu fürchten. Wie in meinem vorigen Wal-Beispiel tauchte ich in den Ozean, obwohl ich wusste, dass ich dabei einem riesigen Blauwal begegnen würde, den ich bis dahin nur von Bildern kannte.

Und es geschahen seltsame Dinge. Meine stille Zeit veränderte sich völlig. Ich erlebte eine Nähe zum Herrn, wie ich sie noch nie erlebt hatte. Es war eine Zeit der Einsamkeit, aber es war die schönste Zeit meines Lebens. Ich hatte den Schlüssel gefunden. Den Schlüssel, um wirklich mit Gott zu leben.

Mir wurde klar: Die Furcht des Herrn ist der Beginn einer tiefen *Vertrautheit mit Gott.*

Als ich nach Europa zurückkam, war ich begierig zu verstehen, was andere Leute über die Furcht des Herrn geschrieben hatten. Und ich war wirklich schockiert. Die moderne Bibelliteratur war irgendwie verdreht. Sie alle klammerten den wichtigsten Aspekt der Furcht des Herrn aus: Die Furcht selbst.

Keiner von ihnen sprach wirklich über die *Furcht* des Herrn, wie es die Bibel tut.

Ich begann wirklich an mir zu zweifeln. Hatte ich Unrecht? Ich tauchte in die alten Sprachen ein, um zu verstehen, ob ich falsch lag. Aber ich sah keinen Fehler in meiner Analyse. Selbst ein Blick in die hebräischen und griechischen Texte bestätigte meine Entdeckung. In der „Furcht des Herrn" steckte echte *Angst.*

Jahre später entdeckte ich andere Autoren wie John Bunyan und mir wurden die Augen geöffnet. Ich sah, dass die Furcht des Herrn früher anders verstanden worden war – genauso wie die Bibel sie mir in dem kleinen Waisenhaus in Indien gezeigt hatte.

Aber warum hatte sich die Definition geändert?

Eine neue Definition

Der Teufel wirkt auf zwei Arten. Er ist entweder ein Engel des Lichts oder ein brüllender Löwe.

Als Engel des Lichts *verzerrt* er.

Als Löwe *tötet* er.

In diesem Abschnitt möchte ich dir zunächst zeigen, wie der Teufel als „Engel des Lichts" versucht, die Definition der Furcht des Herrn zu verändern. Im nächsten Abschnitt werde ich zeigen, wie der „brüllende Löwe" versucht, die Furcht des Herrn ganz zu zerstören.

1) **Verzerrung:** Definitionen ändern sich nicht über Nacht. Das wissen Linguisten nur zu gut. Sie ändern sich allmählich. Als Kinder lernten wir dieses Konzept durch ein lustiges Spiel namens „Stille Post" kennen. Vielleicht erinnerst du dich noch an das Spiel aus deiner Schulzeit. Bei diesem Spiel stellen sich alle Kinder im Klassenzimmer auf. An einem Ende flüstert der Lehrer dem ersten Schüler einen Satz ins Ohr. Dieser flüstert den Satz dem nächsten Kind zu und das Muster wiederholt sich, bis auch das letzte Kind die Botschaft „verstanden" hat. Dieses Kind spricht den Satz dann laut aus und fast jedes Mal ist der Schlusssatz drastisch und meist auf humorvolle Weise verändert, das die

Nachricht durch Dutzende von Boten gefiltert worden ist.

Das Gleiche passiert mit uns, wenn wir auf etwas stoßen, das uns verwirrt oder beunruhigt.

Verzerrungen bei der Transformation entstehen, weil wir bestimmte Dinge hinzufügen oder abziehen. Was wir hinzufügen oder abziehen, hat viel mit unserer Weltanschauung zu tun. Wir interpretieren Dinge im Kontext unserer vorgefassten Denkweise. Wenn du zum Beispiel ein Wort noch nie gehört hast und es weitergeben musst, tauschst du es mit einem anderen Wort aus. Wenn du dir nicht ganz sicher bist, was ein Wort bedeutet, wirst du es wahrscheinlich mit einem einfacheren Wort erklären. Oder du fügst Wörter hinzu, um das Wort zu erklären. Die Wahrscheinlichkeit, dass das ungenau ist, ist sehr hoch.

„Stille Post" kann auch in unserem Bibelstudium vorkommen. In der Sprache der „Bible Nerds" unterscheidet man zwischen *Exegese* und *Eisegese*. *Exegese* ist eine legitime Auslegung, die *aus dem Text herausliest*, was der Text aussagt.

Die Eisegese hingegen *liest in den Text hinein*, was der Lesende zu finden wünscht oder denkt, dass es dort zu finden sei. Sie drückt die eigenen subjektiven Vorstellungen des Lesers aus – nicht die Bedeutung des Textes.

Um dir ein Beispiel zu geben, Jesus sagt in Lukas 14,26: *„Wenn jemand zu mir kommt und hasst nicht seinen Vater und seine Mutter und seine Frau und seine Kinder und seine Brüder und Schwestern, dazu aber auch sein eigenes Leben, so kann er nicht mein Jünger sein."* Da wir uns Hass gegenüber den Eltern nicht vorstellen können, interpretieren wir den Satz so, dass Gott von *Prioritäten* gesprochen hat. Wir geben dann die Information weiter, dass Jesus folgendes *gemeint* hat: Wenn dein Vater und deine Mutter eine höhere Priorität haben als ich, dann wird deine Jüngerschaft ernsthaft gefährdet sein.

Das ist zwar *ein Teilaspekt* von dem, was der Herr Jesus sagen wollte, aber nicht die ganze Bedeutung. Jesus kannte das Wort *Priorität* oder *erster Platz*. Aber er wählte *Hass*. Denn Nachfolge wird manchmal so aussehen, als ob du deine Eltern hasst, und von ihnen kann es so empfunden werden. *Priorität* reicht in diesem Moment nicht aus. Das Wort ist nicht stark genug.

So, wir verstehen jetzt also: Der Kontext, in dem wir leben, hat einen großen Einfluss auf unser Verständnis von Bibelversen. Was ist der Kontext, in dem wir leben? Du hast es erraten: Hedonismus. *Vergnügen* ist das einzig wahre Gut und *Schmerz* ist das einzig wahre Übel.

Aber in Wahrheit ist Schmerz der Kern der „Furcht des Herrn" und „Furcht" ist die Erwartung von Schmerz.

Wenn Gott sagt: *„Die Furcht des Herrn ist der Anfang der Intimität mit Gott"*, dann sagt er: Du musst bereit sein, Schmerzen zu erwarten, wenn du Gemeinschaft mit mir haben willst. Wenn du mit dem Blauwal schwimmen willst, musst du dich darauf einstellen, dass du zuerst Angst haben wirst.

Kein Schmerz → kein Gewinn.

Aber Hedonisten wollen keinen Schmerz. Deshalb haben die Prediger den „Schmerz" aus der „Furcht des Herrn" gestrichen. Stattdessen haben sie sich auf „Ehrfurcht" und „Respekt" konzentriert, die nur Teil der Definition sind, aber nicht der Kern.

Der Kern ist die Furcht.

Warum ist es für Satan so wichtig, die Furcht des Herrn zu verdrehen? Weil die Furcht des Herrn der Anfang der Intimität mit Gott ist. Und deshalb ist eine *verzerrte* Gottesfurcht der Beginn einer *verzerrten* Intimität mit Gott. Eine verzerrte Intimität bedeutet, dass wir den wahren Gott langsam aus den Augen verlieren. Wir erfinden einen neuen Gott. Das nennt man Götzendienst.

Es ist eine ernste Sache, die Menschen das falsche Wesen der Gottesfurcht zu lehren, weil es den Menschen eine Form der Frömmigkeit gibt, aber ohne Herz. Ohne wahre Intimität mit Gott. Jesaja sagt: *„Weil dieses Volk sich mit seinem Mund naht und mich mit seinen Lippen ehrt und sein Herz fern von mir hält und ihre Furcht vor mir angelerntes Menschengebot ist."* (Jesaja 29,13)

Wie lautet die Lösung? Bei „Stille Post" gehen wir immer zum ursprünglichen Satz zurück. Und um Gott zu verstehen, müssen wir zurück zur Bibel gehen. Das werden wir in Teil III tun und es wird heilend für deine Seele sein.

Aber bevor ich das tue, muss ich über die Menschen sprechen, die dich ständig daran hindern, klar zu sehen.

Eine neue „Gegenwart"

Strategie Nr. 1 haben wir abgedeckt: Als Engel des Lichts versucht Satan, das Bild zu verzerren. Er will die Furcht des Herrn in etwas *anderes* verwandeln. Kommen wir nun zu Strategie Nr. 2 – der Teufel als brüllender Löwe. Ein Löwe tötet.

Töten: Als Löwe ist es die Strategie des Teufels, die Furcht des Herrn ganz und gar zu töten. Das bedeutet, sie durch etwas völlig anderes zu ersetzen. Denn *keine Furcht* ist der Anfang von *keiner Erkenntnis* über Gott. Und der *Mangel* an Erkenntnis führt die Menschen in Gefangenschaft ... Süchte usw.

Das ist es, was Satan will.

Um sein Ziel zu erreichen, muss der Teufel zwei Dinge tun:

1. **Eine falsche Gotteserfahrung schaffen** – Er gaukelt Menschen vor, sie würden Gott erleben, obwohl sie es nicht tun. Und sollten sie vom Geist aufgerüttelt werden, geht er über zu Schritt 2.
2. **Falschen Frieden schaffen** – durch Menschen, die das Wirken des Heiligen Geistes fälschen, wenn er die Seelen aufrüttelt.

Eine falsche Erfahrung

Denken wir den ersten Schritt durch. Wir sind uns einig, dass Gott da ist, wo die Sünde nicht ist. In Habakuk 1,13 steht, Gott ist *„zu rein von Augen, um Böses zu sehen"*. Falsche Propheten schaffen also (oft unbewusst) ein Umfeld, das von Sünde geprägt ist, aber für die Sinne sehr attraktiv ist. Wenn die Menschen erst einmal auf den Geschmack gekommen sind, erzählen diese „Propheten" den Menschen, dass dies die „Gegenwart Gottes" sei.

Selbst Männer Gottes können das in völliger Unwissenheit oder unter Druck tun.

Aaron zum Beispiel baute das goldene Kalb, weil er von dem Volk unter Druck gesetzt wurde. Als das goldene Kalb gebaut war, sagten sie: *„Das sind deine Götter, Israel, die dich aus dem Land Ägypten heraufgeführt haben."* (2. Mose 32,1–4) Das war eine glatte Lüge und sie wussten es.

Sogar die Kinder, die nicht in Ägypten waren, hätten es wissen können. Wie das? Sie hätten es wissen müssen, weil rund um das Kalb Sünde im Spiel war. Sie gaben sich der Sünde hin, indem sie um das Kalb tanzten und feierten. Um diesen falschen Gott herum brach sofort Hedonismus aus. Und wo die Sünde bereitwillig geduldet wird, ist Gott nicht anwesend, denn: *„Die Furcht des HERRN ist: das Böse hassen."* (Sprüche 8,13)

Lass mich dir ein aktuelles Beispiel geben. Dieses Jahr veranstaltete Justin Bieber ein *Freedom Experience* Konzert. Seine Absicht war es, Gutes zu tun. Er wollte die Menschen in Kontakt mit Gott bringen.

Den Ruhm für die Christenheit nutzen.

Seinen Ruhm nutzen, um etwas zu verändern.

Natürlich war die Musik ein wahrer Genuss für die Sinne.[31] Während die Veranstaltung für Christen als ein Vorantreiben des Reiches Gottes gebrandmarkt wurde, mengten sich Dinge ein, die nichts mit Gott zu tun haben. Weltliche Künstler mischten sich mit christlichen Künstlern. Fluchen, sexuelle Anspielungen und

31 Nebenbei bemerkt: Ich bin nicht dagegen, Musik zu nutzen, um Gott zu erleben, aber wir müssen aufpassen, dass wir schöne Musik nicht mit der Gegenwart Gottes verwechseln. Ein Beispiel: Nachdem er abgefallen war, sagte Rhett, dass er auch ohne eine Beziehung zu Christus in eine „Anbetungsatmosphäre" kommen kann. Und er fügte hinzu: „Ich kann in diese Stimmung kommen, wenn ich Phil Collins höre."

Hedonismus wurden – wenn auch verdeckt – verherrlicht. Und dann hörte die Musik plötzlich auf und Justin sagte: „Einige von euch, ich weiß nicht, ihr seid vielleicht nicht an diese Art der Atmosphäre gewöhnt, aber was ihr gerade spürt, ist die Gegenwart Gottes."[32]

Ich zweifle nicht an Justins Aufrichtigkeit. Ich glaube, dass er das *wirklich* dachte.

Aber das war nicht die Gegenwart des Gottes der Bibel.

Das war eine *neue Experience*. Eine neue Gegenwart Gottes.

Das ist die Erschaffung eines neuen Gottes. Ein Gott, der die Sünde toleriert.

Ein falscher Frieden

Der Teufel versucht also, die Furcht des Herrn mit einer falschen Erfahrung zu zerstören, aber das ist nicht seine einzige Masche. Er arbeitet auch daran, falschen Frieden zu geben. Damit meine ich: Wenn es Sünde gibt, wird der Heilige Geist sofort aktiv. Seine Hauptaufgabe ist, *„die Welt zu überführen von Sünde und von Gerechtigkeit und von Gericht."* (Johannes 16,8). Wenn du (wie ich) schon einmal von deiner Sünde überführt wurdest, weißt du, was ich meine!

Was ist das also für einen hedonistischen „Christen"? Ein Albtraum!

Ein Hedonist will sich nicht verbessern, sondern Vergnügen haben. Wenn der Geist an einem Menschen wirkt, ist das innerlich schmerzhaft. Die Aktivität des Körpers wird oft reduziert und der Geist wird aufgewühlt. Oftmals *schmerzhaft aufgewühlt*. Hesekiel saß sieben Tage lang untätig an einem Fluss, *„erbittert in der Glut meines Geistes"* (Hesekiel 3,14); Habakuk spürte, wie *„Morschheit drang in meine Gebeine"*, während er *„erzitterte"* (Habakuk 3,16). Johannes fiel auf der Insel Patmos wie tot zu den Füßen Jesu

32 https://www.christianpost.com/news/kari-jobe-says-presence-of-god-felt-at-biebers-freedom-concert.html

Christi nieder, während er *„im Geist“* die schrecklichsten Dinge sah.

So wirkt der Geist: den Körper beruhigen, den Geist aufrütteln.

Falsche Prediger tun genau das Gegenteil. Sie *verführen* den Körper mit einer sinnlichen Erfahrung und beruhigen den Geist der Menschen. Sie tun das, indem sie *Frieden* garantieren. Frieden ist ein stressfreier Zustand – genau das, worauf Hedonisten aus sind. Und in der Tat ist Frieden wunderbar, wenn Frieden gemacht wird.

Aber was ist, wenn der Heilige Geist mit einem menschlichen Geist Krieg führt, um ihm seinen Mangel an Intimität mit Gott *bewusst zu machen*? In einer solchen Situation Frieden zu versprechen, ist so, als würde man einem Blinden sagen, er solle weitergehen, wenn er nur noch einen Meter vom Rand einer Klippe entfernt ist.

„It'll be alright!“ (Es wird alles gut) war die Hauptbotschaft des Predigers bei diesem Event. Das ist eine wunderbare Art, Christen zu ermutigen, die wissen müssen, dass Golgatha alles gut gemacht hat. Aber es ist eine tödliche Botschaft für alle Menschen, die noch nicht unter dem Feuerschutz des Kreuzes stehen, oder für sogenannte „Christen“, die weiterhin in Sünde leben.

Wenn du denkst, dass das schrecklich ist, dann lass mich dir zeigen, wie der Teufel die Auswirkungen davon meisterhaft vervielfacht.

Wenn falsche Lehrer glänzen

> *Entsetzliches und Schauderhaftes ist im Land geschehen: Die Propheten weissagen falsch, und die Priester herrschen unter ihrer Leitung, und mein Volk liebt es so.*
>
> – Jeremia 5,30-31

In diesem und dem letzten Kapitel habe ich versucht, zwei Dinge zu zeigen. Erstens, dass wir vergnügungssüchtig sind und Ablenkung vom Schmerz suchen, und zweitens, dass es viele Lehrer gibt, die sich an vergnügungssüchtige Menschen wenden. Inzwischen ist dir wahrscheinlich klar geworden, wie diese Dinge zusammenwirken und durch die sozialen Medien noch verstärkt werden.

Als jemand, der das Vergnügen liebt, bist du stark auf Dopamin angewiesen. Wenn du kein Dopamin bekommst, fühlst du dich schlecht. Also gehst du auf Instagram, um unbewusst nach Dopamin zu suchen, damit du dich besser fühlst. Als Christ bist du besonders empfänglich für „christliches" Dopamin. Du wirst versuchen, **Lehrer** zu finden, deren Botschaft mit dem übereinstimmt, was du glauben willst.

(„Kitzelnde Ohren", erinnerst du dich?)

Die Social-Media-Plattformen, die alle deine Verhaltensdaten analysieren, wissen, was du willst, und verstehen das sofort. Um die Ecke kommt der „Butler", der dich zu den falschen Dopamin-Lehrern führt: der Algorithmus.

Vielleicht hast du das Wort „Algorithmus" schon einmal gehört, aber nicht ganz verstanden, wie es funktioniert. Ich erkläre es dir kurz anhand von YouTube und zeige dir, wie das mit deinem geistlichen Konsum zusammenhängt. YouTube misst Werte wie die Klickrate, die durchschnittliche Verweildauer, Likes und Zuschauerumfragen. Diese Messwerte fließen in den Algorithmus ein und sagen YouTube, was es dir mehr zeigen soll.

- **Click-Through-Rate (CTR):** Die CTR ist die Anzahl der Personen, die sich das Video ansehen wollen, nachdem sie dein Thumbnail gesehen haben. Die Klickrate ist eine der einflussreichsten Komponente bei der Qualitätsbewertung deiner Videos auf YouTube, die sich wiederum auf die zukünftige Platzierung deines Videos auswirkt. ***Konsequenz***: Die Thumbnails müssen sinnlich und irdisch sein. Das bedeutet, dass sinnliche, irdische

Themen (vor allem die großen Drei: Sex, Geld und Freiheit) unglaublich präsent sein werden.

- **Durchschnittliche Verweildauer (DV):**
  Die DV ist die durchschnittliche Zeit, die ein Betrachter dein Video ansieht. Um die Betrachtungsdauer zu erhöhen, machen trendige Effekte und Sounds, die du in deine Videos einbaust, diese interessanter. Mehr Dopamin, mehr Vergnügen. ***Konsequenz***: Sinnliche und materialistische Videoformate und Shows werden vom Algorithmus offensichtlich bevorzugt.

- **Likes, Dislikes, Teilen und Zuschauerumfragen:** Menschen bewerten und teilen Inhalte, weil sie zeigen wollen, wer sie sind. Beim Teilen geht es nicht so sehr um die Botschaft des Inhalts, sondern um die Identität der Person, die teilt. ***Konsequenz***: In einer hedonistischen Welt wirst du immer versuchen, Schmerzen zu vermeiden und dem Ideal nahe zu bleiben, das um dich herum ausgedrückt wird. Du wirst oft Inhalte teilen, die mit dem aktuellen Zeitgeist übereinstimmen.

Was hat das alles mit Gott, Schmerz, Angst, Ablenkung, Hedonismus und Unwohlsein zu tun?

Der Algorithmus ist so aufgebaut, dass er dir gibt, was du willst, also wird er vor allem Unterhaltung und fleischliches Christentum anbieten. Das direkte *Gegenteil* einer wahren Gotteserfahrung, die oft mit Schmerz verbunden ist.

Wenn also ein Video vom Geist erfüllt ist, in dem es um die Aufdeckung von Sünde geht, wird das von vielen als Schmerz empfunden. Und diesen Schmerz gilt es unter allen Umständen zu vermeiden. Das ist der Anti-Dopamin-Schub. Nehmen wir mal ein Beispiel-Video und gehen den Prozess durch:

Click-Through-Rate (CTR): Wir machen ein Video über die dringende Notwendigkeit, den Herrn zu fürchten. Nachdem wir das Video hochgeladen haben, zeigt der Algorithmus es einigen wenigen Nutzern auf der Startseite. Wenn es diese Nutzer anspricht, fesselt, zufriedenstellt (d. h. sie klicken darauf, sehen es sich ganz an, mögen es, teilen es usw.), wird es immer mehr Nutzern gezeigt.

Christen werden normalerweise nicht auf ein Video klicken, das Schmerzen verspricht.

Furcht vor dem Herrn? Nö. Lass uns ein Lobpreis-Video anschauen oder einen Hipster-Pastor, der über Sex spricht! Das klingt gerade christlich genug und macht viel mehr Spaß. Das bedeutet, dass immer weniger Menschen das Video sehen werden, das kurzfristig Schmerzen verursacht, aber langfristig zu einer Veränderung führt.

Durchschnittliche Verweildauer (DV): Ok, geben wir unserem Video eine Chance. Lass uns annehmen, wir haben uns die Mühe gemacht und ein „leckeres" Thumbnail erstellt. Der Nutzer klickt also drauf, weil es trügerisch Spaß versprach. Allerdings geht es im Videoinhalt um Schmerzen und deswegen wird die DV das Video von der Startseite rausschmeißen: Niemand wird das Video sehen.

Teilen: Aber nehmen wir mal an, das Video hat den Betrachter tatsächlich dazu gebracht, dranzubleiben und es sich ganz anzusehen. Wird der Nutzer es liken oder teilen? Nein, denn er hat Angst, als Spaßbremsen-Christ rüberzukommen. Einer von diesen Konservativen ... Nee, ich teile lieber ein Video über diesen neuen hedonistischen Prominenten, der behauptet, Christ zu sein. Das ist mehr im Trend und zeigt, dass ich auf dem Laufenden bin.

Siehst du das Problem?

All das passiert jede Minute mit nur einem Klick. Es klingt wie Science-Fiction, ist aber tragischerweise wahr.

Der Algorithmus deckt unsere schlimmsten Neigungen auf und zeigt die schlechtesten Seiten des Christentums, während die besten versteckt werden. Er verschafft den Predigern, die dir Dopamin geben, viel Einfluss und Sichtbarkeit und blendet diejenigen aus, die über Schmerz sprechen.

Genau das hat der Apostel Paulus in 2. Timotheus 4,3 vorausgesehen, als er prophezeite: *„Denn es wird eine Zeit sein, da sie die gesunde Lehre nicht ertragen werden, sondern nach ihren eigenen Begierden sich selbst Lehrer aufhäufen werden, indem es ihnen in den Ohren kitzelt.“*

Die Technologie mag sich ändern, aber der Kampf geht weiter. Auch wenn das alles ziemlich hoffnungslos aussehen mag, gibt es Hoffnung. Hoffnung auf eine neue Beziehung zu Gott. Eine neue Intimität.

Eine Umkehr ist möglich.

Wenn wir am *Anfang* beginnen ... – und die Furcht des Herrn ist der *Anfang* der Intimität!

TAKEAWAYS

(1) **Die Technologie hat einen Ort geschaffen, an dem falsche Propheten gedeihen können.** Weil sie so leicht zugänglich ist, wird das Internet von falschen Lehren überschwemmt. Sie ist leicht zu konsumieren und „kitzelt unsere Ohren“.

(2) **Falsche Propheten schaffen diese *neue Erfahrung*.** Sie schaffen eine falsche Erfahrung von Gott, die schmerzfrei und mühelos ist. Algorithmen begünstigen den mühelosen Konsum und verstärken somit die Lüge und halten sie aufrecht.

(3) **Die Lügen dieser falschen Lehrer sind leichter zu verbreiten als die Wahrheit.** Wenn Christen die Wahrheit erkennen, zögern sie, sie weiterzugeben. Aus Angst davor, wie sie in der Welt wahrgenommen werden.

GEBET

Herr, hilf mir, die Wahrheit von den Lügen zu unterscheiden. Falsche Lehrer als das zu erkennen, was sie sind. Hilf mir, mich nicht von ihren Lügen betäuben zu lassen, sondern die Wahrheit zu erkennen, von der du gesagt hast, dass sie mich frei machen wird.

EINE KURZE ÜBERSICHT DER NÄCHSTEN 5 KAPITEL

KAPITEL 8

Ägypten

Römer 1-3

Problem:
Alle sind Sünder.

Lösung:
Verdammung

FdH:
Die ganze Welt ist schuldig vor Gott.

KAPITEL 9

Exodus

Römer 3-5

Problem:
Sünden (Taten)

Lösung:
Sühnung (Römer 3,24)

FdH:
Gott hasst die Sünden und Jesus ertrug Gottes Gericht für uns.

KAPITEL 10

Rotes Meer

Römer 5-6

Problem:
Sünder (Identität)

Lösung:
Identifikation (Römer 5,18)

FdH:
Gott hasst den Sünder und gibt ihm einen Platz zu sterben: In Christus Jesus.

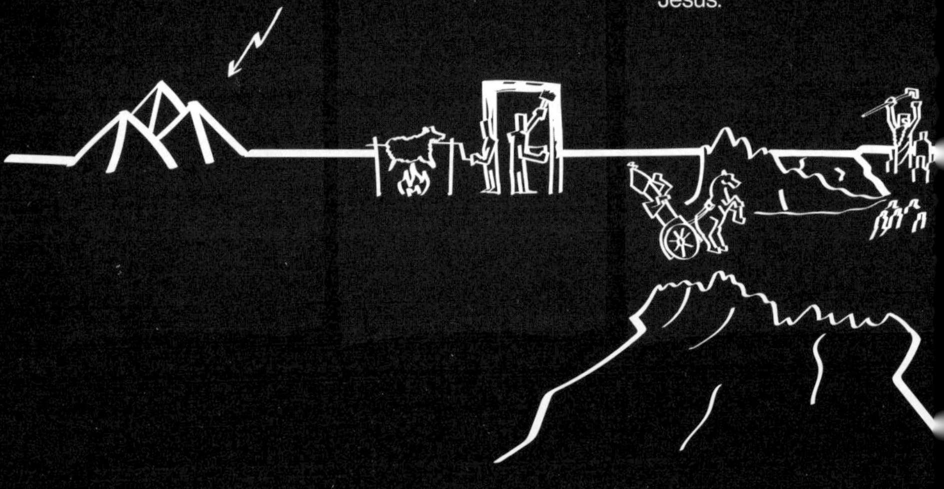

KAPITEL 11

Gesetz und Schlange

Römer 7-8

Problem:
Sünde (Das Prinzip)

Lösung:
Verurteilung (Römer 8,3)

FdH:
Gott hasst die Sünde im Körper und richtet die Sünde im Körper von Jesus.

KAPITEL 12

Jordan und Gilgal

Römer 8+12

Problem:
Inaktivität

Lösung:
Lebendig gemacht durch den Heiligen Geist. (Römer 8, 11; 12,1-3)

FdH:
Die Sünde täglich hassen und durch den Heiligen Geist leben.

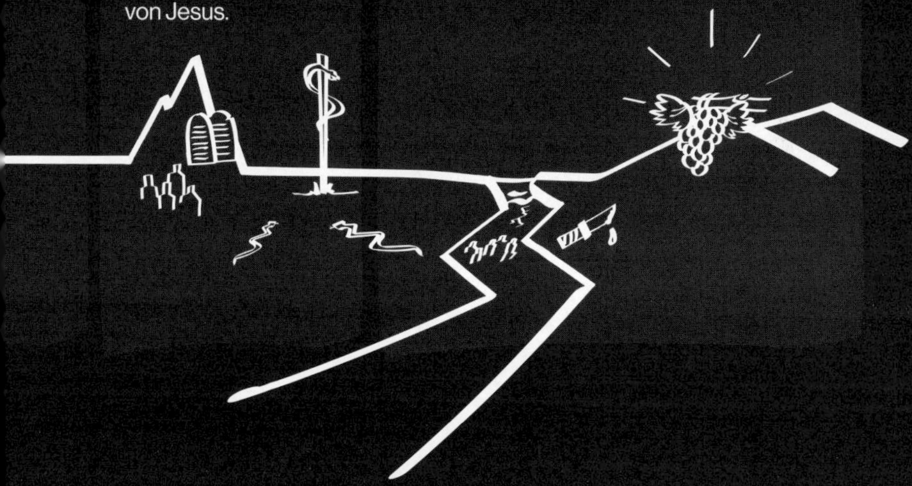

TEIL III

DER SCHLÜSSEL:

WIE KÖNNEN WIR GOTT SEHEN?

KAPITEL 8

DIE DEFINITION DER FURCHT DES HERRN

WIE DIE BIBEL UNS DAS FÜRCHTEN LEHRT

Sie sprachen zu ihm: Sind denn auch wir blind? Jesus sprach zu ihnen: Wenn ihr blind wäret, so hättet ihr keine Sünde; nun aber, da ihr sagt: Wir sehen, bleibt eure Sünde.

– Johannes 9,40-41

Probleme kann man niemals mit derselben Denkweise lösen, durch die sie entstanden sind

– Albert Einstein

Der Schleier des Nichtwissens

Eine hypoxische Kirche.

Betrunkene Anführer.

Sterbende Mitglieder.

Falsche Lehrer unterwandern die Gemeinschaft und machen alles noch schlimmer.

Technologie beschleunigt den Zerfall.

Und ich bin Teil des Problems – wie kann ich in dieser Situation klar *sehen*?

Die Lösung liegt *nicht* im Sehen. Es geht darum, blind zu werden.

Religiöse Menschen sind oft die Letzten, die sehen, dass sie blind sind. Sie denken, dass sie sehen, aber das tun sie nicht. Genau das ist es, was Jesus zu den Pharisäern sagt: *„Wenn ihr blind wäret, so hättet ihr keine Sünde; nun aber, da ihr sagt: Wir sehen, bleibt eure Sünde.“* (Johannes 9,41)

Die paradoxe Wahrheit ist: Wir müssen erst blind werden, bevor wir wirklich sehen können. Paulus ist das beste Beispiel dafür. Er war einer der vielversprechendsten jungen Menschen, die man sich vorstellen kann. Er war ein Schüler von Gamaliel und *„was das Gesetz betrifft – ein Pharisäer“*.

Er kannte sich aus. Er sah!

Und dann kommt die Straße von Damaskus. Paulus wird zu Boden geworfen. Der mächtige Pharisäer wird klein wie ein Kind. Er liegt in der erschreckenden Gegenwart des lebendigen Jesus.

Kalt. Dunkel. Blind.

Drei Tage lang *dekonstruiert* Gott sein Gottesbild. Dabei ist Paulus blind, sodass er nicht mit seiner Umgebung interagieren kann. Die Aktivität seines Körpers kommt zum Stillstand. Er ist blind, sodass er seine Bibelkommentare nicht lesen kann. Er ist allein in der Dunkelheit – die Furcht des lebendigen Jesus noch in den Knochen und das gesamte Wissen des Alten Testaments im Kopf. Alles, was er weiß, wird dekonstruiert ... Gott, Israel, das Kreuz, die Christen, er selbst ... Eine schmerzhafte Erfahrung, aber eine, die den Lauf seines Lebens verändern wird ... und buchstäblich die ganze Welt.

Wenn diese Blindheit Paulus half, klar zu sehen – wie kann ich dann blind werden?

Das ist die richtige Frage. Es ist in der Tat schwierig, blind zu werden. Es ist sehr schwierig, deine Überzeugungen über so grundlegende Dinge wie dein Gottesbild zu überdenken, weil du durch deine Vorkonditionierung (Kirche, Kommentare, Eltern), deine vorgefertigten Vorstellungen (Gottesbild, theologische Traditionen) und deine inneren Vorurteile (Weltanschauung, Charakter, Vision) geprägt bist. Aus diesem Grund möchte ich dir ein Werkzeug an die Hand geben, das dir helfen wird, „blind“ zu werden.

Als ich in Genf Internationale Beziehungen studierte, stieß ich auf John Rawls' Buch *Eine Theorie der Gerechtigkeit,* in dem er sich mit dem gleichen Problem auseinandersetzt: Wie kann ich über ein Thema nachdenken, ohne vorher festgelegte Vorstellungen und interne Voreingenommenheiten zu haben, die das Resultat prägen? Er hat ein Gedankenexperiment entwickelt, das er „Der Schleier des Nichtwissens“ nennt. Ein einfaches Gedankenexperiment, das dich ermutigt, *dir vorzustellen,* du wüsstest nichts.

Eine leere Tafel. Ein offenes Buch.

Dazu möchte ich dich ermutigen. Werde wie ein Kind: Stell dir vor, du weißt nichts über Gott. Werde wie Paulus. Trenne dich von äußeren Ablenkungen (ruhiger Ort, kein Handy, keine Kommentare) und inneren Ablenkungen (Schleier des Nichtwissens, Denkmuster).

Für mich war das der Fall, als ich in Indien war. Aber du musst nicht nach Indien gehen, um Einsamkeit zu finden. Allerdings *musst* du dich von äußeren und inneren Ablenkungen trennen. Und in unserer hypervernetzten und superstimulierten Welt wird das eine bewusste Anstrengung erfordern. Aber Gott von Angesicht zu Angesicht zu begegnen, ein bisschen wie Paulus auf dem Weg nach Damaskus? Das ist die Mühe wert.

Also sag Meetings ab, leg dein Handy und deine Kommentare weg, nimm deine Bibel und bereite dich darauf vor, in Stille vor deinem Gott zu sitzen, zu knien und zu liegen. Damit setzt du einen Prozess in Gang, der *Heiligung* genannt wird.

Ich erkläre dir, wie das funktioniert.

Wie Heiligung funktioniert

„Heiligung“ hört sich krass abgehoben an. So nach traditioneller Kirche oder so. Und wenn dann noch jemand sagt: „Ich werde geheiligt“, denkst du: Krass, der hat wirklich was vor!

Und das hat er wahrscheinlich auch, denn Heiligung bedeutet „wie Gott werden“. Klingt ein wenig größenwahnsinnig. Aber ... was bedeutet es, „wie Gott zu werden“?

Wirklich aussehen, reden und handeln wie der Gott des Universums?

Planeten bauen und das Wetter verändern?

Was bedeutet es, wie Er zu werden?

Ok, fangen wir ganz von vorne an.

Definition

Wenn wir wie Gott werden wollen – so wie er ist –, müssen wir *wissen, wie* er ist.

Gott ist heilig.

Heiligkeit wird im Allgemeinen als das „Anderssein" Gottes definiert. Wenn du einen Vorgeschmack bekommen willst, was das bedeutet, lies die Tora. Eine Sache, die wir sehen, ist, dass Gott anders ist als alles andere. Anders als die ganze Schöpfung. Er ist *komplett* anders. Und diese Einzigartigkeit Gottes zeigt sich oft als unantastbare, bedrohliche und furchterregende Majestät und *gleichzeitig* als anziehende, herrliche, wohlwollende und segnende Macht, die sich sowohl im Gericht als auch in Gerechtigkeit und Liebe zeigt.

Im Gegensatz zur menschlichen Verdorbenheit und Sünde wird Heiligkeit oft auch mit Reinheit beschrieben.

Aber Heiligkeit ist viel mehr als das.

Heiligkeit ist das *Wesen* Gottes. Heiligkeit ist wichtig. Die Bibel sagt: „Ohne Heiligkeit wird niemand den Herrn sehen" (Hebräer 12,14), was absolut Sinn macht. Du kannst Gott nicht ohne Heiligkeit sehen, genauso wenig wie du einen blauen Himmel ohne die Farbe Blau sehen kannst.

Heiligkeit in diesem Sinne ist die Farbe Gottes.

Aber Gott *ist* nicht nur heilig, sondern er *macht* auch heilig. (Hesekiel 37,28) Alles, was mit Gott in Berührung kommt, wird per Definition heilig. Zum Beispiel das Volk Israel, die Priester, bestimmte Orte der Anbetung, Gegenstände usw. Während also im Alten Testament verschiedene Dinge geheiligt werden konnten, liegt der Fokus im Neuen Testament allein auf einem – dem Menschen. Gott *will* Menschen heiligen. Das ist so zentral, dass er es zu seinem Willen erklärt hat: *„Denn dies ist Gottes Wille: eure Heiligkeit."* (1. Thessalonicher 4,3) Du weißt nicht, was Gott heute von dir will? Eines auf jeden Fall: Heiligung.

Schauen wir uns einmal an, wie das funktioniert. Gott heiligt einen Menschen, indem er ihn vom Profanen, dem Weltlichen, trennt und ihn mit sich in Verbindung setzt. Da Gott heilig ist, wird für diesen Mensch das Wachstum in der Heiligkeit zum Automatismus. Und dieser ganze Prozess, immer heiliger zu werden – heilig wie Gott –, wird „Heiligung" genannt.

In der Bibel finden wir, dass sie in drei verschiedenen Phasen stattfindet – in der Vergangenheit, in der Gegenwart und in der Zukunft.

(1) Die ***vergangene*** Heiligung bezieht sich auf das, was passiert ist. Christus *ist* gestorben. Der Sünder glaubt und wird von Gott für heilig erklärt. In Hebräer 10,10 heißt es: *„... wir sind geheiligt durch das ein für alle Mal geschehene Opfer des Leibes Jesu Christi."*

(2) Bei der ***gegenwärtigen*** Heiligung geht es um den *täglichen* Fortschritt, um das *„Geheiligtwerden"*, wie es in Hebräer 2,11 heißt. Jeden Tag werden Christen ein bisschen mehr wie Christus.

(3) Die ***zukünftige*** Heiligung bezieht sich auf die Zeit, die noch *vor* uns liegt, wenn die Heiligung vollendet sein wird. Christen werden genauso vollkommen sein wie Christus.

Fortschritt ist also etwas völlig Normales im Leben eines Christen. So wie es für ein Baby ganz natürlich ist zu wachsen. In Sprüche 4,18 heißt es: *„Aber der Pfad der Gerechten ist wie das glänzende Morgenlicht, das stets heller leuchtet bis zur Tageshöhe."* Das Leben eines Christen sollte immer heller und heller strahlen. Es geht Gott also nicht nur darum, dass wir theoretisch an etwas glauben, sondern dass sich das, was wir glauben, auch in unserem Leben auswirkt. *„Wir ... werden verwandelt ... von Herrlichkeit zu Herrlichkeit."* (2. Korinther 3,18)

Unterschiede

Vielleicht ist es genau dieses kontinuierliche Wachstum in deinem Leben, das du vermisst. Du siehst, wie andere um dich herum einen Meilenstein nach dem anderen machen, während du feststeckst und nicht weiterkommst.

Warum ist das so?

Wenn es darum geht, sich zu verbessern – egal in welchem Bereich –, ist es klar, dass jeder von uns von einer ganz anderen Position aus startet. Wenn es um innere Veränderung geht, ist es dasselbe. Keine Seele ist gleich. Der „Cocktail" aus Wille, Verstand und Gefühlen ist bei jedem anders. Er unterscheidet sich je nach unserer Veranlagung und unseren Lebenserfahrungen.

Also Natur und Erziehung.

Die Dinge, die Gott benutzt, uns näher zu ihm zu bringen und uns in sein Ebenbild zu verwandeln, werden immer von einer Person zur anderen variieren. Aber zwei Instrumente sind immer beteiligt: der Heilige Geist und das Wort Gottes, und es beginnt immer an derselben Stelle: Die Furcht des Herrn. Und das geht so lange, bis wir die *„Heiligkeit vollenden in der Furcht Gottes."* (2. Korinther 7,1)

Das Paradoxon: „Werde, was du bist.“

Es gibt jedoch ein Paradoxon bei der Heiligung. Auf der einen Seite *bist* du bereits geheiligt, auf der anderen Seite *wirst* du noch geheiligt. Das klingt sehr bizarr. Der gesunde Menschenverstand sagt: „Entweder du bist gesund oder du bist krank.“ Aber vielleicht hilft dir das folgende Beispiel zu verstehen, was ich meine.

Stell dir Tobi vor. Tobi ist ein Typ aus der Mittelschicht, der aber gerade erfahren hat, dass er eigentlich ein Adeliger ist und von nun an einen ganz neuen Lebensstil führen muss. Er wird auf einem riesigen, teuren Anwesen leben, mit einem Butler und allem, was man sich sonst noch so vorstellen kann. Genial! Aber, „Adel verpflichtet“ – er muss auch die richtigen Manieren zeigen.

Ist Tobi adelig? Ja.

Benimmt er sich wie ein Adliger? Noch nicht, diesen Teil muss er noch lernen.

Das ist der Unterschied zwischen den beiden Arten der Heiligung, die wir in der Bibel finden. Man nennt sie „positionelle“ (1)
(2) und „progressive“ Heiligung. Positionell, weil Gott dir durch das Evangelium eine neue Position gegeben hat: Du bist nicht länger ein Sünder, sondern heilig.

... so wie Tobi adelig ist.

Und progressiv, denn du lernst Heiligkeit progressiv (oder: Schritt für Schritt).

... genauso wie Tobi Tag für Tag lernen muss, wie er sich als Adeliger verhalten muss.

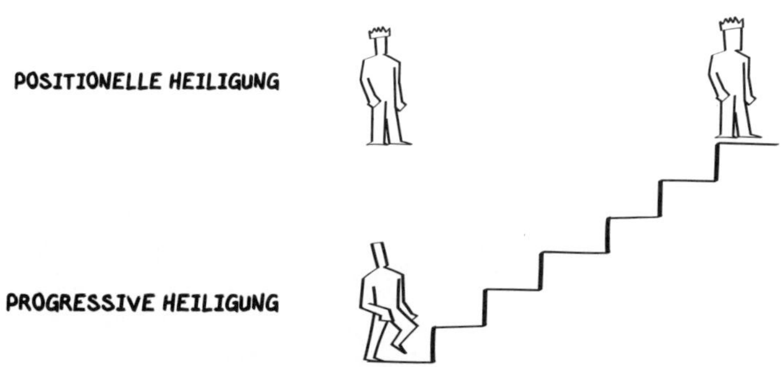

Der Prozess

Lass uns mal den Prozess von Anfang an durchgehen. Vor der Wiedergeburt ist der Mensch weit entfernt von Gott. Er hat nicht den Heiligen Geist. Deshalb muss er erst in die Position eines Heiligen versetzt werden. Das geschieht durch das Wort. Das Wort dringt durch die Ohren und die Person trifft eine Entscheidung in der Seele: Ja oder Nein.

Dabei hilft Gott durch den Heiligen Geist, sonst hätte diese Person keinerlei Kraft, sich für Gott zu entscheiden. Das erste, was die Person verstehen wird, ist, dass sie „anders" ist als Gott. Sie tut Dinge, die böse sind. Das ist die Furcht des Herrn. Wenn die Person ihr Herz öffnet und ihre Sünden bereut und an die rettende Kraft des Blutes Christi glaubt, wird sie wiedergeboren. Sie ist aus dem Geist geboren. Die Person hat jetzt eine neue *Stellung* vor Gott. Sie ist heilig. Aber der Körper hat immer noch viele falsche Gewohnheiten, die aus falschem Denken stammen. Deshalb heißt es in Römer 12,2: *„ ... werdet verwandelt durch die Erneuerung eures Sinnes."* (Wie das funktioniert, werden wir in den nächsten Kapiteln besprechen, keine Sorge.)

Das bedeutet, dass der Heilige Geist *und* das Wort zusammen unsere Denkstrukturen verändern. Das ist die Furcht des Herrn leben. Wir meiden die Sünde und lassen zu, dass der Heilige Geist und das Wort unser Leben verändern. Nach und nach *denken* wir immer mehr wie Jesus Christus; wir *fühlen* und *wollen* mehr von dem, was er sich wünscht.

Wir werden wie Miniatur-Versionen von Christus. Und genau das wurde auch über die ersten Nachfolger Christi gesagt: „Sie sind Christ-en."

Der Schlüssel, der die Tür aufschließt

> *Eine falsche Summe kann berichtigt werden, doch nur dadurch, dass wir zurückgehn, bis wir den Irrtum finden, und von diesem Punkt an von neuem addieren, nicht aber dadurch, dass wir einfach damit fortfahren.*
>
> – C. S. Lewis, Die große Scheidung[33]

Stell dir vor, du sitzt um gut vorbereitetes Feuerholz, aber du hast keine Streichhölzer.

Oder du stehst vor deinem Airbnb und hast deine Schlüssel verloren.

Oder dein Flug geht in zehn Minuten, aber du hast dein Ticket vergessen.

Es gibt Dinge im Leben, die zweitrangig sind, und dann gibt es Dinge, die entscheidend sind. Der richtige Schlüssel schließt die Tür auf und erlaubt dir einzutreten. Es spielt keine Rolle, wie schön das Haus von innen aussieht, wenn du durch die Fenster schauen musst. Wenn du das Haus *wirklich* von innen sehen willst, musst du hineingehen.

Aber wenn du den Schlüssel nicht hast, kommst du nicht rein.

Die Furcht des Herrn ist der Schlüssel.

Nicht *ein* Schlüssel. Sie ist *der* Schlüssel.

Sie ist der Schlüssel zu einem Leben mit Gott. Wenn du die Bedeutung des dritten apokalyptischen Pferdes in der Offenbarung nicht kennst, kannst du trotzdem eine Beziehung zu Gott haben. Aber wenn du nicht die richtige *Furcht des Herrn* hast, entgeht dir etwas absolut Grundlegendes.

Die Bibel sagt: *„Die Furcht des Herrn ist der* ***Anfang*** *der Erkenntnis.“* Warum Anfang? Was bedeutet das? Es bedeutet, dass du das Ende nicht verstehen wirst, wenn du den Anfang falsch verstehst. Es bedeutet, dass du den Sinn der ganzen Bibel verpasst, wenn du diese Lehre falsch verstehst.

Stell dir vor, du würdest ein Buch lesen, aber in der Mitte

33 C.S. Lewis, Die Große Scheidung, Johannes Verlag Einsiedeln, Freiburg 2013, S. 8

anfangen. Du verstehst weder die Handlung noch die Figuren oder die Probleme, mit denen sie zu kämpfen haben. Das Gleiche gilt für den Glauben. Wir sagen den Menschen: „Jesus ist die Antwort!“

Aha – aber was war denn die Frage?, denken sich bestimmt einige.

Um die *Antwort zu* verstehen, musst du die *Frage* kennen.

Um *Jesus* zu verstehen, musst du *Jahwe* kennen.

Um das *Neue Testament* zu verstehen, musst du das *Alte Testament* kennen.

Um *Gnade* zu verstehen, musst du das *Gesetz* kennen.

Schlösser und Schlüssel.

Wenn du begreifen willst, was *intime* Gotteserkenntnis ist, musst du damit anfangen, *Gott zu fürchten.*

Lass mich dir ein lebendiges Beispiel geben. Denk mal darüber nach, wie wir das Evangelium verkünden.

Meistens beginnen wir mit der *Liebe Gottes* und bleiben dort 95 % der Zeit. Warum? Weil das angenehm ist. Wer möchte nicht geliebt werden? In dieser Art der Darstellung des Evangeliums wird die Sünde nur als logischer Rahmen einbezogen, um zu erklären, warum Jesus sterben musste. Da das Reden über die Sünde für Hedonisten kein Vergnügen ist (denk daran: Wir sind Hedonisten, die nach Vergnügen suchen), widmen wir der Sünde nur 5 % des Gesprächs.

Auf diese Weise verhindern wir einen Dopamin-Abfall.

Aber bei dieser Art des Evangelisierens wird das Gesetz nie zu seinem ursprünglichen Zweck angewendet: *die **Menschen aufzuwecken** und **zur Erkenntnis der Sünde zu bringen**.* (Römer 3,20) Kein Wunder, dass die Menschen Jesus als Retter annehmen, ihn aber als ihren Herrn ablehnen!

Lies den letzten Satz noch einmal, denn er ist super wichtig. Ich warte hier so lange.

Jesus als Schutz vor der Hölle? *Ja, natürlich. Das gibt mir Freude und ein gutes Gefühl.*

Jesus als Herr über mein Leben und in Kontrolle? *Ich bin mir nicht sicher, ob ich das will, das fühlt sich schmerzhaft an.*

John Wesley, einer der erfolgreichsten Evangeliums-Prediger, den die Welt je gekannt hat, sagte: Predige 90 % Gesetz und 10 % Gnade. Und ratet mal, was? Keiner hat mehr Menschen zu Christus gebracht! Ich weiß, was du denkst. Klingt hart. Schmerzhaft. Das Gegenteil von dem, was die meisten Menschen wollen. Und das mag sein. Es ist auch der Grund, warum wir ein Schloss, aber keinen Schlüssel haben.

Aber den holen wir uns jetzt wieder. Mit Gottes Hilfe.

Furcht ≠ Furcht

> *‚Ist er wirklich sicher? Ich werde ziemlich nervös, wenn ich einem Löwen begegne.'*
> *‚Sicher?', sagte Herr Biber. ‚Wer hat etwas von sicher gesagt? Natürlich ist er nicht sicher. Aber er ist gut.'*
>
> – C. S. Lewis, *Der König von Narnia*[34]

Ist Gott „sicher"?

Das ist nicht nur eine triviale Frage, sondern eine lebensverändernde. Denn wenn wir keine echte „Furcht des Herrn" haben, werden wir auch keine echte Gotteserkenntnis haben.

Mit anderen Worten: Wenn wir in unseren Gedanken falsch liegen, wird sich das auch in unserem Handeln widerspiegeln.

Die gängige Definition der „Furcht des Herrn" (FdH) ist, dass sie nichts mit Angst zu tun hat. Die Furcht aus der FdH zu entfernen ist so, als würde man eine der Eigenschaften der Liebe, die in 1. Korinther 13 gelehrt werden, wegnehmen. Das geht nicht, ohne die Bedeutung zu verändern. Hier sind einige häufige *Fehlinterpretationen* der FdH:

34 C.S. Lewis: Der König von Narnia © Ueberreuter Verlag GmbH, Berlin 2006.

- „Die Furcht des Herrn, die Gabe des Heiligen Geistes, bedeutet nicht, Angst vor Gott zu haben, denn wir wissen, dass Gott unser Vater ist, der uns immer liebt und uns vergibt.“
- „Es ist keine unterwürfige Angst, sondern ein freudiges Bewusstsein von Gottes Größe und die dankbare Erkenntnis, dass unsere Herzen nur in ihm wahren Frieden finden.“
- „Die Furcht des Herrn ist keine Angst, sondern Respekt oder Ehrfurcht vor Gott.“

Rote Flaggen sollten immer dann wehen, wenn Bibelausleger das genaue Gegenteil von dem sagen, was in der Schrift steht.

Die Bibel spricht von denen, die vor Gottes Wort *„zittern“* (Jesaja 66), doch wir zittern nicht vor seinem Wort, weil wir bestimmte Worte nehmen und sie umdeuten. Wir ändern das Wort „Furcht“ in weniger beunruhigende Wörter wie „Respekt“ oder „Bewunderung“. Das sind Wörter, die uns einfach besser passen, weil wir nicht *logisch* verstehen können, wie der Ausdruck „Furcht“ in unsere neutestamentliche Beziehung zu Gott passt.

Indem wir also die *Furcht* falsch darstellen, nehmen wir sie ganz weg und berauben Gott eines wesentlichen Attributs.

Um dem weit verbreiteten Gebrauch der falschen Definition der Gottesfurcht im Christentum entgegenzuwirken, möchte ich dir zeigen, dass sie mit der Bibel einfach nicht aufrechterhalten werden kann. Fangen wir ganz am Anfang an. Wo taucht Furcht zum ersten Mal in der Bibel auf? Wir finden *Furcht* im ersten Satz, den Gott zu den Menschen sprach.

> *„Und Gott der HERR gebot dem Menschen und sprach: Von jedem Baum des Gartens darfst du nach Belieben essen; aber vom Baum der Erkenntnis des Guten und Bösen, davon sollst du nicht essen; denn an dem Tag, da du davon isst, musst du sterben.“* – 1. Mose 2,16-17

Um dir vorzustellen, was das bedeutet, stell dir vor, du besuchst einen gutherzigen Bekannten, der dir einen Raum zeigt und zu dir sagt: „Du kannst dir hier alles ansehen und nehmen, was du willst. Bedien dich! Fühl dich wie zu Hause! Aber wenn du diese Birne hier isst, bist du ein toter Mann."

Wie bitte?! Was ist denn mit der Birne los?

Du weißt vielleicht nichts über diese Birne, aber wenn du dem Mann vertraust, würdest du dich so weit wie möglich von ihr fernhalten und große Angst haben.

Im Garten konnte der Mensch tun und lassen, was er wollte. Er konnte sogar frei mit Gott selbst sprechen! Aufgrund von 1. Mose 2,17 wusste Adam jedoch, dass Gott ihn töten könnte – und würde –, wenn er ungehorsam wäre.

Offensichtlich fürchtete sich Adam, diese Frucht zu essen. Das war keine Art von Bewunderung oder Respekt. Zu diesem Zeitpunkt war Eva noch nicht erschaffen worden und hörte diese Worte daher nicht selbst. Als sie auf der Bildfläche erschien, kannte sie diese Angst also nur vom „Hörensagen".

Adam sagte ihr, was sie zu fürchten hatte, aber sie hatte die Warnung nicht direkt von Gott gehört.

Und genau das hat der Teufel ausgenutzt, als er sich vorstellte: *„Und die Schlange sprach zu der Frau: Ihr werdet durchaus nicht sterben, sondern Gott weiß, dass an dem Tag, da ihr davon esst, eure Augen aufgetan werden und ihr sein werdet wie Gott, erkennend Gutes und Böses."* (1. Mose 3,4-5)

Siehst du, was hier los ist? Der Teufel stiehlt Evas Furcht vor Gott, indem er ihr Bewusstsein verändert.

Er macht ihr Bild von Gott kaputt. Satan sagt im Grunde: „Gott ist nicht gefährlich ... Er wird dich nicht töten ... Du brauchst keine Angst vor ihm zu haben." Und wenn sie sich die 99 % des Gartens ansah, die *gut und angenehm zu essen* waren, machte diese Art von Logik Sinn.

Eva aß also von der verbotenen Frucht und ... fiel nicht sofort tot um. Interessant. Du kannst fast beobachten, wie sich die Räder in

Adams Kopf drehen. *Warum hatte ich solche Angst vor diesem Baum? Ich muss Gott falsch verstanden haben.* Also schiebt er seine Angst vor Gott beiseite und nimmt einen Bissen. Ich kann mir vorstellen, wie Eva ihn ansieht, während ihr der Saft am Kinn herunterläuft, und wie Adam zurücklächelt. Die Schlange sitzt im Baum und sieht zu, wie sie zueinander sagen: „Siehst du? Es ist wahr, dass wir Gott nicht fürchten müssen, auch nicht seine Worte. Er ist nicht gefährlich."

Und dann *hören* sie etwas ...

Die Stimme Gottes.

Sie *sehen* etwas ...

Sie sind nackt.

Sie *fühlen* etwas ...

Pure Scham.

Gott kommt.

Und Adam und Eva haben *Angst*.

In diesem Moment wurde Adams und Evas „Furcht des Herrn" völlig neu definiert.

Sie wussten nun mit erschreckender Klarheit, was es heißt, den Herrn zu fürchten.

Furcht = Furcht

Weil es so verheerende Folgen haben kann, wenn wir Gott *nicht* fürchten, wie es bei Adam und Eva der Fall war, ist es wichtig, dass wir unsere Definition von der Furcht des Herrn überdenken.

Wir tun dies, indem wir in die Bibel schauen und uns fragen: *Wie definiert die Bibel die Furcht des Herrn?* Aber warte. Wenn wir im Westen „Definition" hören, erwarten wir instinktiv so etwas wie das hier:

> **Furcht** [/fʊʁçt/] *Substantiv*: ein unangenehmes Gefühl, das durch Gefahr, Schmerz oder Schaden verursacht wird.

Wenn du also so etwas erwartest, bedeutet das, dass du wie die Griechen denkst. Und das ist kein Zufall. Schließlich hat die griechische Zivilisation viel zur Entwicklung der modernen westlichen Kultur beigetragen. Allerdings wurde nur die Hälfte der Bibel, das Neue Testament, auf Griechisch geschrieben. Die Furcht des Herrn beginnt jedoch im Alten Testament, das auf Hebräisch verfasst wurde.

Deshalb brauchen wir einen schnellen Hebräisch-Crashkurs.

Ich werde das hebräische Denken dem griechischen Denken gegenüberstellen, um dir den Unterschied zu zeigen.

Die Griechen betrachteten die Welt mit dem *Verstand*, während das hebräische Denken die Welt mit den *Sinnen* wahrnahm. Was für die Griechen zählt, ist das Denken und die Weisheit. Für die Hebräer sind es eher Zeichen und Dinge, die man praktisch erleben kann. 1. Korinther 1,22 bestätigt das: *„Weil ja sowohl Juden Zeichen fordern als auch Griechen Weisheit suchen.“*

Aber um die Furcht des Herrn zu verstehen, müssen wir sowohl die Sinne *als auch* den Verstand benutzen. Die hebräische Denkweise ist viel konkreter als die griechische. Sie ist durch und durch praktisch. Zum Beispiel würden die Griechen über einen Stift sagen: „Ein Schreibgerät, das spitz und ca. 15 cm lang ist.“ Das ist eine typische Definition, die beschreibt. Aber die Form und die Länge des Stiftes wären für die Hebräer zweitrangig. Der Hebräer würde sich eher dafür interessieren, was man mit dem Stift *machen* kann. Seine Definition wäre also viel funktionaler. Sie würde etwa so lauten: „Man kann damit schreiben.“

- Stift (griechisch): Ein Schreibgerät, das spitz und ca. 15 Zentimeter lang ist.
- Stift (hebräisch): Man kann damit schreiben.

Beide sagen uns etwas über den Stift und geben uns zusammen eine gute *Definition*. Die griechische Denkweise beschreibt Objekte anhand ihres Aussehens, während die hebräische Denkweise

Dinge anhand ihrer Funktionalität beschreibt.

In der Bibel wird die Furcht des Herrn (FdH) immer durch ihre Funktion (teleologisch) definiert oder erklärt. Sie beschreibt, *was sie tut*, und nicht, *was sie ist* (ontologisch). Um die FdH richtig zu verstehen, müssen wir also wissen, wie sie im Zusammenhang mit anderen Dingen funktioniert. So wie es Wissenschaftler tun, wenn sie ein schwarzes Loch beschreiben. Sie können das schwarze Loch nicht *sehen*, aber sie sehen, wie es mit Dingen *interagiert,* die sie sehen und verstehen können. Seine Natur kann nur durch seine Beziehung zu anderen Dingen erklärt werden.

Und genau das werden wir tun. Wir werden uns die FdH in ihrer Beziehung zu anderen Dingen ansehen und herausfinden, ob es wirklich kein Element der Furcht darin gibt. Um den Unterschied zwischen der *biblischen Definition* und dem allgemein verbreiteten *Missverständnis* von FdH zu untersuchen, müssen wir mit der alles entscheidenden Frage beginnen:

Bedeutet Furcht wirklich „sich fürchten"?
Gibt es ein Element der Angst in der Furcht des Herrn?

Lass uns die biblischen Worte eins nach dem anderen auspacken.

Yirah

Das Wort für Furcht ist *yirah.* Um seine Bedeutung besser zu verstehen, können wir damit beginnen, das Piktogramm dieses hebräischen Wortes zu analysieren. Es besteht aus drei Bildern: ein Arm, ein menschlicher Kopf und ein Ochse. Die wörtliche Übersetzung würde lauten: „Das Fließen des inneren Lebens". (Wenn dir das seltsam vorkommt, erinnere dich daran, was ich dir gerade gesagt habe: das hebräische Denken ist nicht wie das griechische). Der Arm steht für die Richtung des Flusses, der Kopf für das Innere einer Person und der Ochse für Intensität.

(ירא) Definition: *Ein Fluss des Innersten*

Yirah bewirkt also, dass innerlich etwas fließt. Andere definieren es auch als Angst, die durch die Erwartung oder das Bewusstsein einer großen Gefahr ausgelöst wird, oder eine Angst, die deinen Magen aufwühlt. Aus dem Piktogramm schließen wir also: *yirah* bedeutet, dass sich etwas in deinem Magen bewegt. Dabei geht es aber nicht um ein Wohlgefühl. Es ist ein Gefühl im Magen, das du hast, wenn du mit einer großen Gefahr konfrontiert wirst.

Die Rabbiner hatten eine ähnliche Sichtweise. Sie kannten jedes Wort des Alten Testaments auswendig, deshalb ist es aufschlussreich zu sehen, was sie über dieses Wort lehrten. Die rabbinische Tradition beschreibt drei Arten der Gottesfurcht:

1. Die Angst vor unangenehmen Konsequenzen oder Strafen
2. Die Angst, die Gesetze Gottes zu brechen
3. Eine „Ehrfurcht" vor dem Leben, als Folge eines wahren Verständnisses

Beachte, dass zwei von drei Definitionen *ausdrücklich* ein Element der Angst beinhalten.

Wir können aber noch tiefer gehen. Nachdem Adam und Eva von der Frucht gegessen hatten, wurden sie angsterfüllt. Das sehen wir zum ersten Mal in 1. Mose 3,9-10: *„Und Gott der HERR rief den Menschen und sprach zu ihm: Wo bist du? Und er sprach: Ich hörte deine Stimme im Garten, und ich fürchtete mich, denn ich bin nackt, und ich versteckte mich."*

Yirah ist hier also das Gefühl, das Adam hatte, als er *nackt* vor dem heiligen Gott stand. Wenn du *yirah* hast, dann willst du dich unbedingt verstecken. Wir alle wissen, wie es ist, Angst davor zu haben, nackt und gedemütigt zu sein. Das sitzt tief in uns drin. Viele haben sogar Albträume davon. Genau deswegen.

Nun, wie wichtig ist die *yirah*-Furcht im Alten Testament?

Es ist ein Konzept, das in fast *jedem* Buch der Bibel zu finden ist. Hagar hatte *yirah*, ihren Sohn verhungern zu sehen. Isaak hatte *yirah*, dass er wegen seiner sehr schönen Frau Rebekka getötet werden würde. Rahel hatte *yirah*, dass sie bei der Geburt von Benjamin sterben würde.

Was sagt uns das über die Bedeutung von *yirah*? Heißt es „Ehrfurcht"? „Respekt"?

Hagar hatte „Respekt" davor, ihren Sohn verhungern zu sehen?

Rachel hatte „Ehrfurcht", dass sie sterben würde?

Nein, *yirah* bringt zweifellos ein Element der Angst mit sich.

Und diese *yirah* ist ein Gefühl, das ein Mensch Gott gegenüber haben sollte. Josef sagte seinen Brüdern, sie sollten kein *yirah* haben, weil er nicht Gott sei. In 1. Mose 50,19 sagte Josef zu ihnen: *„Habt kein yirah, denn bin ich an der Stelle Gottes?"*

Das heißt, wenn er Gott wäre, wäre *yirah* angemessen.

Diese Beispiele helfen uns, *yirah*, „Furcht", zu definieren, und zeigen uns, dass wir diese gesunde Angst vor Gott haben sollten. Ich weiß, was du jetzt vielleicht denkst. *Klar, im Alten Testament ging es viel um Angst. Das verstehe ich – es ging nur um das Gesetz und die Strafe. Aber was ist mit dem Neuen Testament und der Gnade?*

Gute Frage! Schauen wir uns ein anderes Wort für Angst an und sehen, was passiert.

Phobos

Im Neuen Testament ist das griechische Wort, das das hebräische Wort *yirah* ersetzt, *phobos* (φόβος). *Phobos* bedeutet, dass man sich so sehr fürchtet, dass man fliehen oder weglaufen möchte.

Wir kennen diese Angst aus dem Garten Eden, wo Adam und Eva sich vor Gott versteckten. *Phobos* ist eine panische Angst. Das deutsche Wort „Phobie" kommt genau daher.

Wie wir bei *yirah* gesehen haben, gibt es mehrere biblische Beispiele, bei denen Menschen *phobos* empfanden.

Zacharias fühlte *phobos*, als er den Engel sah und dachte, er würde sterben.

Joseph fühlte *phobos* bei dem Gedanken, seine schwangere Verlobte zu heiraten.

Später erlebte Josef erneut *phobos*, weil er glaubte, dass Herodes seinen kleinen Sohn Jesus töten würde.

Und genau diese Angst war das Kennzeichen der frühen Kirche. In Apostelgeschichte 9,31 heißt es: *„So hatte denn die Versammlung durch ganz Judäa und Galiläa und Samaria hin Frieden und wurde erbaut und wandelte in der* ***Furcht des Herrn*** *und mehrte sich durch die Ermunterung des Heiligen Geistes."*

Manche Leute sagen, dass die Furcht in diesem Vers eher im Sinne von „Respekt" zu verstehen ist.

Aber Petrus, ein Leiter der Urgemeinde, verstand, was die ersten Christen meinten, als sie von „Furcht des Herrn" sprachen. Er schrieb in 1. Petrus 1,17: *„Und wenn ihr den als Vater anruft, der ohne Ansehen der Person richtet nach eines jeden Werk, so wandelt die Zeit eurer Fremdlingsschaft in Furcht."*

Er sagt ganz klar, dass wir in der Furcht des Herrn leben sollen, weil wir wissen, dass wir von Gott beobachtet werden, *„der unparteiisch ist"* oder *„der alle nach demselben Maßstab richtet"*. Das sollte uns zu Recht das Fürchten lehren, denn wir wissen, dass wir in unserem Inneren weit davon entfernt sind, perfekt zu sein.

Aber um auch den letzten Schatten eines Zweifels auszuräumen, wollen wir uns den Kontext dieser Passage ansehen. In 1. Petrus 1,15-17 heißt es: *„... sondern wie der, der euch berufen hat, heilig ist, seid auch ihr heilig in allem Wandel! Denn es steht geschrieben: ‚Seid heilig, denn ich bin heilig.'"*

Die Formulierung *„in Furcht wandeln"* kommt also direkt nach *„Seid heilig, denn ich bin heilig."*

Furcht und Heiligkeit sind also eng miteinander verbunden.

Es ist ganz klar, worauf Petrus hier anspielt – die Rettung aus Ägypten und die Schrecken des Berges Sinai, wo Gott Mose das Gesetz gab.

Beides waren beängstigende Schlüsselerlebnisse, die die „Furcht des Herrn“ erschreckend real werden ließen. Die Plagen, die über Ägypten hereinbrachen, und die Wolke auf dem Berg, die Gottes Gegenwart verdunkelte, müssen einen starken Eindruck auf das Volk Israel hinterlassen haben. Sie sahen aus erster Hand Gottes unbegreifliche Heiligkeit und schreckliche Macht. Und Petrus, der Hunderte von Jahren später zu den Juden sprach, verbindet dies direkt mit der neutestamentlichen Furcht (*phobos*), in der die Christen leben sollen.

Was sagte Jesus Christus über *phobos*?

Jesus Christus lebte darin. Er war die Erfüllung von Jesaja 11,2-3: *„Und auf ihm wird ruhen der Geist des HERRN, der Geist der Weisheit und des Verstandes, der Geist des Rates und der Kraft, der Geist der Erkenntnis und der* ***Furcht des HERRN****; und sein Wohlgefallen wird sein an der* ***Furcht des HERRN****.“*

Jesus lehrte seine Jünger: *„… fürchtet euch nicht vor denen, die den Leib töten, aber die Seele nicht zu töten vermögen. Fürchtet aber vielmehr den, der sowohl Seele als Leib zu verderben vermag in der Hölle.“* (Matthäus 10,28)

Lies nochmal genau, was da steht. Der, *„der sowohl Seele als Leib zu verderben vermag“*, ist Gott. Das bedeutet:

Keine *phobos* gegenüber Mördern.

Phobos gegenüber Gott.

Laut Jesus Christus sollen wir das innere Gefühl der Angst, das wir gegenüber einem Mörder haben, eigentlich Gott gegenüber haben. Den meisten Menschen ist das nie beigebracht worden und sie haben es auch nie in Betracht gezogen. Es passt nicht ganz zu unserer Vorstellung von Gott als netten alten Herrn im Himmel.

Aber für den Herrn Jesus war die Angst ein entscheidendes Element der Furcht des Herrn.

Paulus, der Apostel der Nationen, hat gezeigt, dass es eine direkte Verbindung zwischen dem Konzept der FdH im Alten Testament und im Neuen Testament gibt. Zur Erinnerung: Paulus war sowohl ein Pharisäer, der das Gesetz in- und auswendig kannte, als *auch* ein Apostel Christi, der auf der Damaskusstraße verwandelt wurde.

Wer könnte die Ideen des Alten und Neuen Testaments besser verbinden?

Deshalb plädiert er für *phobos* und warnt, dass Gott uns nicht verschonen wird, genauso wenig wie er Israel verschont hat (Römer 11,21). Diejenigen, die die Geschichte Israels kennen und ihren Gott kennen – so sagt Paulus –, werden lernen, sich zu fürchten.

Der Hebräerbrief unterstreicht diese Aussage. Obwohl der Brief zeigt, dass wir in unserer neuen Beziehung zu Gott viel besser dran sind, kehrt er dennoch zu der Erfahrung am Berg Sinai zurück und sagt einfach und kraftvoll: *„Auch unser Gott ist ein verzehrendes Feuer."*

Also kurz und knapp: Nichts hat sich an Gott geändert! Und an der Gottesfurcht auch nicht.

Wir haben Gott zu etwas gemacht, das er nicht ist, und ihm zwar zu Recht den Respekt entgegengebracht, den er als König der Zeitalter verdient (1. Timotheus 1,17), ihm aber die Furcht verweigert, die ihm als verzehrendes Feuer gebührt.

Das ist kein kleiner Fehler.

Wie wir im nächsten Kapitel sehen werden, ist dieser falsche Umgang mit der Furcht des Herrn in unser Denken über die Erlösung, das Kreuz und den Zorn Gottes eingesickert.

Furcht und Liebe

Bevor wir jetzt weitergehen, will ich noch direkt auf einen Einwand eingehen, der berechtigt ist. Ich hoffe, dass ich von der Bibel her zeigen konnte, dass die Furcht des Herrn definitiv ein Element der Angst enthält. Das hat dein Bild von Gott wahrscheinlich ein Stück weit verändert oder erweitert.

Aber du hast vielleicht noch eine Frage: Wenn „Furcht" in der Furcht des Herrn ist und ich als Gläubiger in der Furcht des Herrn wandeln soll – was ist dann mit 1. Johannes 4,18?

> *„Furcht ist nicht in der Liebe, sondern die vollkommene Liebe treibt die Furcht aus, denn die Furcht hat Pein. Wer sich aber fürchtet, ist nicht vollendet in der Liebe."* – 1. Johannes 4,18

Mhh, das scheint ein Widerspruch zu sein. Und um den Widerspruch noch zu erhöhen: Das Wort, das hier für „Furcht"/„Angst" verwendet wird, ist kein anderes als *phobos*.

Und so stehen wir vor einer geheimnisvollen Spannung: Wir *sollen* in der Furcht des Herrn leben, aber die vollkommene Liebe vertreibt die Furcht.

Wir sollen uns also fürchten und doch nicht fürchten? Beides zur gleichen Zeit?

Oft wird dieser Vers so erklärt, dass es im Alten Testament um Angst ging, im Neuen Testament aber um Liebe. Das ist nicht nur eine sehr oberflächliche Sichtweise, sondern auch eine sehr irreführende.

Warum? Weil dieser Gedanke unser Bild von Gott verändert:

Der strenge Jahwe und der liebende Jesus.

Jahwe sollte ich fürchten, aber Jesus ist liebend und freundlich.

Im Neuen Testament heißt es „Liebe zum Herrn" und nicht „Furcht des Herrn".

Diese Art des Denkens stellt automatisch zwei Konzepte gegenüber, die eigentlich nicht konträr, sondern komplementär sind.

Und wenn sie gegeneinander gestellt werden, zwingt das Christen dazu, eine Entscheidung zu treffen: Welcher Version von Gott will ich folgen? Dem strengen Gott oder dem lieben Gott? Wenn es dem Teufel gelingt, uns dazu zu bringen, nur 50 % der Wahrheit zu glauben, dann hat er sein Ziel erreicht.

Denn eine *halbe* Wahrheit ist eine *ganze* Lüge.

Deshalb versucht der Teufel, uns die Gottesfurcht durch Halbwahrheiten und sein 50%-Jesus-Konzept zu nehmen, denn er weiß, dass damit unsere praktische Heiligkeit verloren geht. Und *„ohne Heiligkeit wird niemand den Herrn sehen"*. (Hebräer 12,14) Wenn wir Gott nicht mehr mit unseren Augen sehen, werden wir nicht in seiner Erkenntnis wachsen ... nein, ganz im Gegenteil. Wir könnten also sagen (als Gegensatz zu Sprüche 1,7): *Keine Furcht vor dem Herrn ist das Ende der Erkenntnis.* Wir müssen bewusst solchen Tricks widerstehen, die versuchen, eine Charaktereigenschaft Gottes auf Kosten einer anderen zu untergraben.

Jesus ist Jahwe. *„Jesus Christus ist derselbe gestern und heute und in Ewigkeit."* (Hebräer 13,8) Im Alten Testament ging es bereits um Liebe und im Neuen Testament geht es auch um Furcht. Gott ist einer. Er ist kohärent. Er hat sich nicht verändert, und auch das Ziel hat sich nicht geändert. Es ist und bleibt dasselbe – praktische Heiligkeit. Die Heiligung der Christen, die Gott in Heiligkeit und Furcht folgen wollen und ihn über alles lieben.

Was bedeutet aber dann 1. Johannes 4,18 wirklich? Was ist diese „vollkommene Liebe", die die Furcht vertreibt?

Um die „vollkommene Liebe" zu verstehen, ist es wichtig, die Sichtweise und den Schreibstil des Apostels Johannes zu kennen. Um das herauszufinden, müssen wir Johannes mit Paulus vergleichen.

Johannes neigt dazu, die *Regel* zu sehen – und Paulus die *Ausnahme.*

- Johannes sagt, dass ein Kind Gottes nicht sündigen kann. (1. Johannes 3,9)
- Aber Paulus sagt, dass ein Kind Gottes immer noch einen Körper hat, der sündigt. (Römer 7)

Johannes sieht die Vollkommenheit als *Ziel,* während Paulus noch auf dem *Weg* zur Vollkommenheit ist.

- Johannes sagt, dass wir bereits ewiges Leben haben. (Johannes 17,3)
- Paulus sagt, dass wir immer noch auf das ewige Leben warten. (Römer 6,22)

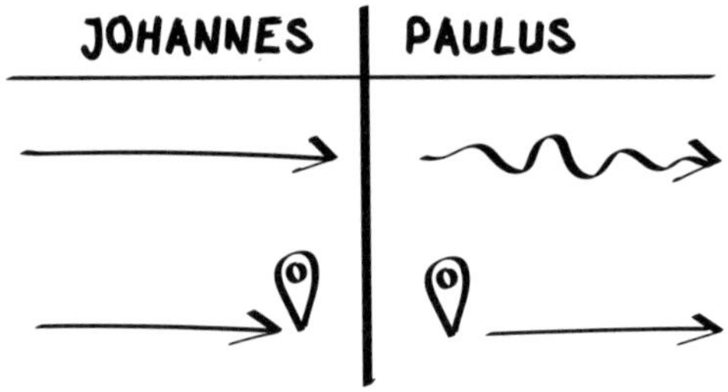

Das kann uns helfen zu verstehen, was Johannes meint, wenn er sagt, dass die vollkommene Liebe die Furcht vertreibt. „Vollkommen" ist das Wort *teleios* von *telos* (Ziel, Ende) und bedeutet wörtlich „zum Ziel gebrachte Liebe" oder „Liebe auf der Ziellinie".

Laut Johannes werde ich also, wenn ich vollkommen bin, nicht sündigen und mich deshalb auch nicht fürchten. Er sieht vor allem dabei den Zustand im Himmel. Kann es diesen Zustand auch auf dieser Erde schon erleben? Grundsätzlich gilt: Absolut, denn Gott hat alles Nötige dafür getan, dass wir nicht mehr sündigen müssen. Aber im täglichen Leben gilt: Momentan sind wir zwar einerseits perfekt (vor Gott), aber andererseits auch nicht perfekt (auf der Erde) – zumindest einige Teile von uns (mehr dazu in Kapitel 11).

Gottes Liebe zu uns ist vollkommen, aber Christen werden erst vollkommen sein, wenn ihr Körper verwandelt und keine Sünde mehr in uns sein wird. Nach dieser Verwandlung (1. Korinther 15,51) werden wir am Tag des Gerichts keine Angst mehr haben.

Der Normalzustand eines Christen ist, dass er im Glauben jetzt schon annimmt, was er im Geist ist und einmal auch mit einem sündlosen Körper sein wird: Perfekt. Deswegen braucht der Christ jetzt schon keine Angst mehr vor dem Gericht zu haben. Die Sache wurde durch das Kreuz einmal für immer geklärt.

Das ist es, was Johannes sagt.

Er will damit nicht sagen, dass Christen ihr Leben so leben können, wie sie wollen, weil Gott einfach nur liebt und niemals bestraft. Das ist falsch. Johannes sagt im selben Brief sogar, dass es Sünde gibt, die *„zum Tod“* ist. (1. Johannes 5,16) Du kannst so sündigen, dass der Tod die Antwort Gottes ist. Auch wenn du ein Christ bist. Wenn dir das keine Angst macht, bist du lebensmüde.

Nein, bis zu dem Zeitpunkt, an dem die Christen einen vollkommenen Körper ohne Sünde haben, haben sie einen legitimen Grund, Gott zu fürchten und *„mit Furcht und Zittern ihr eigenes Heil zu bewirken“* (Philipper 2,12). Paulus sagt in seinem bekannten Liebes-Kapitel: *„Denn wir erkennen stückweise ... wenn aber das Vollkommene gekommen sein wird, so wird das, was stückweise ist, weggetan werden.“* (1. Korinther 13,9-10)

Wenn dir das nicht 100%ig klar ist, lies Kapitel 11 und komm zurück zu diesem Abschnitt. Es wird erstaunlich viel Sinn ergeben.

TAKEAWAYS

(1) **Manchmal musst du erst blind werden, um zu sehen.** Wir müssen unser Bild von Gott überdenken, indem wir unsere Vorurteile ablegen. Dazu müssen wir blind werden, indem wir vergessen, was wir zu wissen glauben, und aktiv nach der Wahrheit suchen.

(2) **Fang bei Null an: Die Furcht des Herrn.** Es ist biblisch falsch, dass die Furcht des Herrn nichts mit „Furcht" zu tun hat. Das ist eine falsche Vorstellung, die du überwinden musst. Auf diese Weise wirst du deinen Glauben neu kalibrieren.

(3) **Furcht = Furcht.** Egal, ob wir uns die biblischen Sprachen, Schlüsselstellen oder Personen ansehen, wir stellen fest, dass die Furcht des Herrn ein Element der „Furcht" beinhaltet. Das hat einen großen Einfluss auf die Bedeutung des Kreuzes und unsere Heiligung.

GEBET

Herr, lass mich deine Person und das Werk deines Kreuzes auf eine neue und richtige Weise sehen! Hilf mir, mich darauf zu besinnen, dass Furcht ein wichtiger Teil meiner Beziehung zu dir ist.

KAPITEL 9

DAS KREUZ UND DIE SÜNDEN

DAS KREUZ ZEIGT UNS, WIE SEHR GOTT SÜNDE HASST

Sie werden meinen, Gott einen Dienst zu erweisen. Und dies werden sie tun, weil sie weder den Vater noch mich erkannt haben.

– Johannes 16,2-3

Einmal gerettet – für immer verloren?!

Kann ein Christ seine Errettung verlieren?

Das ist eine der Top-5-Fragen, die mir Christen jeden Tag auf Instagram stellen. Verständlich – denn es gibt Bibelverse, die man sowohl in die eine wie andere Richtung verstehen kann.

Ich weiß, was die Standardantwort der Evangelikalen ist: „Einmal gerettet – immer gerettet" (EGIG). Und obwohl ich denke, dass ein Gläubiger Gewissheit über seine Errettung haben *kann*, wird dieses Konzept oft bestenfalls irreführend verwendet. Vor allem, wenn wir aus den Augen verlieren, wer Gott ist.

Aber lass mich zuerst ein paar Dinge klarstellen und behalte diese Punkte immer fest im Hinterkopf, während du die nächsten Zeilen liest:

Ja, die Schrift lehrt Heilsgewissheit und ja, wenn du einmal *wirklich* errettet bist, gehst du auch *wirklich* nicht verloren.

Ja, wenn wir den Heiligen Geist empfangen haben, wird er für immer bei uns bleiben. (Johannes 14,16)

Ja, er ist die Garantie dafür, dass wir in den Himmel kommen werden. (Epheser 1)

> Und ja, unser Leben ist *„mit Christus in Gott verborgen."* (Kolosser 3,3)

Aber dennoch: Die evangelikale Version von EGIG ist trügerisch. Ihre moderne Version steht nicht in der Bibel. Und sie passt nicht zur Realität. Die Realität ist, dass es Menschen an der Tür zum Himmel geben wird, die *denken*, sie könnten eintreten, aber sie können es *nicht*. Sie denken, sie seien gerettet ... aber sie sind verloren. Sie sind nie aus Wasser und Geist geboren worden. (Johannes 1,13; 3,5)

> Matthäus 7,22-23 lässt mich zittern: *„Viele werden an jenem Tag zu mir sagen: Herr, Herr, haben wir nicht durch deinen Namen geweissagt und durch deinen Namen Dämonen ausgetrieben und durch deinen Namen viele Wunderwerke getan? Und dann werde ich ihnen erklären: Ich habe euch niemals gekannt; weicht von mir, ihr Übeltäter!"*

Das ist entsetzlich und herzzerreißend. Kein Wunder, dass die Menschen fragen, ob sie ihr Heil verlieren können.

Aber das Wort ist unmissverständlich – Menschen werden zu Jesus kommen mit der Erwartung, belohnt zu werden. Sie werden sagen, dass sie all diese Dinge *in seinem Namen* getan haben – nicht in ihrem eigenen und auch nicht in dem einer anderen Religion. Sie nannten ihn „Herr" und hatten sogar geistliche Erfahrungen in ihrem Leben.

Sie haben im Namen Jesu geweissagt!

Und trotzdem sind sie verloren.

Was ist das Problem? Wie können sie denken, dass sie auf dem richtigen Weg sind, und sich doch so sehr irren?

Das Problem ist folgendes: Jesus *kannte* sie nicht. Weißt du noch, was es bedeutet, jemanden *zu kennen* (Kapitel 4)? Es bedeutet Intimität und Beziehung. Aber diese Menschen hatten nie eine vertraute Beziehung zu Jesus Christus.

Mein Freund, während ich das schreibe, füllen sich meine Augen mit Tränen. Für mich ist das keine Theorie. Es gibt Gesichter, die ich sehe, wenn ich das schreibe. Meine Freunde. Menschen, die für Gott gebrannt haben. Sie bekannten ihre Sünden, sie lebten nicht in Sünde, sie waren auf der Straße und führten Menschen zu Christus, sie lasen Bibelkommentare, sie waren Jugendleiter und ermutigten andere. Sie kannten die Bibel besser und haben mehr gebetet als der durchschnittliche Leser dieses Buches.

Sie wurden nach allen Maßstäben der EGIG „errettet".

Und doch haben sie sich jetzt entschieden, offene Atheisten und Agnostiker zu sein.

Ich weiß, wie EGIG-Prediger darauf reagieren werden. Entweder #1, sie wurden nie gerettet, oder #2, sie sind „der verlorene Sohn". Die erste Antwort ist zu einfach. Als jemand, der jahrelang mit ihnen gelebt hat, muss ich zugeben: Sie sahen so bekehrt aus wie jeder, der das hier liest! Das muss ernsthafte Konsequenzen für unsere Predigten haben – sie haben alle Kästchen abgehakt und *sahen* genauso echt *aus* wie wir alle.

Das zweite ist eine Täuschung! In der Geschichte vom verlorenen Sohn ging es nie um rückfällige Christen, sondern um einen Sünder, der zur Umkehr kommt. Wie kommen wir also immer noch auf diese seltsame Vorstellung, dass jemand gerettet ist und trotzdem weiter in Sünde leben kann? Nur weil jemand mal seine Sünden bekannt hat und eine Zeitlang einen religiösen Lebensstil geführt hat? Ich behaupte sogar, dass genau diese EGIG-Lehre (die die Rückfälligen natürlich kennen) ihnen ein falsches Gefühl der Sicherheit gibt.

Eine *ewige* Sicherheit.

Eine *falsche* Sicherheit.

Aber das Traurige ist, dass sich das ändern wird, sobald sie „den Ewigen" treffen.

Sie werden feststellen, dass sie sich um ihr Leben geirrt haben.

Ewige Sicherheit gibt es nur, wenn du die Sünde aus Gottes Perspektive siehst.

Seine Perspektive ist es, das *Böse zu hassen.* Wir können nicht in Sünde leben und behaupten, das *Böse zu hassen*.

„Der feste Grund Gottes steht und hat dieses Siegel: Der Herr kennt, die sein sind; und: Jeder, der den Namen des Herrn nennt, stehe ab von der Ungerechtigkeit!“ (2. Timotheus 2,19)

Ein Christ, der in Ungerechtigkeit (Sünde) lebt, hat keine Garantie, von Gott *gekannt zu* sein.

Die Bibel warnt davor, dass er Gefahr läuft, die Worte zu hören: „Ich habe dich nie gekannt.“

Es gibt keine fünf schrecklicheren Worte.

Wie kommt es, dass wir das so falsch verstehen?

„Und Saul sprach zu Samuel: Ich habe gesündigt, dass ich den Befehl des HERRN und deine Worte übertreten habe; denn ich habe das Volk gefürchtet und auf seine Stimme gehört.“

– 1. Samuel 15,24

Hier ist die traurige Wahrheit: Ein Mensch kann seine Sünden bekennen und *trotzdem* ein Ungläubiger sein.

Saul ist das beste Beispiel.

Aber schau dich nur um. Heute ist die Kirche voll von falschen Bekehrten.

Traurigerweise kann ich dir anhand der Geschichte eines Jungen namens Ben genau zeigen, wie sie „reinkommen“.

Ben entschied sich, den Sommer im *Oak Hills Bible Camp* zu verbringen, weil es nach ‘ner Menge Spaß aussah. Seine Eltern hatten schon das Camp besucht, als sie noch jung waren, und waren der Meinung, dass Ben dort viele Freunde kennenlernen könnte. Die Atmosphäre war toll und seine Eltern dachten, es wäre gut für ihn, weil sich alles um die Bibel drehte.

Die Spiele waren der Hammer, das Gelände genial und die Zeit in der großen Gruppe elektrisierend.

Abends erzählte ihnen ihr supercooler, supergebräunter und superbeliebter Campleiter interessante Geschichten über Gott.

Er war der große Bruder, den sich Ben oft von seiner Familie zu Hause gewünscht hatte.

Ben liebte das Camp auch, weil er viel mit Jenna zusammen war. Sie war ein süßes Mädchen und stand total auf Gott. In ihrer Instagram-Bio hieß es sogar:„All you need is a bit of coffee and a whole lot of Jesus". Ben erkannte, dass Gott ein Thema ist, dass ihn *vielen* Mädchen näher bringen würde.

An einem Mittwochabend fragte ein Kind den Jugendpastor auf dem Zimmer nach der Hölle. Er erklärte ihnen, dass die Hölle real sei und ein Ort, an dem Gott abwesend sei. Aber er versicherte ihnen, dass sie sich keine Sorgen machen müssten, wenn sie Jesus in ihrem Herzen hätten.

Später in der Nacht, als Ben einzuschlafen versuchte, merkte er, dass er ziemlich viel Angst hatte. Die Hölle erinnerte ihn an einen Gruselfilm, den er einmal gesehen hatte. Als er versuchte, das Schnarchen seiner Mitbewohner zu ignorieren, indem er sich den Schlafsack über den Kopf zog, wurde ihm klar, dass er nicht wusste, ob er „Jesus" in seinem Herzen hatte.

Am nächsten Tag war Ben ziemlich müde nach der anstrengenden Nacht.

Er konnte nicht aufhören, über die Hölle nachzudenken, und später am Tag, während der Poolzeit, sprachen die Jugendleiter mit ihm – sie könnten sehen, dass er viel auf dem Herzen hätte. Die Betreuer (seine großen Brüder) merkten, dass er darüber nachdachte, am kommenden Abend eine „Entscheidung" zu treffen.

Alle Betreuerinnen und Betreuer waren aufgeregt, besonders Kyle, denn er sollte heute Abend die Predigt halten.

Kyles Predigt war wirklich einfach und leicht zu verstehen. Sie machte deutlich, wie die *Annahme von Jesus* einen in „die sichere Zone" bringt. Ben hörte aufmerksam zu. Er wusste, dass seine Eltern gerne hören würden, dass er „Jesus angenommen" hatte. Wahrscheinlich auch Jenna.

Am Ende bat Kyle jeden, der eine Entscheidung treffen wollte, die Hand zu heben. Ben hob die Hand. Er hatte beschlossen, dass es heute Abend soweit war. Er wollte diesen „Jesus". Endlich abends besser schlafen und die anderen fänden es sicherlich auch super cool. Ein Seelsorger bahnte sich seinen Weg durch den Gang zu Ben und erklärt ihm noch einmal, dass es hier nicht um Religion oder Werke ging, sondern um eine „persönliche Beziehung zu Jesus".

Ben stimmte zu und sagte, er wolle diese persönliche Beziehung.

Sie neigten ihre Köpfe zusammen.

Sprachen ein kurzes Gebet.

Bei dem „Amen" hatte der Jugendleiter ein Lächeln auf dem Gesicht.

Eine weitere verirrte Seele, die vor der Hölle gerettet worden war.

Am nächsten Morgen beim Frühstück wurde die wunderbare Nachricht verkündet: Ben war gerettet worden. Juhu! Die anderen Kinder klatschten und jubelten. Bens Eltern wurden angerufen und bekamen die gute Nachricht zu hören. All die Anstrengungen des Camps hatten sich gelohnt. Und am Freitagabend bei der „Talentshow" erzählte Ben seine erstaunliche Bekehrungsgeschichte und sprach in der Vorfreude auf eine problemlose Zukunft darüber, wie er sich darauf freute, was Gott ihm jetzt alles geben würde.

Es gab nur ein Problem.

Und zwar ein Großes.

Ben war nicht gerettet.

Ben nahm die Einladung an, eine Beziehung mit „Gott" einzugehen, weil die Gegenleistungen stimmten.

Ben kannte die quälende Last seiner Sünde nicht.

Er hatte nie verstanden, dass er schuldig war und den Tod verdiente. Er hatte nie verstanden, wie Jesus für seine Sünden gestorben war.Er hatte nichts zu verlieren und alles zu gewinnen. Eine Möglichkeit, die Hölle zu vermeiden und einen neuen „Freund" zu haben, der ihm alles gibt, was er sich wünscht.

Aber er begann eine Reise mit einem Idol, das es nicht gibt.

Ein Idol namens „Jesus".

Ben traf die Entscheidung unter Druck. Er fühlte körperlichen Druck, weil er müde war. Er fühlte emotionalen Druck, weil seine Freunde und seine Familie in seinem Umfeld etwas von ihm erwarteten. Und er fühlte geistigen Druck, weil eine von Menschen ausgedachte Idee der Hölle ihm Angst machte.

Als Hedonist des 21. Jahrhunderts mochte er den Druck nicht. Druck ist Schmerz. Und wir vermeiden Schmerzen. Ben wusste, dass der ganze Druck in dem Moment verschwinden würde, in dem er „Jesus" als Mittel zum Zweck akzeptierte. Ein Mittel, um der Hölle zu entkommen, seine Eltern superstolz zu machen, eine Chance bei einem süßen Mädchen zu haben und, als Bonus, einen sofortigen Dopaminschub für seinen Körper zu bekommen.

Um den Schmerz loszuwerden, nahm er Jesus an. Das hat nichts gekostet; es war ein Gewinn.

Aber eines fehlte ganz und gar: *die Furcht des Herrn*, der *Hass auf die Sünde.*

Um *wirklich* zu verstehen, was das bedeutet,

... müssen wir uns unter das Kreuz stellen

... und einen Blick in die Hölle werfen.

Dann werden wir verstehen, warum unser Verständnis so unglaublich falsch ist.

Unser falsches Bild von der Hölle

> *Und man wird sich in Felsenhöhlen und in Erdlöcher verkriechen vor dem Schrecken des HERRN und vor der Pracht seiner Majestät, wenn er sich aufmacht, um die Erde zu schrecken.*
>
> – Jesaja 2,19

Um zu verstehen, worum es beim Kreuz geht, müssen wir dort anfangen, wo alle Erkenntnis beginnt: mit der Furcht des Herrn.

Dem Hass auf die Sünde. Es gibt zwei Orte, an denen wir Gottes Hass auf die Sünde erleben wie nirgendwo sonst.

Der eine ist am Kreuz. Der andere ist in der Hölle.

Wer in das eine schaut, bekommt einen Blick auf das andere.

Beides zu verstehen, ist der Schlüssel zu einer richtigen Sicht auf Gott.

Die Hölle war das heiße Thema des letzten Jahrhunderts. Und es ist nicht schwer zu verstehen, warum. Sie ist der ultimative Gegensatz zum Hedonismus. Für Vergnügungssüchtige ist die ewige Qual das Schlimmste, was man sich vorstellen kann.

Ich möchte dir hier zeigen, dass das *verzehrende Feuer* Gottes und das *Höllenfeuer* nicht zwei verschiedene Dinge sind. Sie kommen aus der gleichen Quelle. Gott hat die Hölle erschaffen und deshalb ist die Hölle ein Ausdruck von Gott.

Ich bin mir sicher, dass sich das für dich sehr seltsam anhört, deshalb möchte ich dir Schritt für Schritt zeigen, wie wir zu diesem falschen Wissen über die Hölle gekommen sind.

Und es beginnt paradoxerweise mit dem Himmel.

Die Verbindung zwischen Gott, Himmel und Hölle

> *Ich glaube nicht an einen Himmel oder eine Hölle oder an einen alten Mann, der auf einem Thron sitzt. Ich glaube aber an eine höhere Macht, die größer ist als ich, weil es mich pflichtbewusst macht.*
>
> – Katy Perry, 2013, Interview mit der Zeitschrift *Marie Claire*

Lass uns kurz zu Ben zurückkehren.

Was Ben erlebt hat, kann mit einer „Scheinehe“ verglichen werden. Eine Scheinehe ist eine Beziehung, die z. B. dem Zweck dient, eine Aufenthaltsgenehmigung zu bekommen. Die Motive der Partner sind nicht, eine Beziehung zu führen, sondern in ein Land zu kommen. Wir neigen dazu, Himmel und Hölle auf die gleiche Weise zu betrachten.

Jesus ist ein Ticket in den Himmel und eine Lebensversicherung gegen die Hölle.

Aber diese Logik funktioniert nicht, wenn es um Gott, den Himmel oder die Hölle geht. Denn Gott und der Himmel sind nicht zwei Dinge, die getrennt werden können. Sie sind *innig* miteinander verbunden. Sie sind fast eins. Gott ist die Essenz des Himmels. Du kannst genauso wenig ohne Gott im Himmel sein, wie du ohne den Ozean im Ozean schwimmen kannst.

Jesus ist nicht nur das Mittel, um in den Himmel zu kommen.

Er *füllt* den Himmel aus.

Vielleicht öffnet dir das die Augen – und es ist wahr! Jesus sagt in Johannes 17,3: *„Dies aber ist das ewige Leben, dass sie dich, den allein wahren Gott, und den du gesandt hast, Jesus Christus, erkennen."*

Das ewige Leben besteht darin, Jesus zu kennen.

Eine tiefe, intime Beziehung mit ihm zu haben.

Hast du dich jemals gefragt, warum die Bibel so wenig über die Dinge *im* Himmel spricht? Das kommt von unserer einseitigen Vorstellung des Himmels. Sie spricht über all die Dinge, die der Himmel sind. All diese Dinge sind Jesus Christus.

Viele glauben, dass der Himmel ein Ort des Glücks ist, der notfalls auch getrennt von Gott existieren kann. Aber das ist eine Fantasie.

Erinnere dich an Rhett und Link.

Gottes Allgegenwart und die Hölle

Schauen wir uns mal an, wie wir auf die Idee gekommen sind, die „Hölle" von „Gott" zu trennen, und ob sie einer biblischen Prüfung standhält.

Vielleicht hast du schon einmal gehört, dass die Hölle als „die Abwesenheit von Gott" definiert wird. C.S. Lewis war einer der Denker, der diese Vorstellung in vielen seiner Bücher geprägt hat, indem er die Hölle als ein Schwarzes Loch darstellte.

Das hat mich persönlich tief beeindruckt. Ich weiß noch, wie es meine Vorstellung von der Hölle veränderte und wie ich dann mit anderen darüber sprach. Irgendwie fühlte es sich diplomatisch korrekter an und war eine bessere Art, darüber zu sprechen, als „Höllenfeuer". Ich hatte den „Feuersee" sowieso nie verstanden. Das erschien mir alles sehr hart.

Heute möchte ich diese Vorstellung in Frage stellen. Sie ist nicht völlig abwegig, aber auf die Spitze getrieben kann sie missverstanden werden. Das Missverständnis kann zu einer Entkopplung von Gott und der Hölle führen. Wenn das der Fall ist, werden Christen aufgrund ihres verzerrten Gottesbildes große theologische Probleme bekommen. Wie Rhett und Link. Und viele andere.

Wer ist also Gott?

Gott ist allgegenwärtig. (Sprüche 15,3; 1. Könige 8,27; Kolosser 1,17)

Das bedeutet, dass er überall ist. Psalm 139 macht das unmissverständlich klar, mit der Frage: *„Wohin sollte ich gehen vor deinem Geist und wohin fliehen vor deinem Angesicht?"*

„Nirgends", lautet die klare Antwort im Psalm und in der ganzen Bibel.

Es gibt keinen Ort, an dem Gott nicht ist.

Was hat das nun mit der Realität der Hölle zu tun? Lass es mich mit einem Bild verdeutlichen. Das ist das Bild, das ich hatte, als ich an „Gottes Abwesenheit von der Hölle" dachte. Gottes Abwesenheit von der Hölle wird durch die Tatsache veranschaulicht, dass Gott sich nicht im Kreis der Hölle befindet, richtig?

Hast du es dir vielleicht auch so vorgestellt?

Aber weißt du, was das ist? Der erste Schritt in Richtung Götzendienst. Denn dieser Denkprozess führt dich zu einem Gott, den es nicht gibt. Der *wahre* Gott hat keinen Kreis. Er hat keine Grenzen.

Der Gott des Himmels und der Erde ist *überall.* Das Bild sollte so aussehen:

Gott ist allgegenwärtig und deshalb sagt der Psalmist: *„Führe ich auf zum Himmel: Du bist da; und bettete ich mich im Scheol*[35]*: Siehe, du bist da."* (Psalm 139,7-12) Lies dir den Satz noch einmal durch. Gott ist überall. Es gibt keinen Ort an dem Gott nicht ist. Wir hassen diesen Gedanken aber, denn das Bild des „Schwarzen Lochs" zeichnet das Bild, dass die Menschen in der Hölle nur passiven Schmerz durch Gottes Abwesenheit erleiden. Die erschreckende Wahrheit ist jedoch, dass Sünder aktive Schmerzen durch die Gegenwart Gottes erleiden werden. Unbußfertige Sünder *„werden mit Feuer und Schwefel gequält werden vor den heiligen Engeln und* **vor dem Lamm.**" (Offenbarung 14,10) Ich weiß, das ist eine schwer zu schluckende Pille. Aber du wirst gleich sehen, warum das vollkommen gerecht ist.

Doch zunächst wollen wir uns ein paar weitere Fragen zur allgemeinen Vorstellung von der „Abwesenheit Gottes" stellen. Widerspricht das zum Beispiel nicht 2. Thessalonicher 1,7-9, wo es heißt, dass diejenigen, die Gott nicht kennen, *„die Strafe erleiden werden, ewiges Verderben vom Angesicht des Herrn und von*

35 Der Scheol war ein dunkler Ort (Psalm 116,3), der nicht die Hoffnung eines alttestamentlichen Gläubigen war (Psalm 30,4; 31,18). Nirgendwo wird der Scheol positiv gesehen. Der Psalmist will sagen: Selbst am dunkelsten Ort, den du dir vorstellen kannst, ist Gott auch gegenwärtig (Amos 9,2). Gott ist eben überall.

der Herrlichkeit seiner Stärke“?

Wie kann man *„in* der Gegenwart“ (Offenbarung 14) und *„nicht* in der Gegenwart“ (2. Thessalonicher 1) sein? Gibt es da nicht einen Widerspruch?

Nein. Lass uns die beiden Begriffe vergleichen. Gegenwart in Offenbarung 14 ist ein Wort mit einer räumlichen Bedeutung ἐνώπιον (enōpion), das auf etwas in der Nähe und mit buchstäblichen Entfernungen hinweist. Das unterstreicht, dass Gott *überall* ist. In dem oben erwähnten Vers aus dem 2. Thessalonicherbrief ist das griechische Wort für „Gegenwart“ πρόσωπον (*prosopon).* Es bedeutet buchstäblich „Angesicht“. Die Menschen werden also Gottes Gesicht (prosopon) nicht sehen (2. Thessalonicher 1,7-9). Aber in seiner Nähe (enōpion) gerichtet werden. Gott bleibt allgegenwärtig. (Psalm 139, Offenbarung 14)

DIE HÖLLE IST GOTTES GERICHT,
DAS ABWENDEN VON GOTTES GESICHT.

Wie ein Kind, das von seinem Vater ignoriert wird. Ein gutes Beispiel dafür sind David und Absalom. Absalom war wegen einer schlimmen Tat von David weggeschickt worden. Auf Bitten von Joab durfte Absalom wieder in die Nähe Davids, aber der König verbot seinem Sohn Absalom, sein Gesicht zu sehen. Absaloms Schmerz war so groß, dass er Joab anflehte, seinem Vater zu sagen, dass er lieber getötet werden würde, als sein Gesicht nie wieder sehen zu dürfen. (2. Samuel 14,32) Die Strafe ist nicht Gottes Abwesenheit, sondern seine Gegenwart, ohne sein Gesicht zu zeigen. Psalm 104,29 macht es deutlich: *„Du verbirgst dein Angesicht: Sie erschrecken.“*

Eine andere Frage, die du dir stellen könntest, ist diese: Gott sagt in 1. Johannes 1,5: *„Gott ist Licht, und gar keine Finsternis ist in ihm.“* Wie kann es dunkel sein, wenn Gott gegenwärtig ist?

Gottes Gegenwart wird manchmal als Dunkelheit empfunden. Als Gott zu Abraham kam, „fiel Schrecken, dichte Finsternis auf ihn.“ (1. Mose 15,12) Als Gott Mose das Gesetz gab, befand er sich in „dichter Finsternis.“ (2. Mose 20,21) Gott kann die Finsternis sogar erschaffen (Jesaja 45,7) und sie zu seiner Wohnstätte machen. (1. Könige 8,12)

Und warum? Der Grund ist die Sünde. Gott wohnt in der Dunkelheit, nicht weil er dunkel ist. Er ist Licht. Aber wir, die Sünder, sind geistig dunkel und deshalb erscheint Gott in der Finsternis verborgen. Die Dunkelheit ist ein Werkzeug, das er benutzt, um sich zu verstecken. *„Finsternis machte er zu seinem Bergungsort, zu seinem Zelt rings um sich her.“* (Psalm 18,12) Die Dunkelheit der Hölle bedeutet also nicht, dass Gott abwesend ist. Sie zeigt vielmehr, dass man in der Hölle nichts von Gottes Schönheit, Gnade und Liebe sieht. Dunkelheit ist das, was sündige Menschen in der Ewigkeit erleben werden. Nicht die Abwesenheit Gottes, sondern sein abgewandtes Gesicht, die äußere Finsternis und das verzehrende Feuer, das Gott schon immer war.

Wenn ein Mensch stirbt, bedeutet das, dass er „den Körper verlässt und bei dem Herrn ist.“ (2. Korinther 5,6-8) Für einige bedeutet das, dass sie endlich mit dem Gott zusammen sein werden, den sie über alles lieben. Für andere bedeutet es, mit dem Gott zusammen zu sein, den sie zutiefst hassen. Jonathan Edwards hat es treffend so formuliert: „Gott wird für die einen die Hölle und für die anderen der Himmel sein.“[36]

Die Hölle ist auch Beziehung

Der letzte Abschnitt hat dich vielleicht schockiert.

Verständlich.

Aber diese korrigierte Sichtweise wird dir tatsächlich helfen, die Gerechtigkeit Gottes zu verstehen. Du wirst endlich wieder verstehen können, warum es einen Feuersee gibt und warum das vollkommen gerecht ist. Als ich dachte, dass die Hölle ein Ort ist, der völlig von Gott abgekoppelt ist, stellte ich sie mir wie eine Folterkammer vor, die als Rachezimmer gebaut wurde. So denken

36 Nach einer Predigt mit dem Titel „There is such a thing as eternity“

auch viele Evangelikale darüber. Mark Strauss schreibt in einem Artikel von National Geographic, dass es vielen Christen schwerfällt, einen liebenden Gott mit der ewigen Strafe zu vereinbaren.

Denk an Rhett und Link.

Das liegt daran, dass sie über die Hölle denken wie der Theologe Charles Pinnock. Er schrieb, dass „die ewige Qual Gott zu einem blutrünstigen Monster macht, das ein immerwährendes Auschwitz für die Opfer unterhält ..."[37]

Siehst du das Problem?

Pinnock sieht „ein Monster" und „Auschwitz". Zwei unterschiedliche Dinge. Er sieht die beiden Kreise. Einen Gott, der die Hölle geschaffen hat, um Menschen zu foltern. Aber es gibt keine zwei Kreise. Es gibt nur einen. Und die Hölle wurde nicht geschaffen, um die Menschen zu quälen, sondern sie war eine göttliche Antwort auf das Auftreten der Sünde. Sie war die Furcht des Herrn in Aktion. Gott ist ein verzehrendes Feuer, der das Böse hasst. Als Satan sich *entschied,* böse zu sein, war das Höllenfeuer eine automatische, organische, göttliche Reaktion: das Gericht über das Böse. In dem Moment, als Satan zum ersten Mal sündigte, wurde der Feuersee geschaffen. Es gab keinen anderen Weg. Dieser Feuersee war ausschließlich für Satan und seine gefallenen Engel bestimmt. (Matthäus 25,41)

Aber der Mensch *hat sich entschieden*, böse zu sein!

Was für eine schreckliche Tat.

Was für eine Dummheit!

Zu denken, wir könnten gegen das verzehrende Feuer antreten. Wir haben uns mit der Sünde identifiziert und laufen direkt in die ewige Gegenwart Gottes. Was für ein Horror! Das ist der Grund, warum Jesus so viel über die Hölle gesprochen hat. Das war keine Panikmache, sondern reine Liebe. Er hat die Menschen gewarnt: „Geht nicht auf diese Weise in die Gegenwart Gottes. Es ist eine furchtbare Sache, in die Hände des lebendigen Gottes zu fallen."

37 https://www.nationalgeographic.com/culture/article/160513-theology-hell-history-christianity

Wenn wir den *wahren* Gott kennen würden, würden wir mehr von ihm sprechen und unsere Kollegen, Freunde und Familienmitglieder vor dieser furchterregenden Notwendigkeit warnen, dass die Hölle kein Mythos aus dem Mittelalter ist, sondern der Schrecken von Gottes furchterregender, sündenhassender Gegenwart. Und das zu Recht. In der Hölle geht es nicht nur um Bezahlung, sondern vor allem um Beziehung. Im Feuersee bezahlt man nicht nur für *etwas*, sondern man ist in der Gegenwart von *jemandem*.

Dem verzehrenden Feuer.

Dem Heiligen.

Es gibt noch etwas, das passiert, wenn wir Gott von der Hölle trennen. Die Hölle wird zu etwas, das man außerhalb von Gott fürchtet. Wenn Gott in der Hölle nicht anwesend ist und die Hölle trotzdem gefürchtet werden muss, dann gibt es eine „Angst vor der Hölle". Wenn die Hölle ein Feuersee ist und Gott ein liebender Vater im Himmel, dann muss die Hölle mehr gefürchtet werden als Gott.

Aber das scheint der Bibel zu widersprechen, die sagt, dass Gott unsere größte Angst sein soll. *„Furchtbar ist er über alle Götter."* (Psalm 96,4) Wenn wir also die Hölle von Gott trennen, fangen wir an, die Hölle mehr zu fürchten als Gott. Und Jesus hat sehr deutlich gemacht, dass es nichts gibt, das mehr gefürchtet werden muss als Gott selbst. *„Und fürchtet euch nicht vor denen, die den Leib töten, die Seele aber nicht zu töten vermögen; fürchtet aber vielmehr den, der sowohl Seele als Leib zu verderben vermag in der Hölle."* (Matthäus 10,28) Nein, Gott ist mehr zu fürchten als die Hölle, denn die Hölle ist ein Ausfluss seiner unvorstellbaren Heiligkeit.

Die Hölle ist nicht die *Abwesenheit* Gottes, sondern das Gewicht der *Gegenwart* Gottes, wenn er seinen Zorn und seine Zerstörung auf die Sünde loslässt.

Als mir das Wort Gottes die Hölle wieder mit dem Charakter Gottes *verband*, wurden mir die Dinge sehr klar. Plötzlich machte die Hölle wieder einen erschreckenden Sinn. Ich hoffe, diese Zeilen bringen auch dir Klarheit. Damit es dir nicht so ergeht wie Clark Pinnock, der sagt: „Wenn Gott gewollt hätte, dass wir uns in Bezug auf Himmel und Hölle endgültig festlegen, hätte er sich deutlicher geäußert. Aber er hat nur provozierende Andeutungen darüber hinterlassen, was passieren könnte. Man kann also ruhig weitermachen und mit diesem Geheimnis leben."[38]

Nichts könnte weiter von der Wahrheit entfernt sein.

Christus hat unmissverständlich über die Hölle gepredigt.

Er sprach darüber mehr als jeder andere in der Bibel. Er hat uns gewarnt, weil er wusste, was es wirklich bedeutet. Es geht *nicht* um eine mittelalterliche Folterkammer, sondern darum, in Gottes Gegenwart zu stehen, *ohne perfekt zu sein.* Als er über die Hölle sprach, sagte er quasi: „Seid vorsichtig! Ich bin ein furchtbarer lebendiger Gott. Ihr seid tot. Anders als ich. Es ist schrecklich, zu sterben und in die Hände des lebendigen Gottes zu fallen. Mich muss man fürchten. Du kannst nicht mit Sünde in meine Gegenwart kommen.

Das zu tun wäre die Hölle."

Wie Jesus „die Hölle" für uns ertrug

> *Du bist furchtbar, und wer kann vor dir bestehen, sobald du erzürnst!*
>
> – Psalm 76,8

„Nukleare Detonationen, das war der Wendepunkt in meinem Leben", sagte Douglas Hern, ein britischer Soldat, der fünf Atombombentests erlebt hat, gegenüber *Motherboard.*[39] „Als der Licht-Blitz dich traf, konntest du die Knochen deiner Hände wie auf einem Röntgenbild durch deine geschlossenen Augen sehen",

38 https://www.nationalgeographic.com/culture/article/160513-theology-hell-history-christianity

39 https://www.vice.com/en/article/wjk3wb/what-does-a-nuclear-bomb-blast-feel-like

sagte er. „Dann traf dich die Hitze, und es war, als ob jemand von meiner Größe Feuer gefangen hätte und durch mich hindurchgegangen wäre. Wie wenn dein Inneres unfreiwillig nach außen gekehrt wird. Es war so seltsam. Da waren Jungs mit blauen Flecken und gebrochenen Beinen. Wir konnten es nicht glauben. Zu sagen, dass es beängstigend war, ist eine Untertreibung. Ich glaube, es hat uns alle zum Schweigen gebracht."

Die Geschichten über Atombombentests sind erschreckend.

„Es war die totale Verwüstung. Wenn ich dich jetzt ansehen würde, könnte ich alle deine Knochen sehen. Man könnte alle Blutgefäße sehen. Alles, was ich sah, war dieser aufsteigende, kolossale Feuerball und Donner, Blitze", sagte David Hemsley, der die Atombombenexplosion im Alter von 18 Jahren erlebte. „Ich glaube, es war zu viel für einige Leute – einige haben geweint und nach ihrer Mutter geschrien. Es war furchtbar."[40]

Als ich diese Geschichte zum ersten Mal las, war ich schockiert. Das war die Kraft, die bei der Spaltung von Atomkernen freigesetzt wird. Versuch mal, das zu begreifen. Einer der winzigsten Teile von Gottes Schöpfung. Eine atomar kleine Darstellung dessen, was die Macht Gottes ist.

Lass mich dieses Gedankenexperiment mit dir durchgehen.

Warum war dieser „kolossale Feuerball" für diese Männer besonders schrecklich?

Erstens, weil sie nah dran waren. Eine kurze Distanz vergrößert immer den Effekt.

Und zweitens, weil sie nicht dazu gemacht waren, in der Gegenwart eines Feuerballs zu bestehen.

Wenn sie selbst aus Feuer gewesen wären, hätten sie keine Probleme gehabt. Sie wären von der Hitze absorbiert worden. Aber sie waren nicht aus Feuer, sie waren aus Fleisch und Blut. Menschen. Zerbrechlich. Brennstoff. Und diese Eigenschaften machten den kolossalen Feuerball sowohl verheerend als auch gefährlich.

40 https://www.vice.com/en/article/wjk3wb/what-does-a-nuclear-bomb-blast-feel-like

Lass uns diesen Gedanken einen Moment lang so stehen lassen und ihn mit dem Begriff der Hölle verknüpfen. Aber bevor wir das tun, bedenke, dass wir jetzt heiligen Boden betreten. Bete zum Herrn und bitte ihn, dir zu helfen, die geistliche Bedeutung dieser nächsten Zeilen zu verstehen.

Als der ewige Sohn in aller Ewigkeit beim Vater war, war er dieselbe Substanz wie dieser.

Er liebte den Vater. In seiner Vollkommenheit liebte er den „kolossalen Feuerball." (Johannes 17,24) Er liebte es, in der Gegenwart Gottes zu sein. Nähe war seine Freude. (Sprüche 8,30)

Aber dann wurde der Sohn Mensch.

Es lässt mich erschaudern, wenn ich das schreibe. Jesus Christus wurde aus einem einzigen Grund Mensch – um sich dem „kolossalen Feuerball" von Gottes Urteil zu stellen. Um im Bild des Holzes zu sprechen: Der Sohn wurde zu Holz, das verbrannt werden sollte. Oder um ein biblisches Bild zu verwenden: Er wurde zum Lamm, das geschlachtet wurde.

Das Passahlamm.

Ich habe einmal das Passahfest in Äthiopien erlebt und es war eine Erfahrung, die mein Verständnis dieses Textes geprägt hat. Mein Gastgeber hatte unsere Reisegruppe gefragt, ob wir das Passahfest feiern wollten, und wir hatten eifrig zugestimmt. Zur Vorbereitung hatte er auf dem Schafsmarkt ein Lamm gekauft und wir waren vier Stunden lang mit ihm unterwegs gewesen. Jeder, der mich kennt, weiß, dass ich ein Tierliebhaber bin. Nach vier Stunden, in denen ich es blöken hörte, seine weiche, raue Wolle fühlte und die Unschuld in seinen Augen sah, war ich diesem süßen Lamm sehr verbunden.

Und dann musste ich es töten ... mit einem Messer.

Ich erspare dir die Details, aber es war grausam.

Ich habe es gehasst.

Ich habe an diesem Abend fast nichts gegessen.

Aber die Kraft dieses Moments hat meine Sicht auf das Passah für immer verändert.

Der Schöpfer drang in seine Schöpfung ein, um für sein Geschöpf zu sterben. Er starb für uns, damit wir niemals Gottes Gericht sehen müssten. Es ist unmöglich, die Tiefe des Kreuzes zu verstehen, aber Gott sei Dank haben wir ein treffendes und emotionales Bild im Alten Testament, das uns hilft, es besser zu verstehen – das Passahlamm in 2. Mose 12. Es ist ein Bild für Christus als Lamm Gottes, das uns durch das Vergießen seines Blutes vom Gericht Gottes erlöst hat.

Dieses Bild des Passahfestes ist von der Furcht des Herrn durchdrungen.

1 **Zuerst** musste das Lamm im Haus der Familie leben. Gott wollte, dass die Familie das Lamm aus eigener Erfahrung kennt und liebt. Nicht nur oberflächlich. Nicht nur *gnosis*, sondern *epignosis*. Er wollte, dass *ein* Lamm zu *dem* Lamm wird. Deshalb lebte Jesus 30 Jahre lang in der Gesellschaft, bevor er seinen Dienst antrat. Er zeigte, dass er wirklich ein Mensch war. Einer wie wir. Und doch war er so anders.

2 **Zweitens** musste das Lamm ohne Fehler sein. Das bedeutet vollkommen – gesund, makellos, rein, schön. Im Gegensatz zu uns lebte Jesus die Heiligkeit Gottes. Die Propheten haben es so ausgedrückt: *„Der Geist der Furcht des HERRN wird auf ihm ruhen."* (Jesaja 11,2) Jesus hasste das Böse sein ganzes Leben lang. Johannes sagt, dass *„in ihm keine Sünde war"* (1. Johannes 3,5), Paulus, dass er *„keine Sünde kannte"* (2. Korinther 5,21), und Petrus, dass *„er keine Sünde tat"*. (1. Petrus 2,22) Sein Wesen, seine Gedanken und seine Handlungen waren ohne Sünde.

3 **Drittens** rettete der Tod des Lammes andere vor dem Zorn. Alle Mitglieder mussten dieses Lamm schlachten. Das schöne Lamm. Ich stelle mir vor, wie die Kinder um das Feuer saßen und das Lamm aßen. Es war schrecklich. Wahrscheinlich ha-

ben sie ihren Vater mehrmals angefleht: *Papa, lass uns das nicht tun!* Und schweren Herzens wird er geantwortet haben: *Ich weiß, mein Kind, aber wenn wir es nicht schlachten, wird dich der Engel des Herrn töten.* Genau darum ging es beim Passahfest. Schutz vor Gottes Zorn. Nicht vor dem Pharao. Sondern vor dem Engel des Herrn. Vor Gott selbst. 1. Thessalonicher 1,10 unterstreicht deutlich, dass Jesus uns vor dem kommenden Zorn Gottes rettet.

4 **Viertens** musste das Blut dann an die Seiten und Oberseiten der Türrahmen der Häuser gestrichen werden. Das zeigt uns den Wert des Blutes, denn ohne Blutvergießen gibt es keine Vergebung. (Hebräer 9,22) Das Blut ist es, das den Zorn Gottes abwendet: *„Und das Blut soll euch zum Zeichen sein an den Häusern, worin ihr seid; und sehe ich das Blut, so werde ich an euch vorübergehen; und es wird keine Plage zum Verderben unter euch sein, wenn ich das Land Ägypten schlage."* (2. Mose 12,13) In Römer 5,9 heißt es, dass wir *„durch sein Blut gerechtfertigt sind und durch ihn vor dem Zorn Gottes gerettet werden."*

5 **Fünftens** wurde ihnen gesagt, dass sie das Passahfest mit *ungesäuertem* Brot essen sollten. Das spricht auch von der Furcht des Herrn. Warum? Sauerteig ist ein Bild für böse Gedankenmuster. (Matthäus 16,12) Uns an das Passah zu erinnern, hat also eine heiligende Wirkung auf unsere Gedankenwelt. *„Denn auch unser Passah, Christus, ist geschlachtet worden. Darum lasst uns Festfeier halten, nicht mit altem Sauerteig, auch nicht mit Sauerteig der Bosheit und Schlechtigkeit, sondern mit Ungesäuertem der Lauterkeit und Wahrheit."* (1. Korinther 5,7-8)

Aber was war so heilig am Passahfest?

Es war das Feuer, das das Lamm verbrannte.

Das ist es, was mich zittern lässt. Das Lamm wurde getötet und im Feuer gebraten.

Warum ist das Feuer so wichtig? Weil es eine Beschreibung dessen ist, was der geliebte Herr Jesus durchgemacht hat, um dich und mich vor dem gerechten Feuergericht Gottes zu schützen. Heute gefällt uns der Aspekt des Feuers am Kreuz nicht. Wir ziehen es vor, die Vorteile zu sehen. Die Auferstehung. Die Segnungen. Das Leben. Was ist mit dem Feuer? Wie oft feiern wir das Abendmahl? Es ist das Gedenken an seinen Tod. An das Feuer.

Einmal im Quartal?

Einmal im Jahr?

Die frühe Kirche tat es jeden Tag.

Was war die Folge dieser ständigen Erinnerung an den Zorn des Kreuzes? In Apostelgeschichte 9,31 heißt es, dass sie *„in der Furcht des Herrn wandelten und sich vermehrten durch die Ermunterung des Heiligen Geistes."*

Aber – glaube nicht, dass diese Tendenz, das Feuer zu meiden, etwas Neues ist. Sie war schon von Anfang an da. Schon bei der Einsetzung des Passahfestes sagte Gott: *„Ihr sollt nichts roh davon essen und keineswegs im Wasser gekocht, sondern am Feuer gebraten."* (2. Mose 12,9)

Gott kannte die Neigung des Menschen, Dinge „schön" zu machen oder zu verwässern. Heiße Dinge lauwarm zu machen. Nein, er wollte, dass es mit Feuer gebraten wird. Denn das ist es, was Christus durchmachen musste. Er wurde verzehrt. *„Und ihr sollt nichts davon übrig lassen bis zum Morgen; und was davon bis zum Morgen übrig bleibt, sollt ihr mit Feuer verbrennen."* (2. Mose 12,10)

Sich mit Golgatha zu beschäftigen, lässt dich fürchten.

Das ist wirklich intensiv. Aber so muss es auch sein. Weiche dem Schmerz nicht aus. Ich denke, wir müssen sogar noch einen Schritt näher gehen zu dem, was auf Golgatha geschah.

Die Furcht Isaaks

In 1. Mose 31,42 wird Gott die „Furcht Isaaks" genannt. Jakob gebraucht statt dem Wort „Gott" das Wort *„Furcht"*. Er spricht von dem Gott seiner Väter, aber anstatt „der Gott Abrahams" (seines Großvaters) und der „Gott Isaaks" (seines Vaters) zu sagen, sagt er: die „Furcht Isaaks".

„der Gott Abrahams"	„der Gott Abrahams"
„der Gott Isaaks"	„die ***Furcht*** Isaaks"

Wieso? Das Wort, das hier für „Furcht" verwendet wird, ist *pachad*, ein noch stärkeres Wort als *yirah. Pachad* wird am besten mit „Schrecken" oder „Entsetzen" übersetzt. Jakob spielt damit auf den Moment an, als Isaak auf dem Altar lag und das Messer direkt auf ihn gerichtet sah.

Kannst du dir vorstellen, auf einen Altar gelegt zu werden, in dem Wissen, dass dein Vater dich töten wird? Isaak hatte *pachad*. Todesangst.

Wenn wir jetzt in Gedanken zum Garten Gethsemane gehen, sehen wir *pachad* in seiner reinsten Form. Jesus Christus betete inbrünstig und ging durch diese Art von *pachad*, weil er wusste, dass er deine und meine Sünden in Gottes heiligem Gericht auf Golgatha tragen würde. *„Und als er in ringendem Kampf war, betete er heftiger. Und sein Schweiß wurde wie große Blutstropfen, die auf die Erde herabfielen."* (Lukas 22,44)

Er fürchtete nicht so sehr die körperlichen Qualen, von denen er wusste, dass sie ihm bevorstanden (obwohl diese brutal sein würden). Warum kann ich das sagen? Weil ich ihn mit Märtyrern vergleichen kann. Viele Märtyrer gingen mutig an Pfähle und Kreuze. Sie starben teilweise singend.

Aber Jesus sang nicht. Waren die Märtyrer furchtloser als Christus? Nein. Ihnen standen ganz andere Dinge bevor. Die Märtyrer erwarteten einen brennenden Scheiterhaufen. Christus erwartete den „kolossalen Feuerball“, als der, der zur Sünde gemacht werden würde. Weil er Gott war, kannte er die Intensität des Gerichts und als Mensch musste er unsere Sünden auf sich nehmen. Er fürchtete Gott und wusste, dass er ihm gegenübertreten musste – als makelloses Lamm, das nun mit allen unseren Sünden beladen war!

Er würde sich dem unerträglichen Antlitz des Zorns Gottes stellen müssen.

Niemand hasste die Sünde mehr als der Sohn Gottes, und niemand außer dem Sohn Gottes wusste, wie erbarmungslos Gott Sünde richten würde. Er würde ihn nicht mit Barmherzigkeit treffen. Gott zerschlug Jesus mit Leidenschaft. *„Doch dem HERRN gefiel es, ihn zu zerschlagen, er hat ihn leiden lassen.“* (Jesaja 53,10)

Der Psalmist fragt: *„Wer kann in deiner Gegenwart stehen, wenn du zornig bist?“* (Psalm 76,8)

Die Antwort ist: nur Jesus Christus.

Weil er Gott *war*, war er der Einzige, der in der *Gegenwart* Gottes stehen konnte und nicht vernichtet wurde. Gott goss seinen Zorn über Jesus aus und der Druck stieg und stieg und stieg. Aber Jesus konnte nicht sterben. Es gab keine Dekompression. Keine Erlösung durch den Tod. Ewiger Schmerz erfüllte Jesus‘ Seele.

Manche fragen, wie ein ewiges Urteil in drei Stunden vollstreckt werden kann. Wird der Schmerz durch die zeitliche Begrenzung nicht gemildert? Nein, sie macht ihn sogar noch größer. Stell dir vor, ein Damm bricht und das Wasser fließt das Tal hinunter. Jetzt stell dir vor, dass diese ganze Flut durch ein Loch mit einem Durchmesser von einem Zentimeter geleitet wird.

Kannst du dir den Druck vorstellen?

Die drei quälenden Stunden des Kreuzes waren dieses Loch.

Ein *ewiger* Zorn konzentriert auf eine begrenzte Zeit.

Ein *göttliches* Urteil, das von einem *menschlichen* Wesen getragen wird.

Niemand wird jemals verstehen, wie tief der Schmerz war, den Jesus am Kreuz erleiden musste. Es war ewig schmerzhaft. *„Auf mir liegt schwer dein Grimm, und mit* **allen deinen Wellen** *hast du mich niedergedrückt."* (Psalm 88,8) *„Tiefe ruft der Tiefe beim Brausen deiner Wassergüsse;* **alle** *deine Wogen und deine Wellen sind über mich hingegangen."* (Psalm 42,8)

Alle Wellen des Zorns Gottes trafen Jesus auf einmal. Alle. Der kolossale Feuerball war im Vergleich dazu ein Atom. Und Jesus allein wird für den Rest der Ewigkeit die Erinnerung an diesen schmerzhaften Moment tragen – die vernarbten Hände und Füße und die durchbohrte Seite.

> *„Um unserer Übertretungen willen war er verwundet, um unserer Ungerechtigkeiten willen zerschlagen. Die Strafe zu unserem Frieden lag auf ihm, und durch seine Striemen ist uns Heilung geworden. Wir alle irrten umher wie Schafe, wir wandten uns jeder auf seinen Weg; und der HERR hat ihn treffen lassen unser aller Ungerechtigkeit."* – Jesaja 53,5-6

Aber es gab einen zusätzlichen Schmerz.

Wir haben gerade gesehen, dass der richtende Gott in den drei Stunden der Finsternis aktiv und gegenwärtig war. Jesus Christus wurde von Gott *aktiv* zerschlagen. Aber sein Schmerz wurde dadurch potenziert, dass der Mensch Jesus Christus in diesem Augenblick von Gott verlassen war. Er hatte keine Verbindung zu diesem Gott, der ihn schlug.

Als die Menschen ihm einige Stunden vorher ein Tuch um die Augen gebunden hatten, war es schon einmal finster geworden. Durch das Tuch sah Jesus nur Schwärze.

Und dann aus dem Nichts plötzlich die Schläge.

Ins Gesicht.

Voll auf den Kopf.

Er konnt nicht sehen, woher der nächste Schlag kam. Sie trafen ihn ohne Vorankündigung. Die Menschen versuchten Jesus im Meer ihres Hasses zu ertränken. Orientierungslos. Dunkel. Alles was ihn aus dieser Finsternis berührte, waren Hass und Qualen.

Und nun am Kreuz war es wieder finster. Aber eine ganz andere Finsternis. Diese Dunkelheit umhüllte nicht nur einen Menschen, sondern *alle* Menschen. Aber nur *einer* bekam plötzlich aus dieser Finsternis das göttliche Gericht zu spüren. Wie aus dem Nichts. Wie aus einem Hinterhalt. Immer wieder diese Schläge aus der Dunkelheit. Ich muss aufhören zu schreiben, weil ich nur noch weinen kann, und lass besser die Bibel sprechen:

> *Ich bin der Mann, der Elend gesehen hat durch die Rute seines Grimmes. Mich hat er geleitet und geführt in* ***Finsternis*** *und Dunkel. Wenn ich auch schreie und rufe, so hemmt er mein Gebet. Ein* ***lauernder*** *Bär ist er mir, ein Löwe im* ***Versteck****. Er hat mir die Wege entzogen und hat mich zerfleischt, mich verwüstet. Er hat seinen Bogen gespannt und mich wie* ***ein Ziel für den Pfeil*** *hingestellt.*
> – Klagelieder 3,1-2.8.10-12

Gott war nicht abwesend am Kreuz – aber Gott wandte sein Gesicht von ihm ab. Kein Mensch auf der Erde ist jemals wirklich allein gewesen. Selbst wenn du dich allein fühlst, ist Gott nur wenige Zentimeter von dir entfernt. Er schaut dich an.

Aber am Kreuz war Jesus – der Mensch – *von Gott verlassen.*

Sein ganzes Leben lang hatte Jesus zu Gott gebetet.

Intimes *Einssein.*

Jesus hatte sein ganzes Leben lang in das wunderbare Angesicht Gottes geblickt. Durch all die Prüfungen und Verfolgungen hindurch. Aber jetzt – hatte Gott sich abgewendet. Jesus war verlassen.

Der Himmel war aus Erz[41]. Sein Gebet um 15.00 Uhr wurde nicht erhört. 15 Uhr war die Zeit, zu der er und alle anderen beteten. Jetzt war es unmöglich. Er war an ein Kreuz genagelt. Er war verflucht. Er schrie mit lauter Stimme in die Dunkelheit und sagte: *„Eli, Eli, lama sabachthani?“*, das heißt: „Mein Gott, mein Gott, warum hast du mich verlassen?“

Keine Antwort.
Keine Liebe.
Nur Gericht.

Alles, was wir tun können, ist in Ehrfurcht stehen. Und anbeten.

Oh Herr Jesus – es bringt meine Seele zum Weinen, wenn ich sehe, welche Schmerzen du für meine Sünden erleiden musstest! Wie sehr hast du mich geliebt! Viele Wasser können die Liebe nicht auslöschen, noch können die Fluten sie ertränken. Was du am Kreuz für meine Sünden erlitten hast, kann ich nicht verstehen und doch werde ich dich in der Ewigkeit preisen. Ja, wir haben dich nicht geliebt, Herr Jesus, aber du hast uns geliebt und dein Leben als Sühnung für unsere Sünden gegeben. Wir stehen in Ehrfurcht und unsere Knie erbeben beim Anblick deiner Liebe. Wenn du, Herr, unsere Sünden aufzeichnen würdest, wer, Herr, könnte dann bestehen? Aber bei dir gibt es Vergebung, damit du gefürchtet wirst. Wir beten dich an und preisen dich!

41 Der HERR wird dich schlagen ... Und dein Himmel, der über deinem Haupt ist, wird Erz sein. (5. Mo 28,22-23) Erz (ehernes Material) spricht in der Bibel von göttlicher Gerechtigkeit in Verbindung mit Gericht (eherne Schlange, eherner Altar u. a.).

TAKEAWAYS

1. **Vielen Bekehrungen fehlt der erste Schritt: Die Furcht des Herrn.** Unbiblische Bekehrungsformeln ignorieren Gottes Heiligkeit, die Hölle, die Sünde und das Gesetz. Infolgedessen besteht die Gefahr, dass die Umkehr nicht echt ist und die Menschen denken, sie seien gerettet, obwohl sie nicht wiedergeboren sind.

2. **Die Hölle ist ein Ausdruck von Gottes Heiligkeit.** Die Hölle ist nicht die Abwesenheit von Gott, sondern Gottes aktives Gericht über Sünde. Die Hölle ist nicht in erster Linie nur eine Abrechnung, bei der du für deine schlechten Taten bezahlst. Sondern es geht vor allem um Beziehung. Sie ist Gottes wesenhafte Reaktion auf Sünde, auf deine bewusste Entscheidung, dich nicht ihm unterzuordnen, seine Gnade auszuschlagen und stattdessen gott-los zu leben.

3. **Jesus hat für uns die Hölle am Kreuz ertragen.** Nur wenn wir verstehen, wie sehr Gott zu fürchten ist, können wir begreifen, was Jesus Christus am Kreuz erleiden musste.

GEBET

Ich stehe in Ehrfurcht und meine Knie zittern beim Anblick deiner Liebe. Wenn du, Herr, unsere Sünden aufzeichnen würdest, wer, Herr, könnte dann bestehen? Aber bei dir gibt es Vergebung, damit du gefürchtet wirst. Ich bete dich an und preise dich!

KAPITEL 10

DAS KREUZ UND DER SÜNDER

DAS KREUZ ZEIGT UNS, WIE SEHR GOTT
DEN MENSCHEN LIEBT UND DEN SÜNDER HASST

Denn der Lohn der Sünde ist der Tod ...

– Römer 6,23

Einmal gerettet – trotzdem gekettet

Ein Mann ging einmal durch ein Elefantenlager und entdeckte eine Gruppe von Elefanten, die nicht in Käfigen gehalten wurden oder an Ketten hingen. Als er näher hinsah, war er überrascht. Alles, was sie daran hinderte auszubrechen, war ein kleines Stück Seil – ein Ende an einem ihrer Beine, das andere an einem Pflock im Boden befestigt.

Als der Mann die Elefanten betrachtete, fragte er sich, warum die Elefanten nicht einfach ihre Kraft nutzten, um das Seil zu zerreißen und zu entkommen. Das hätten sie leicht tun können, aber anscheinend versuchten sie es gar nicht erst.

Neugierig fragte er einen Trainer in der Nähe, warum die Elefanten nur dastanden und nicht versuchten zu fliehen.

Der Trainer antwortete:

> „Wenn sie noch sehr jung und viel kleiner sind, verwenden wir das gleiche Seil, um sie zu binden, und in diesem Alter reicht es aus, um sie zu halten. Wenn sie größer werden, behalten sie die Denkweise, dass sie sich nicht losreißen können. Sie glauben, dass das Seil sie immer noch halten wird, und deswegen versuchen sie nie, sich zu befreien."

Beeindruckend – oder? Der mächtige Elefant, das größte Landtier der Erde, wird gezähmt, weil er nicht weiß, wie stark er ist. Er spürt nur die Berührung eines kleinen Seils und das reicht aus, um ihn gefangen zu halten.

Vielen Christen geht es wie diesem Elefanten.

Machtvoll und doch machtlos.

Frei, aber gekettet.

So viele junge Männer, mit denen ich spreche, fühlen sich machtlos. Sie sind passiv. Sie beten nicht mit Hingabe. Sie sind nicht aktiv in ihrer Gemeinde. Sie verkünden nicht das Evangelium und nutzen die Kraft Gottes nicht.

Und warum?

Weil sie das Gefühl haben, keine Kraft zu haben.

Man *sagt* ihnen, dass Gott mächtig ist. Und dass es Kraft in Christus, der Bibel, dem Heiligen Geist und so weiter gibt. Aber ihre *Erfahrung* ist eine ganz andere. Sie sind durch unsichtbare Ketten gefesselt.

Sklaven der Sünde.

Diener von Dingen, die sie zutiefst *hassen*.

Gefesselt, um zu tun, was die Lust des Körpers diktiert.

Jesus mag in der Bibel ein erstaunlicher Retter sein, aber er ist es nicht, wenn es darum geht, das Leben *wirklich* zu verändern.

Ist das deine Erfahrung?

Wenn ja, kann ich das nachvollziehen. Das war bei mir auch so. Und das ist kein Problem, das sich einfach nur ernst *anfühlt*. Es *ist* ernst. Bestimmte Dinge zu wissen und sie nicht zu leben, ist gefährlich. Die Bibel sagt deutlich, dass der Glaube keine Theorie ist. Er muss in unserem Leben sichtbar werden. *„Der Glaube ohne Werke ist tot“*, sagt Jakobus 2,20. Die Art und Weise, wie wir unsere Heiligung leben (erinnere dich an Kapitel 8), ist ein Beweis für das, worauf wir bei unserer Bekehrung vertraut haben. *„Wie ihr nun den Christus Jesus, den Herrn, empfangen habt, so wandelt in ihm.“* (Kolosser 2,6) Wenn unser täglicher Fortschritt also einen Defekt hat, bedeutet das wahrscheinlich, dass unser Anfang daran schuld ist.

Keine *äußere* Transformation bedeutet keine *innere* Regeneration.

Ist doch klar: Wenn wir das Kreuz nicht verstehen, wie sollen wir es dann täglich auf uns nehmen?

Deshalb werden wir in den nächsten Kapiteln unser Verständnis des Kreuzes weiter überdenken. Denn wenn wir das Kreuz und die Auferstehung *wirklich* verstehen und in die Tat umsetzen, werden wir *wirklich* und radikal in das Bild unseres Herrn Jesus Christus verwandelt werden. Wenn wir aber ein falsches Verständnis vom Kreuz haben, werden wir Probleme in unserem alltäglichen christlichen Leben haben – und zwar täglich.

Wirklich frei?

Johannes 8,36 ist – für manche – der schönste Vers in der Bibel.

Mich hat er immer verrückt gemacht.

„Wenn der Sohn euch frei macht, werdet ihr wirklich frei sein."

Klingt gut. Klingt einfach.

Aber für mich war es das nicht. In der Theorie war ich frei, aber nicht in der Praxis.

Und *erst recht* nicht „wirklich".

Nicht, wenn ich mir meine Taten ansah. Ich hatte mich zwar zu dem Herrn Jesus bekehrt und war dankbar, dass er das Gericht für mich übernommen hatte. Aber Mann – ich war nicht *wirklich* frei. Ich lebte in dem schmerzhaften Widerspruch, frei *zu sein*, aber nicht frei *zu leben*.

Vielleicht kannst du das nachvollziehen. Wenn ja, dann bist du in guter Gesellschaft. Genau so fühlten sich die Israeliten, als sie vor dem roten Meer standen und ihnen die ägyptische Armee auf den Fersen war. Befreit, aber nicht frei. Was war das Problem? Um das herauszufinden, lass uns erstmal anschauen, was bei der Befreiung passiert war:

- Sie hatten das Passahlamm getötet (Bekenntnis der Sünde und notwendiger Tod).
- Sie hatten das Blut an die Tür gestrichen (der Glaube an Gottes Heilmittel – das Blut).
- Sie hatten es mit Feuer gebraten (Feuergericht über Christus).
- Sie hatten das Lamm gegessen (tiefes Erfahrungswissen über das Leiden Christi).
- Und sie hatten Ägypten verlassen (Abgrenzung von der Welt).

Sie waren aus Ägypten heraus. Befreit!

Bedeutete das, dass die Israeliten *wirklich* frei waren? In Sicherheit und ihre Freiheit genießend? Nein, sie waren weder *sicher* noch *genossen sie* ihre Freiheit. Sie waren in der Wüste und der mächtige Pharao war hinter ihnen her. Da die Trennung von der Welt (in ihrem Fall von Ägypten) zur Intimität mit Gott führte, sollte man meinen, dass alles in Ordnung war.

Aber leider ist das nicht so einfach.

Die Erfahrung, die viele Christen erwarten, ist eine schnelle Reise ins „gelobte Land“.

Aber nach den ersten Glaubensschritten merken sie, dass es viel schwieriger ist. Sie fühlen sich gefangen. Das christliche Leben fühlt sich (nach der Bekehrung) oft wie eine Wüste an.

Genau dort befand sich das Volk Israel – in der Wüste in die Enge getrieben. Das Schlimmste daran war, dass sie nicht nur festsaßen, umherirrten oder verloren waren. Sie wurden *verfolgt*. Sie wurden von einem weit überlegenen Feind gejagt. Ägypten war ihnen auf den Fersen. Der Pharao jagte ihnen nach.

Und vor ihnen: der Tod.

Zumindest muss es so ausgesehen haben, als sie am Rande des Roten Meeres zum Stehen kamen, eingeschlossen von riesigen Wassermassen, in denen sie ertrinken würden, wenn sie weitergingen. (2. Samuel 22,5; Psalm 69,16)

Sie saßen in der Falle. Der Sklavenhalter hinter ihnen. Keine Zukunft vor ihnen. Nur Wasser.

Aber es gab eine Zukunft. Einen Weg im tödlichen Wasser.

Identifizierung

Seit Jahren helfe ich vielen jungen Menschen, in der Schule, im Beruf oder in ihrem geistlichen Leben Fortschritte zu machen. Alle haben ihre individuellen Stärken und Probleme. Und doch gibt es ein gemeinsames Hauptproblem. Ein Wachstumskiller.

Ihre Identität: wer sie sind und wie sie über sich selbst denken.

Es gibt einen ständigen Dialog in ihrem Kopf, der ihnen Lügen auftischt.

Ich kann Mathe nicht. Wir sind ja auch keine schlaue Familie.

Sport ist überhaupt nicht mein Ding. Das bin nicht ich.

Das ist das Seil am Elefanten. Er *denkt, dass* er nicht frei sein kann, und deshalb ist er es auch nicht. Diesen Teil, den ich den *subjektiven* Teil deiner Identität nenne, kann durch Coaching verändert werden.

Aber es gibt noch einen zweiten Teil deiner Identität, der sich nicht ändern lässt: Nämlich das, was du *bist*. Ich nenne ihn den *objektiven* Teil. Wenn du 1,45 m groß bist, wirst du wahrscheinlich nie ein Basketball-Profi werden. Wenn du blind bist, wirst du sicherlich nicht ein E-Sports-Champion werden. Die Liste lässt sich beliebig fortsetzen.

Und jetzt werde ich dir etwas sagen, das dich schockieren wird.

Die *Identität* ist das größte Hindernis, um in den Dingen Gottes voranzukommen.

Um Gemeinschaft mit Gott zu haben, brauchen wir einen 100%igen Identitäts-Neustart. Um Christ zu werden und zu wachsen, müssen beide Teile in Ordnung gebracht werden: Der objektive Teil (wer du *bist*) und der subjektive Teil (wer du *denkst*, dass du bist).

Lass uns mit dem objektiven Teil beginnen: Wer du bist. Alle

Menschen haben eines gemeinsam. Sie haben denselben Ur-Ur-Ur-Ur-Ur...-Großvater: Adam. Ich liebe diesen Gedanken, denn er macht die Menschheit zu einer großen Familie. Aber es gibt einen großen Nachteil: Wenn Adam einen Genfehler hatte, dann sitzt der bei uns allen drin. Wenn mit Adam etwas schiefgelaufen ist, dann sind wir alle verloren.

Und etwas ist ganz gehörig schiefgegangen.

Adam hat gesündigt.

Er rebellierte gegen Gott und gründete eine riesige Familie von Rebellen. In Römer 5,12 steht: *„Darum, so wie durch einen Menschen die Sünde in die Welt gekommen ist und durch die Sünde der Tod und so der Tod zu allen Menschen durchgedrungen ist, weil sie alle gesündigt haben."* Das ist schrecklich. Gott schuf die Menschen als perfekte Geschöpfe und dann – aus Eigenwillen – richteten sie ihre Fäuste in den Himmel und sagten: „Wir hassen dich, Gott, und wir lieben die Sünde! Mit ihr identifizieren wir uns."

Die Sünde hat uns eine neue Identität gegeben: Sünder.

Und Gott hasst Sünder. David sagt in Psalm 5: *„Du hasst alle, die Frevel tun."* (Psalm 5,6)

Ich weiß, dass du das Gegenteil gehört hast: „Gott liebt den Sünder, aber er hasst die Sünde." Aber auch das ist eine dieser einseitigen Aussagen, die, wenn man sie auf die Spitze treibt, irreführend ist. Sie ist nicht falsch, aber halt manchmal irreführend. Die Bibel sagt nie direkt, dass Gott die Sünder liebt. *„Christus Jesus ist in die Welt gekommen, um Sünder* **zu erretten**.*"* (1. Timotheus 1,15) Und *„Gott aber erweist seine Liebe zu uns darin, dass Christus, da wir noch Sünder waren,* **für uns gestorben** *ist."* (Römer 5,8)

Christus *ist gestorben* und hat Sünder *gerettet*, aber er hat ihre Identität als Sünder nicht geliebt. Durch die Furcht des Herrn wissen wir jetzt, wie sehr Gott das Böse und die Übeltäter hasst. Er zürnt jeden Tag über die Sünde. Wie viel mehr gegen Menschen, die sich fröhlich mit der Sünde identifizieren?

Gott hasst diese zerstörerische Kraft namens Sünde. Wenn du Gott nachempfinden willst, denk einfach an die größten Auswüchse der Sünde wie Mord, Folter, Kinderpornografie usw. Wir schrecken angewidert zurück, aber denk daran, dass das nur die Spitze des Eisbergs ist.

Gott sieht den ganzen Eisberg und hasst ihn, wie du es dir nicht vorstellen kannst.

Das Problem ist – *wir* sind der Eisberg.

Das ist von entscheidender Bedeutung. Denn wir müssen das Problem verstehen, damit wir die Lösung verstehen können. Wenn Gott den Sünder lieben würde, aber die Sünden hasst, dann wären nur „die Sünden" das Problem. Nur deine Handlungen.

Aber das ist nicht so. Auch der Sünder ist ein Problem. Dein ganzes Wesen.

Nicht nur deine Handlungen sind das Problem, sondern auch deine Identität.

Gottes Lösung bestand also nicht darin, deine Sünden wegzunehmen, *ohne* dich zu verändern. Das geschah im Alten Testament. Die Menschen brachten ein Opfer für ihre Sünden dar, aber der Opfernde wurde nicht verändert. Das Christentum ist anders. Es geht um eine vollständige Identitätsveränderung. Nicht um eine Verbesserung deines Wesens. Gottes Lösung bestand darin, dem Alten ein Ende zu setzen und es durch etwas *völlig* Neues zu ersetzen.

Die Lösung für dieses Problem ist der Tod.

Aber Gott *„hat kein Gefallen am Tod des Sünders"* (Hesekiel 33,11). Gott ist Liebe und möchte nicht, dass der Sünder stirbt. Und deshalb hat er eine geniale Lösung gefunden, uns mit Christus in seinem Tod zu identifizieren.

Wie funktioniert Identifizierung?

Identifikation ist eine Handlung, bei der man jemandem die Eigenschaften oder Merkmale einer anderen Person zuschreibt. Identifikation mit Christus bedeutet also, eins mit ihm zu werden. So wie zwei Musiknoten ein Intervall ergeben oder zwei Menschen ein Paar bilden oder zwei Farben sich vermischen, um eins zu werden. Römer 6,5 erklärt: „Denn wenn wir mit ihm einsgemacht worden sind in der Gleichheit seines Todes, so werden wir es auch in seiner Auferstehung sein."

Der Ausdruck „einsgemacht" könnte auch mit „zusammen gepflanzt" übersetzt werden. Das hier verwendete Wort σύμφυτος (*sumphutos*) ist eine Zusammensetzung aus σύν, was „mit, neben" bedeutet, und φύω, was „aufspringen" bedeutet. Der Begriff wurde für Pflanzen benutzt, die zur gleichen Zeit gepflanzt wurden und ineinander wuchsen. Er impliziert, dass zwei Dinge eng miteinander verbunden oder verknüpft sind.

Wenn jemand Buße tut und an das Werk des Kreuzes glaubt, passiert Folgendes: Gott sieht den bußfertigen Sünder vor 2.000 Jahren mit Christus im Tod vereint. Sie sind gemeinsam gestorben und begraben worden. Das klingt unlogisch, weil es vor unserer Zeit geschah, aber Gott ist außerhalb der Zeit.

Der äußere Ausdruck dieses Geschehens ist die Taufe. Mit der Taufe bekennt ein Gläubiger, dass er seine alte Identität als „Sünder" aufgegeben und sich mit dem toten Christus identifiziert hat und nun denselben Platz in Bezug auf die Sünde (und die Welt) wählt – sein Grab. Es ist ein äußerer Ausdruck der Furcht des Herrn. Ich bekenne offen, dass ich das Böse, womit ich mich vorher einsgemacht habe, so sehr hasse, dass ich mir selbst gestorben bin. Ich bekenne, dass ich geistlich bereits eins mit Christus bin, der an meiner Stelle gestorben ist. Es geht nicht darum, dass ich in diesem Moment etwas völlig Neues werde, sondern ich bekenne, dass ich bereits neu bin.

Meine Identität hat sich *objektiv* verändert, seit Gott mir die Gnade der neuen Geburt durch den Glauben an das vollbrachte Werk Christi am Kreuz gewährt hat. Aber vielleicht weißt du nicht, was das *subjektiv* für dich bedeutet. Was es in Bezug auf Gott, dich selbst und deinen Feind bedeutet. Lass uns also Schritt für Schritt durchgehen.

Ein neues Verständnis von Gott

> *Wer erkennt die Stärke deines Zorns und, deiner Furcht gemäß, deinen Grimm?*
>
> – Psalm 90,11

> *Er ist ein Gott, schrecklich in der Versammlung der Heiligen, und furchtbar über alle, die rings um ihn her sind.*
>
> – Psalm 89,8

Als ich jünger war, dachte ich, dass die Ägypter die Bösen und die Israeliten die Guten waren. Aber das war ein großer Irrtum. Die Israeliten in Ägypten waren eigentlich genauso schlecht wie die Ägypter selbst. Sie waren Götzendiener und hatten ein völlig falsches Bild von Gott.

Als Mose auftauchte, sagten sie nicht: „Hey, super Neuigkeiten! Das ist der Befreier von Gott!" Nein, sie lehnten ihn ab. Und damit lehnten sie auch Gott ab.

Dann bestrafte Gott die ägyptischen Götter mit den 10 Plagen. Das flößte Angst ein. Und das zu Recht, denn Gott zerstörte alles, was ihnen mehr wert war als er.

In dieser letzten Nacht musste jeder in Ägypten ein Lamm schlachten, um zu zeigen, dass er auf Gottes Lösung vertraute: das Lamm. Das Lamm rettete sie vor dem Zorn Gottes. Vor Gott selbst. Das war der erste Schritt, um ihr Bild von Gott zu verändern. Sie *fürchteten* einen Gott, der sie töten konnte und würde, wenn sie nicht gehorchten.

Aber sie gehorchten.

Die Plagen hatten ihnen die richtige Lektion erteilt. Furcht. *Echte* Furcht.

Am Roten Meer lehrte Gott die Israeliten, ihn mit *echter Furcht* zu fürchten. Und das hinterließ einen tiefen Eindruck in ihrer Seele. Schau dir an, wie ihr Lied der Erlösung den Herrn, unseren Gott, in 2. Mose 15 beschreibt:

„Der HERR ist ein Kriegsmann.
Deine Rechte, HERR, hat zerschmettert den Feind.
Du ließest deine Zornglut los: Sie hat sie verzehrt wie Stoppeln.
Und durch den Hauch deiner Nase türmten sich die Wasser.
Wer ist dir gleich unter den Göttern, HERR!
Wer ist dir gleich, herrlich in Heiligkeit, furchtbar an Ruhm, Wunder tuend!" – 2. Mose 15,3.6-8.11

Das klingt nicht nach einem kleinen, winzigen, inkonsequenten Gott. Das hört sich nicht nach „Respekt" an. „Respekt" ist das, was du deinem Lehrer in der Schule zeigst. Aber dieser Gott, den Israel besang, war in einer ganz anderen Kategorie.

Schau dir noch einige andere Zeilen des Liedes an:

„Die Völker hörten es, sie bebten;
Angst ergriff die Bewohner Philistäas.
Da wurden bestürzt die Fürsten Edoms;
die Starken Moabs, sie ergriff Beben;
alle Bewohner Kanaans verzagten.
Schrecken und Furcht überfiel sie." – 2. Mose 15,14-16

Nach dem Roten Meer hatte Israel ein neues Bild von Gott.

Als sie Ägypten verließen, taten sie das, weil sie *anfingen,* ihn zu fürchten. Am Roten Meer sahen sie seine *volle* Macht. Die Geschichte endet mit 2. Mose 14,30-31: *„So rettete der HERR Israel an diesem Tag aus der Hand der Ägypter, und Israel sah die Ägypter tot am Ufer des Meeres. Und Israel sah die große Macht, die der HERR an den Ägyptern betätigt hatte; und das Volk* **fürchtete den *HERRN***, *und sie glaubten an den HERRN und an Mose, seinen Knecht."*

Sie fürchteten Gott. Jetzt kannten sie ihn.

Ein neues Verständnis deiner Identität

Identität ist ein wichtiges Thema für Gott. Das Erste, was Jesus oft tat, wenn er Menschen traf, war, ihre Namen zu ändern. Abram wurde zu Abraham, Jakob zu Israel, Simon zu Petrus usw. Er änderte die Namen, weil Namen in der Antike etwas mit Identität zu tun hatten. Die Namen sollten zur Persönlichkeit der Menschen passen. Indem er also einen neuen Namen gab, definierte Jesus ihre Identität neu.

Gott hat *dir* auch einen neuen Namen gegeben. Eine neue Identität.

Kennst du ihn?

Israel kannte ihn nicht ... bis sie das Rote Meer durchquerten. Zumindest wussten sie es bis dahin nicht zu schätzen. Der neue Name wird zum ersten Mal in dem berühmten Exodus-Lied *nach* dem Roten Meer erwähnt. Das *erste* Lied in der Bibel. Dort finden wir eine neue Identität:

„Das Volk, das du erlöst hast." (2. Mose 15,13)

Es ist das erste Mal, dass Erlösung in der Bibel erwähnt wird. Das ist der Grund, warum Israel in Ägypten keine Lieder gesungen hat. Sie sangen *erst,* als sie durch das Rote Meer zogen, weil sie es vorher noch nicht konnten. Sie waren noch kein „erlöstes Volk".

Aber nach dem Roten Meer waren sie es. Und was für ein Lied hatten sie zu singen!

Warum?

Weil sie eine neue Identität hatten.

Auch wir wurden erlöst. Christ zu werden ist ein Identitätswechsel. Unsere neue Identität als Christ wird *neuer Mensch* genannt. Das ist doch ganz einfach, oder?

Neuer Mensch.

Alles ist brandneu.

Im totalen Gegensatz zum „neuen Menschen" steht der „alte Mensch".

Der „alte Mensch“ und der „neue Mensch“ sind abstrakte Begriffe, die dazu dienen, wichtige Wahrheiten über unsere Identität zu veranschaulichen. Der „alte Mensch“ ist ein Ausdruck, der im Neuen Testament (Römer 6,6, Epheser 4,22, Kolosser 3,9) verwendet wird, um den früheren sündigen moralischen Zustand des Menschen zu beschreiben. Der „alte Mensch“ wird als Nachkomme Adams beschrieben.

Zur Veranschaulichung: Stell dir Folgendes hypothetisch vor: Ein Engel sieht einen Menschen sündigen und schüttelt angewidert den Kopf, indem er sagt: „Typisch *alter Mensch*! Ein Nachkomme von Adam. Wie der Vater, so der Sohn.“

Dieser „alte Mensch“ war eine Beleidigung für Gott als Schöpfer. Er war Gottes Bild, das durch die Sünde *verunstaltet* wurde. Wie eine Karikatur Gottes. Gott hasste dieses böse Bild und deshalb gab er den Menschen einen Ausweg, um es loszuwerden – die Identifikation mit dem Tod von Christus.

Indem wir an Christus glauben, zeigen wir, dass auch wir unseren Zustand im Bösen hassen.

Wir geben unser altes Selbst auf und Gott sieht es so, wie es ist: gekreuzigt.

Durch den Tod mit Christus hat Gott diese alte Identität ausgezogen wie die alte Haut einer Raupe. Wir bekennen uns zu dieser Realität, indem wir uns taufen lassen. Wir zeigen, dass wir mit Christus tot sind, wenn wir ins Wasser eintauchen. Wir tauchen unter und werfen das Böse in den Tod.

Die Israeliten taten es, indem sie Mose ins Meer folgten. Als sich das Wasser auf beiden Seiten auftürmte und sie zögernd auf dem Meeresgrund hinausgingen, müssen sie gedacht haben, dass dies das Ende sei. Der Tod.

Doch als sie *„alle durch das Meer gingen, wurden sie alle auf Mose getauft.“* (1. Korinther 10,1-2) Den Mose, den sie zuvor belächelt hatten, akzeptierten sie nun als von Gott kommend. Sie identifizierten sich mit seiner Mission. Sie gingen mit ihm durch das Wasser des Todes, das Rote Meer. Sie trennten sich vom Pharao.

Sie verwarfen Ägypten und die Götter, die sie dort angebetet hatten.

Das Ergebnis des Durchzugs durch das Rote Meer war: Israel. Die Geburt einer neuen Nation, frei von der Macht des Feindes.

Das Ergebnis für einen Christen ist ein wunderbarer „neuer Mensch“. (Epheser 2,15, Epheser 4,24, Kolosser 3,10) Dieser neue Mensch ist unsere neue Identität, die in Christus verankert ist. Sie ist „in Christus“. Und dieser neue Mensch lebt nicht vom Brot allein, sondern von jedem Wort, das aus dem Mund Gottes hervorgeht.

Er liebt es, in der Bibel zu lesen, Zeit im Gebet zu verbringen und mit anderen Christen zusammen zu sein.

Weil es sein Leben ist, wird dieser „neue Mensch“ durch die intime *epignosis* – das Wissen um seinen Schöpfer – erneuert. Aber diese Verwandlung ist nur möglich, wenn wir unsere Identifikation mit dem Tod Christi verstehen. Sonst bist du ein starker Elefant, der nicht weiß, dass er stark ist.

Bevor du deine wahre Identität in Christus finden kannst, musst du verstehen, dass deine alte Identität mit Christus vor 2.000 Jahren an einem Holzkreuz gestorben ist.

Du kannst die natürliche Welt nur durch den Tod verlassen. So ist es auch in der geistlichen Welt. Am Kreuz hat Gott nicht nur die Welt gerichtet, sondern auch den alten Menschen, der zu dieser Welt gehört. In Römer 6,6 heißt es: *„Unser alter Mensch ist mitgekreuzigt worden, damit der Leib der Sünde abgetan sei, dass wir der Sünde nicht mehr dienen.“*

Wenn du immer noch ein Sklave der Sünde bist, hast du vielleicht noch nicht *wirklich* verstanden, was Christus am Kreuz für dich getan hat. Du brauchst *Epignosis*-Wissen. Nicht nur Kopfwissen. Vielleicht hast du nur gehört, dass Christus für dich gestorben ist, aber du warst dir nie bewusst, was das mit deiner Identität zu tun hat.

Du wusstest, dass Christus *für* dich gestorben ist, aber du hast nie verstanden, dass du *mit* ihm gestorben bist. *„Er selbst hat unsere Sünden an seinem Leib am Kreuz getragen, damit wir den*

Sünden sterben können.“ (1. Petrus 2,24)

Deshalb ermutige ich dich: Fürchte den Herrn und *wisse,* dass du mit Christus gestorben bist.

Erst als das Rote Meer zwischen Israel und Ägypten lag, waren sie frei. Erst wenn das Kreuz zwischen dir und der Welt und ihrem König steht, bist du wirklich „nicht länger ein Sklave der Sünde“.

Du bist wirklich frei.

Ein neuer Mensch.

Ein neues Verständnis des Feindes

James, ein guter Freund von mir, ist ein Hirte. Einmal beobachtete ich, wie er damit umging, als sein junger kleiner Hund Angst vor einem großen, starken Schaf hatte. Was dann geschah, war für mich sehr lehrreich. James schnappte sich das große Schaf und setzte sich darauf, während er seinen Hund rief, er solle kommen. Dann zwang er den Kopf des Hundes direkt vor den Kopf des Schafes. Was er dem Hund damit zeigen wollte, ist Folgendes: „Wenn du in meinen Händen bist – ist das Schaf machtlos. Hab keine Angst. Das Schaf sieht für dich groß aus, aber ich bin mächtiger und es muss *mir* gehorchen.“

Der Durchzug durch das Rote Meer hat Israel eine ähnliche Lektion erteilt: Ich bin der allmächtige Gott voller Kraft, ich habe dir eine neue Identität gegeben und ich habe deinen Feind besiegt. Schau nicht auf deine Feinde, schau auf mich.

Israel zog mitten durch das Wasser; Pharao und sein Heer wurden von den Wassern zerstört.

Es war der Tod des Sklavenhalters. Der Tyrann wurde entthront.

Hör dir diese Zeile aus dem Siegeslied an: *„Die Wagen des Pharaos und seine Heeresmacht hat er ins Meer gestürzt.“* (2. Mose 15,4)

Das Kreuz gab auch Satan eine neue Identität: Verlierer. Das Kreuz war für ihn eine totale Niederlage. Wenn wir es mit der

Geschichte Israels vergleichen, wurde der Pharao tot am Ufer des Roten Meeres gesehen. Sein ganzes Heer, seine Quelle der Macht, wurde zerschlagen. Er wurde durch sein eigenes Werkzeug getötet: den Tod. Das Wasser, von dem er dachte, es würde Israel den Weg abschneiden, schnitt in Wirklichkeit seine Macht ab.

Satan machte den gleichen Fehler.

Das Kreuz sollte Jesus töten, stattdessen brach der Tod Satans Macht.

Er dachte, der Tod Jesu sei sein Sieg. Doch er irrte sich.

„Damit er [Jesus] durch den Tod den zunichte machte, der die Macht des Todes hat, das ist den Teufel." (Hebräer 2,14)

Was bedeutet das jetzt für dich und mich? Wie verändert das die Macht des Teufels und der Sünde heute? Lass es mich mit zwei merkwürdigen Versen aus Römer 6 erklären.

> *„Denn die Sünde wird nicht über euch herrschen."* – Römer 6,14

> *„Also herrsche nicht die Sünde in eurem sterblichen Leib, um seinen Begierden zu gehorchen."* – Römer 6,12

Das ist ein scheinbarer Widerspruch, oder? Die Sünde *wird* nicht herrschen, aber *lass* die Sünde nicht herrschen. Das ist so, als würde man sagen: „Der Hund beißt nicht, aber pass auf, dass er nicht beißt." Was jetzt? Wird er beißen oder nicht? Wird die Sünde per Definition „nicht herrschen" oder muss ich aufpassen, dass sie nicht herrscht?

Die Antwort lautet: beides.

Aber um das ganz zu verstehen, müssen wir einen Blick auf das griechische Original werfen.

In Vers 12 schreibt Paulus: *„Lass die Sünde nicht in deinem sterblichen Leib herrschen."* Er verwendet für „herrschen" ein Wort namens „βασιλεύω" (*basileuō*). Es bedeutet „herrschen". Herrschen im Sinne eines Königs. *Basileuō-Regentschaft.*

Aber in Vers 14 benutzt er ein anderes Wort für „herrschen“. Er benutzt das Wort „κυριεύω“ kyriévo. Es bedeutet auch „herrschen“, aber eher im Sinne von „beherrschen“: *Kyrios-Herrschaft*.

Was ist also der Unterschied zwischen der *Basileuō-Regentschaft* und der *Kyrios-Herrschaft*?

Der *Kyrios* (Herr) ist höher als der *Basileuō* (König). Der *Kyrios* herrscht über alles. Du kannst dieser Herrschaft nicht entkommen. Es ist wie mit der Schwerkraft. Jeder ist ihr unterworfen. Aber ein König im Sinne des *Basileuō-Reiches* war so etwas wie ein lokaler Statthalter. Wie in Matthäus 2,22, wo Josef flieht, weil er hört, dass Archelaus über Judäa *herrschte*. Oder wie in Lukas 19,14, wo die Leute ihrem Vorgesetzten sagen: „Wir wollen nicht, dass dieser über uns *herrsche*.“

Man kann sich dieser Art von Herrschaft entziehen oder sie sogar ablehnen.

Wenn du dir mit diesem Wissen die beiden Verse noch einmal ansiehst, wirst du die *Machtlosigkeit* des Feindes erkennen. In Römer 6,14 steht: *„Die Sünde wird keine Kyrios-Herrschaft über dich haben.“* Wenn du versucht bist, dieses eine bestimmte Bild anzuklicken, wenn sie dich ruft, wenn sie um die Ecke lauert – es ist *nicht* hoffnungslos wie vor deiner Bekehrung!

Als du in Ägypten warst, *musstest* du gehorchen. Keine Chance.

Du hast das Bild gesehen – du musstest es anklicken.

Dein Freund hat dich zum Trinken eingeladen – du musstest hingehen.

Aber du bist nicht mehr in Ägypten. Lies diesen Satz noch einmal und erinnere dich, dass er wahr ist.

Das Rote Meer ist zwischen dir und deinem Feind. Der Pharao ist tot. Das Kreuz ist zwischen dir und der Welt. Die Welt ist für dich gekreuzigt. Du bist der Welt gekreuzigt. (Galater 6,14) Jemand anderes ist jetzt der *Kyrios*. Es ist der *Kyrios* Jesus Christus. Der *HERR* Jesus Christus. Deshalb ist das *„HERR“* Jesus keine Nebensache.

Das Einzige, was der Christ tun muss, ist, die Sünde nicht herrschen zu lassen. Wir müssen die *Basileuō*-Herrschaft vermeiden. Das Böse hassen. Und wenn wir das tun, hat das Böse keine Macht mehr. Es ist tot wie der Pharao und sein Heer am Strand.

Die Sünde ist ein entthronter König.

Fürchte Gott und fürchte nicht Satan, die Sünde und die Welt.

Wenn du unter der Herrschaft von Christus lebst, wird die Sünde nicht mehr über dich herrschen.

Stopp jetzt mal kurz. Lies die Verse nochmal durch und bete.

Das ist der Kampf. Darum geht es.

JEMAND ANDERES IST JETZT DER KYRIOS. ES IST DER KYRIOS JESUS CHRISTUS.

TAKEAWAYS

1. **Fokus auf den Tod.** Die heutigen Bekehrungsformeln konzentrieren sich auf das Positive – den Erlöser, das neue Leben und ein sorgenfreies Leben. Aber Gottes Lösung für den Menschen beginnt mit einem anderen Schritt: dem Tod. Diese kontraintuitive Denkweise hilft dir, die Freiheit in einer neuen Identität zu entdecken.

2. **Wir sind einsgemacht mit Jesus im Tod**. Gott identifiziert den Gläubigen mit Christus und er nimmt somit denselben Platz gegenüber Satan, der Sünde und der Welt ein – das Grab. So überwinden wir die Welt. Es ist der einzige Weg, um wahre Freiheit von der Sünde zu finden.

3. **Die Identifikation im Tod schafft neue Identitäten.** Der Tod schafft alte Identitäten ab. Gott ist mehr zu fürchten als alle anderen Götter. Dein neues Selbst ist tot für die Sünde und vereint mit Christus. Satan ist entthront.

GEBET

Herr, ich danke Dir, dass Du mir eine komplett neue Identität gegeben hast. Dass Du mein Herr bist und ich somit erlöst bin. Ich bin frei. Frei von dem Teufel und der Welt. Hilf mir zu verstehen, dass ich tot bin, die Sünde ein entthronter König und Du allein der Herr!

KAPITEL 11

DAS KREUZ UND DIE SÜNDE

DAS KREUZ ZEIGT UNS, WIE SEHR GOTT DIE SÜNDE HASST

Ich verstehe mich nicht wirklich.

– nach Römer 7,15

There are things I hate I end up doin'
Things I wanna do I just don't do.
Lord, it seems so sad.
Why am I so bad,
When in my heart I only wanna be like You.

– Keith Green

„Ich mach, was ich nicht will"

„Natha – Ich bin Christ und ich möchte wirklich frei sein, aber ich bin es nicht. Ich falle immer wieder. Manchmal gerade wenn es richtig gut läuft. Ich zweifle sogar daran, ob ich gerettet bin. Ich kann kaum noch Andacht machen. Ich denke wirklich darüber nach aufzugeben."

Das ist eine Nachricht, die ich ziemlich oft kriege. Aber es gibt auch eine andere Nachricht, die ich genauso häufig bekomme: „Natha – ich wurde von meinen Süchten befreit. Ich habe deine Inhalte gesehen und merke, wie sie sich in meinem Leben auswirken."

Der Unterschied zwischen diesen beiden Nachrichten ist wahrscheinlich dieses Kapitel.

Aber bevor wir gleich loslegen, solltest du wissen, dass Heiligung sehr vielschichtig ist. Heiligung ist für jeden etwas anderes, aber für die meisten Menschen, die dieses Buch lesen, ist es wahrscheinlich das wichtigste Kapitel. Es gibt einen Grund, warum

Römer 7 eines der bekanntesten Kapitel der Bibel ist.

Das liegt daran, dass es das Problem der *Schwäche* löst.

Das Paradoxe ist, dass wir Dinge tun, die wir hassen, und Dinge, die wir lieben, nicht tun.

Es ist der Schmerz, wenn du von einer Bibelfreizeit zurückkommst und wieder in deine Sündenroutine zurückfällst. Selbst nachdem du verstanden hast, dass Jesus gestorben ist, um für dich im Gericht zu stehen. Lange nachdem du verstanden hast, dass Gott dich mit ihm im Tod identifiziert hat. Vielleicht weißt du all diese Dinge und bist trotzdem nicht frei. Du schreist täglich wie Paulus in Römer 7: *„Ich elender Mensch, wer wird mich erretten von diesem Leibe des Todes?“*

Und so häufen sich die zweifelnden Fragen weiter an.

Fürchte ich den Herrn wirklich, obwohl ich die Sünde liebe?

Bin ich vielleicht ein Ungläubiger?

Heute wirst du Antworten bekommen. Ich möchte dir anhand der Bibel zeigen, *wo* deine wahre Identität ist. Dazu machen wir weiter mit der Wüstenreise und schauen auf die Geschichte der kupfernen Schlange, auf die Funktion des Gesetzes, die Anatomie deines Wesens, den Ort deiner wahren Identität und schließlich auf die Kraft, die alles wirkt.

Es gibt viel zu tun – let’s go!

Die Kupferschlange

Was in aller Welt hat eine kupferne Schlange damit zu tun? Sehr viel. Schauen wir uns das mal an. Bei der Kupferschlange ging es darum, Israel den *Kern* seiner Probleme zu zeigen. Genau das, was wir brauchen: das Grundproblem angehen. Oft hilft uns am Besten die Kehrseite anzuschauen: Was passiert, wenn du den Kern des Problems nicht verstehst.

Wenn du den Kern des Problems nicht verstehst, wirst du zu selbstsicher sein.

Der historische Kontext ist in 4. Mose zu finden. Damals sah Israel einen Feind auf sich zukommen. So wie die Sünde oft plötzlich in deinem Leben auftaucht.

Was tat Israel? *„Israel legte ein Gelübde vor dem Herrn ab und sagte: ‚Da tat Israel dem HERRN ein Gelübde und sprach: Wenn du dieses Volk gewiss in meine Hand gibst, so werde ich seine Städte verbannen.'"* (4. Mose 21,2)

Kommt dir das bekannt vor? Hast du jemals etwas gesagt wie: „Ich werde das nie wieder tun"?

Das klingt schön, aber es ist dein Stolz, der da spricht. Du bist zu selbstsicher.

Du unterschätzt eine Kraft, die noch in deinem Körper steckt: Die Sünde.

Und du wirst garantiert wieder fallen.

Wenn du den Kern des Problems nicht verstehst, wirst du nach großen Siegen Anfängerfehler machen.

Wie ging es nun mit Israel weiter?

Israel siegte mit Gottes Hilfe in der Schlacht. Aber danach *„brachen sie auf vom Berg Hor, den Weg zum Roten Meer."* (4. Mose 21,4) Warum wird der „Weg zum Roten Meer" erwähnt? Weil sie eigentlich in Richtung des Roten Meers zurückgingen. Sie hatten gerade einen großen Sieg errungen, aber etwas in ihnen zog sie zurück an einen Ort, den sie hinter sich gelassen hatten.

Erst vor kurzem waren sie aus der Sklaverei in die Freiheit gelangt, aber jetzt flirteten sie mit dem Gedanken zurückzugehen. Zum Bösen. In ihren Herzen kehrten sie nach Ägypten zurück. Und das Ergebnis ist ebenso offensichtlich wie traurig: Sie verfallen in die gleiche üble Logik wie damals vor dem roten Meer. Vergleiche mal beide Bibelstellen:

„Und das Volk redete gegen Gott und gegen Mose: Warum habt ihr uns aus Ägypten heraufgeführt, dass wir in der Wüste sterben? Denn da ist kein Brot und kein Wasser, und unsere

Seele ekelt sich vor dieser elenden Speise.“ (4. Mose 21,5)

Beachte das ähnliche Murren, das sie bei ihrer Flucht aus Ägypten erlebten:

“Sie sagten zu Mose: Hast du uns darum, weil in Ägypten keine Gräber waren, weggeholt, damit wir in der Wüste sterben? Was hast du uns da getan, dass du uns aus Ägypten herausgeführt hast!“ (2. Mose 14,11)

Was war Gottes Lösung für ihr ständiges Murren? Er zeigte ihnen den Kern des Problems. Vielleicht hast du dich gefragt, warum Gott dich so oft in dieselbe Sünde fallen lässt. Das liegt daran, dass er möchte, dass du diese Lektion gründlich verstehst. Er will, dass du das wahre Problem erkennst – den Kern. Er will, dass du die Sünde hasst. Dass du Gott fürchtest.

Wenn du den Kern des Problems nicht verstehst, wird Gott ihn dir schmerzhaft zeigen.

Israel murrte und Gott schickt Schlangen. Sie bissen das Volk und das diente dazu, ihnen äußerlich zu zeigen, was in ihrem Inneren vorging. Wenn du immer wieder in dieselbe Sünde fällst, spricht Gott zu dir. Er zeigt dir von Außen, was in deinem Inneren vorgeht. Du unterschätzt den Kern des Problems. Die Sünde in ihrer ursprünglichen Form: die Schlange! Die alte Schlange aus dem Garten.

Es ist, als ob Gott sagen würde: Du bist zwar nicht mehr in Ägypten, aber Ägypten ist immer noch in dir!

Im Römerbrief nennt Paulus es die *„Sünde, die in mir wohnt“*. Das werden wir gleich sehen.

Die Lektion für Israel zeigte auf jeden Fall volle Wirkung. (Beißende Schlangen haben die Angewohnheit, unsere Aufmerksamkeit zu bekommen!)

Die Israeliten sagten: *„Wir haben gesündigt, dass wir gegen den HERRN und gegen dich geredet haben; flehe zum HERRN, dass er die Schlangen von uns wegnehme.“* (4. Mose 21,7)

Beschreibt das nicht auch uns?

Bitte, Herr, nimm diese Sucht von mir weg.

Aber Gott nimmt die Schlangen nicht weg. Er wird auch deine Sünde nicht aus dir herausnehmen. Denn deine Sucht nach ____________ ist nicht das Problem. Wenn er sie wegnehmen würde, hättest du in den nächsten 24 Stunden eine andere Sucht, nämlich _____________.

Gott dringt zum Kern vor und der Kern ist die Sünde.

Und die Art und Weise, wie Gott mit diesem Problem umgeht, wird dir den Atem rauben und dich die Sünde noch mehr hassen lassen.

Das Kreuz Christi spricht den Kern des Problems an.

Wenn es keine Sünde gäbe, gäbe es auch keine Probleme. Einverstanden? Das bedeutet, dass der Kern aller Probleme die Sünde ist. Deshalb hat Gott sich den Kern des Problems vorgenommen: die Sünde.

Und das war furchtbar.

Jesus wurde zur Sünde.

Jesus wurde zu dieser Schlange.

In Johannes 3,14 heißt es: *„Und wie Mose in der Wüste die Schlange erhöhte, so muss der Sohn des Menschen erhöht werden."*

Jesus wurde freiwillig zu etwas, das Gott auf ewig hasste: Sünde. *„Den, der Sünde nicht kannte, hat er für uns zur Sünde gemacht."* (2. Korinther 5,21)

Jesus wurde zur Sünde. Ich würde nicht wagen, *das* zu schreiben, wenn die Bibel es nicht lehren würde.

(1) *Jesus hat nicht nur deine Sünden getragen (Passahlamm).*

(2) *Jesus hat nicht nur den König der Sünder vernichtet (Rotes Meer).*

Jesus wurde zur Sünde und verurteilte sie an seinem eigenen Körper durch den Tod.

Die Schlange ist das Symbol der Sünde. Gott hat Jesus zur Sünde gemacht. Und mit dieser neuen Identität musste sich Jesus der Heiligkeit Gottes stellen. So, als ob er die Quelle alles Bösen wäre. Es lässt mich erschaudern, wenn ich das schreibe. Unser geliebter Herr Jesus Christus musste sich dem „kolossalen Feuerball" stellen.

Es ist unmöglich, die Tiefe des Kreuzes zu verstehen, aber es bedeutet, dass Gott mit *deiner* Sünde bis zum Äußersten gegangen ist. Gott hasste die Sünde so sehr, dass er bereit war, Mensch zu werden und zu sterben, um sie bis auf den letzten Millimeter vollständig zu vernichten.

Wenn das also alles vollbracht ist – warum *will* ich dann noch sündigen?

Gute Frage, aber mit einem Fehlschluss versehen.

Du willst es gar nicht mehr.

Und genau das zeige ich dir im nächsten Kapitel.

Das Gesetz als Werkzeug

Das Problem ist, dass du die Sünde von Zeit zu Zeit immer noch *liebst*. Etwas in dir *genießt* die Sünde immer noch. Das Vergnügen der Sünde. Deshalb müssen wir mal über die Sünde im Singular sprechen. Die Sünde *als Prinzip*. Als eine treibende Kraft in deinem Leben. Und das ist wirklich böse. Es ist unsere Neigung, Grenzen zu überschreiten, gerade weil es Grenzen gibt. Regeln zu brechen, weil es Regeln gibt, die von jemand anderem aufgestellt wurden, dem wir uns nicht unterwerfen wollen.

Das ist nicht nur ein Problem, das Erwachsene haben. Beobachte einfach mal Kinder. Du sagst: „Iss den Kuchen nicht."

Rate mal was passiert ... Sie können gar nicht anders – und der Kuchen ist weg!

Erinnert dich das an jemanden?

Gott dringt also zum Kern dessen vor, was wir sind. Und dafür brauchen wir ein Werkzeug. Ein Mikroskop, mit dem wir in unser Inneres schauen können. Dieses Mikroskop ist das Gesetz. Vielleicht hast du schon einmal gehört, dass das Gesetz wie ein Spiegel ist – was auch stimmt –, aber es ist auch ein Mikroskop.

Lass mich kurz den Unterschied erklären.

- Das Gesetz in Römer 1-3 deckt Sünden auf. Falsche Taten. Wie ein *Spiegel*, der zeigt, wie schmutzig du bist. Die Lösung für unsere Sünden ist das Blut Christi oder, im Bild gesprochen, das Blut des Passahlamms.
- Das Gesetz in Römer 5 offenbart unsere sündige Identität in Adam, dem Übertreter. Das Gesetz könnte man als *DNA-Test* bezeichnen. Er beweist, dass wir aus Adams rebellischer Familie stammen. Die Lösung für Sünder ist der Tod. Die Vereinigung mit Christus im Tod – das ist das Rote Meer.
- Das Gesetz in Römer 7 hilft uns, die Sünde in uns zu lokalisieren. Man könnte das Gesetz als *Mikroskop* sehen. Die Lösung ist die Verurteilung der Sünde im Fleisch. Das ist die bronzene Schlange.

Wie das im Einzelnen funktioniert, werden wir gleich sehen, aber ich kann mir vorstellen, dass du immer noch Schwierigkeiten hast, den Unterschied zwischen *Sünde* und *Sünden* zu erkennen.

Sünden im Plural sind *Taten*.

Die Sünde im Singular ist das *Prinzip*.

Lass es mich an einem einfachen Beispiel erklären: Falten. Falten sind der „Feind“ vieler alternder Menschen. Aber Falten sind nur ein Symptom. Die treibende Kraft hinter Falten ist ein Gesetz. Der zweite Hauptsatz der Thermodynamik, der besagt, dass alles vergeht. Wenn wir das auf Sünden und Sünde übertragen, sieht es so aus:

- Sünden → Falten (das Symptom)
- Sünde → Der zweite Hauptsatz der Thermodynamik (die treibende Kraft hinter dem Symptom)

Wenn wir also die Sünde aufdecken wollen, konzentrieren wir uns nicht auf die „Sünden", das Symptom, sondern auf das Prinzip dahinter, nämlich die Neigung, die Sünde zu lieben. Und das Gesetz wird unser Mikroskop sein: *„Die Sünde hätte ich nicht erkannt als nur durch Gesetz. Denn auch von der Begierde hätte ich nichts gewusst, wenn nicht das Gesetz gesagt hätte: ‚Du sollst nicht begehren.'"* (Römer 7,7) Wir werden das Gesetz nicht als Spiegel benutzen, um den äußeren „Verfall" zu sehen, sondern als Mikroskop, um zu erkennen, was den inneren Verfall verursacht: die Sünde.

Das ist schmerzhaft. Aber heilend.

Am Ende wirst du deine Identität besser lokalisieren können.

Und das ist genial.

Was deine Identität ist und was sie nicht ist*

Im letzten Abschnitt wurden wir mit dem Gesetz als Mikroskop ausgestattet. Jetzt wollen wir es benutzen und in unser Inneres schauen. Was in mir ist böse und was nicht? Denn um in der Furcht des Herrn zu leben, müssen wir das „Böse" hassen – nicht das „Gute". Deshalb müssen wir zwischen diesen beiden unterscheiden.

Um uns dabei zu helfen, analysiert Paulus seinen eigenen Körper. In Römer 7,13 beginnt er seine Überlegungen mit der Leitfrage: *„Hat mir das Gute (das Gesetz) den Tod gebracht?"* Man könnte auch sagen: „War das Gesetz etwas Schlechtes für mich?"

Die klare Antwort lautet: *„Das sei ferne! Sondern die Sünde, damit sie als Sünde erschiene, indem sie mir durch das Gute den Tod bewirkte, damit die Sünde überaus sündig würde durch das Gebot."*

*ZU DIESEM THEMA GIBT ES MEHR IM ZWEITEN BUCH VON NATHA: "ÜBERRASCHT VON LIEBE".

Das bedeutet: „Nein – die Sünde ist der Übeltäter!“ Aber der ganze Prozess, das Gesetz als Mikroskop zu benutzen, ist genial, weil er zwei Dinge mit sich bringt:

- Es deckt die Sünde auf (*„die Sünde, damit sie als Sünde erschiene“*).
- Es lässt die Sünde reagieren und macht sie dadurch noch sichtbarer (*„indem sie mir durch das Gute den Tod bewirkte“*).

Genial.

Die *Sünde* ist also eine Sache, die wir unter dem Mikroskop sehen.

Das *Fleisch* ist ein weiterer Begriff, der in Römer 7 benutzt wird. Aber dafür brauchen wir kein Mikroskop, denn mit Fleisch ist, vereinfacht gesagt, der *Körper* gemeint.

Und dann gibt es noch dieses seltsame Ding namens „Ich“. Ich bin, ich tue, ich habe, ich finde. Das ist die *Identität.*

Aber Paulus gibt sich zu Anfang sehr verwirrt. Er versucht herauszufinden, was diese Identität *ist* und wo sie zu *finden ist.*

Um ihm folgen zu können, müssen wir aber verstehen, wie Paulus das „Ich“ –*ego* im Griechischen verwendet. Er verwendet eine grammatikalische Form, die es im Griechischen und Lateinischen gibt, aber nicht im Deutschen. Das bedeutet, dass ein griechischer Leser beim Lesen des Römerbriefs sofort verstanden hätte, wovon Paulus spricht, während wir leer ausgehen. Aber lass es mich kurz erklären, dann gehts auch direkt weiter.

Anders als beim deutschen Verb sind die Person und die Menge beim griechischen Verb in der Endung enthalten. Jede Person, ob im Singular oder Plural, hat eine klar unterscheidbare Endung. Deshalb ist die Verwendung von Personalpronomen (z. B. ich, du, er ...) vor den Verben im Griechischen nicht notwendig. Trotzdem können die Personalpronomen zur Betonung verwendet werden. Im Griechischen sagt man normalerweise „Ich esse“ mit nur einem Wort. Die Endung zeigt einfach an, ob ich (oder du oder er oder sie, etc.) esse.

Ich esse	**du isst**	**er isst**
ἐσθίω	ἐσθίεις	ἐσθίει

Warum ist das wichtig?

Wenn der griechische Schreiber das überflüssige Pronomen „ich“ (*ego*) vor das Verb setzt, betont er die Identität. Wenn der Grieche zum Beispiel sagen will „Ich laufe“, muss er eigentlich auf Griechisch nur „laufe“ sagen. Aber wenn er das „Ich“ hinzufügt, dann meint er ***„Ich*** laufe“ – nicht *„du* oder *jemand anderes* läuft“– ***„ich*** laufe!“ Es betont die Identität. Wir drücken dasselbe aus, indem wir im Deutschen das „Ich“ sprachlich betonen. Probiere es mal aus, indem du das „Ich“ in *„Ich* renne“ betonst.

Ich esse

ἐγώ ἐσθίω

Hier ist eine Veranschaulichung, um diese Methode in Aktion zu sehen: Der Herr benutzt diese Redeform, als er seinen Jüngern nach der Auferstehung sagen wollte, dass er *wirklich* da war und dass es *wirklich DER* war, den sie sahen. *„Seht meine Hände und meine Füße, dass ich es selbst bin“* (Lukas 24,39) Im griechischen Text heißt es: *„Seht, dass ich es bin.“*

Er hätte auch sagen können: „Seht, dass *bin*.“

Aber er sagte: „Seht, dass ***ich*** es *bin*.“

Das bedeutet: „Ich bin es wirklich – ICH SELBST.“

Diese Besonderheit in der Sprache ist ein Schlüssel zum Verständnis von Römer 7.

Der Apostel nutzt sie strategisch, um zu zeigen, was er *ist* und was er *nicht* ist.

Zurück zum Mikroskop. Paulus schaut durch das Gesetz (das Mikroskop) auf seine Begierden. Sein Ergebnis: Er *will* den

Willen Gottes tun. *„Ich stimme dem Gesetz bei, dass es recht ist.“* (Römer 7,16) Aber dann sieht er die Handlungen seines Körpers und sie sind konträr.

Ich will das Gute.
Ich tue Böses.

Seltsam, nicht wahr? Es ist wie bei einem IT-Mitarbeiter, der vor dem Computer sitzt, und plötzlich öffnet sich aus dem Nichts ein Programm. Oder der Cursor bewegt sich selbstständig. Was würde der Informatiker daraus schließen? „Ich habe einen Virus in meinem System.“

Das ist genau das, was Paulus feststellt: Er hat einen Virus.

Dieser Unterschied zwischen Wollen und Tun bringt ihn in den Versen 17-20 zu dem Schluss, dass derjenige, der hier handelt und Dinge tut, nicht mehr das „Ich“ ist, sondern ein Virus, den Paulus die „in mir wohnende Sünde“ nennt.

Die Sünde als Parasit. Als Virus.

Sünde als Prinzip.

„Das Gesetz der Sünde“.

Mein Freund, das ist eine gute und nicht so gute Entdeckung zugleich.

Nicht so gut, denn die Sünde ist *in* dir.

Aber richtig gut, denn die Sünde bist *nicht* du.

Wenn dein Körper sündigt, bist nicht *du* es, der sündigt, sondern die Sünde in dir. Warum ist das so wichtig?

Wenn Sünde deine Identität ist, dann *musst* du sündigen. Wenn du ein Alkoholiker bist, dann *musst* du Alkohol trinken. Aber wenn du mit Christus gestorben bist, hast du eine neue Identität. Du bist kein Alkoholiker mehr. Auch wenn du dich gestern betrunken hast. Es klingt paradox, aber das ist es, was Paulus sagt: „Was mich gestern betrunken gemacht hat, war nicht ich (*ego*), sondern ‚die Sünde‘, die in mir wohnt.“

Aber Paulus schaut noch tiefer ins Mikroskop und stellt in Vers

23 fest, dass dieses „Gesetz der Sünde ... in meinen Gliedern“ wohnt. Die Sünde ist also im Körper.

Aber Moment mal: Wenn die Sünde im Körper ist und dort die Kontrolle hat, wie kann sie dann von mir getrennt sein?

Vom „Ich“?

Wo ist die Identität?

Wo ist der neue Mensch?

Dafür müssen wir einen tieferen Blick darauf werfen, wer du in Geist, Seele und Körper bist.

Geist, Seele und Körper verstehen

> *Ich preise dich dafür, dass ich auf eine erstaunliche, ausgezeichnete Weise gemacht bin.*
>
> – Psalm 139,14

Pflanzen sind Körper.

Tiere sind Körper und Seele.

Menschen sind Körper, Seele und Geist.

Das bedeutet, dass der Mensch aus 3 Teilen besteht. 1. Thessalonicher 5,23 unterstreicht das: *„Euer ganzer Geist und Seele und Leib werde untadelig bewahrt.“* Aber wenn wir in die Bibel schauen, sehen wir auch, dass der Mensch mit zwei Teilen beschrieben wird: Ein äußerer Mensch und ein innerer Mensch. (Römer 7,22, 2. Korinther 4,16, Epheser 3,16)

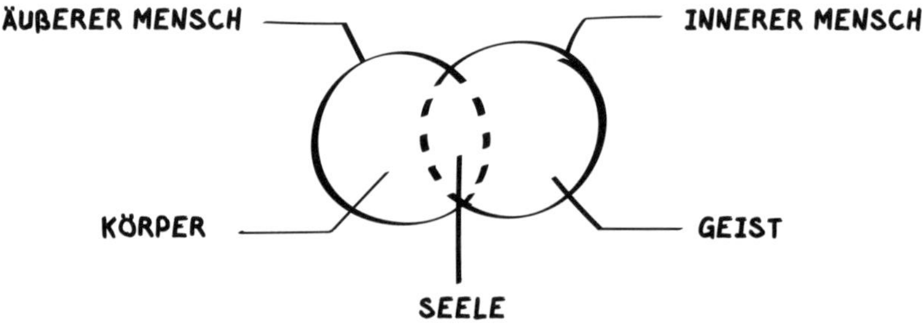

Beide Definitionen sind richtig und hilfreich, um zu verstehen, wo unsere Identität liegt. Schauen wir uns die Erschaffung des Menschen genauer an. In 1. Mose 2,7 heißt es: *„Und Gott der HERR bildete den Menschen, Staub vom Erdboden."* Das bedeutet, dass Gott Erde nahm und daraus den *Körper* des Menschen *formte.* Gott sagt in der Bibel, dass die erschaffene, materielle Welt, einschließlich des menschlichen Körpers, *„sehr gut"* war. (1. Mose 1,31)

Das bedeutet, dass der *Körper* gut ist.

Die zweite Komponente des Menschen ist nicht materiell oder erfassbar. Gott *hauchte den Odem des Lebens* in die Nase des Menschen. Ein göttlicher Hauch, ein Wind, ein Geist des Lebens. Der Mensch ist also mehr als nur ein Körper. Er hat eine unsichtbare, geistige Komponente, die von Gott gegeben wurde. Dadurch, dass Gott dem menschlichen Körper den Geist einhauchte, wurde *„der Mensch eine lebendige Seele"*.

Und jetzt kommen wir zurück zu der Frage, ob der Mensch aus zwei Teilen (Geist und Körper) oder aus drei Teilen (Geist, Seele und Körper) besteht, und die Antwort lautet: beides.

Ich erkläre es mit einem anderen biblischen Bild: Unser Körper wird der Tempel des Heiligen Geistes genannt. Wie sah der Tempel in der Bibel aus? Es gab den äußeren Vorhof und dann den Tempel selbst. Er bestand also aus zwei Hauptteilen.

Aber auch das Innere war in das Heiligtum und das Allerheiligste unterteilt.

Insgesamt waren es also eigentlich *drei* Teile. Das hängt von deiner Perspektive ab.

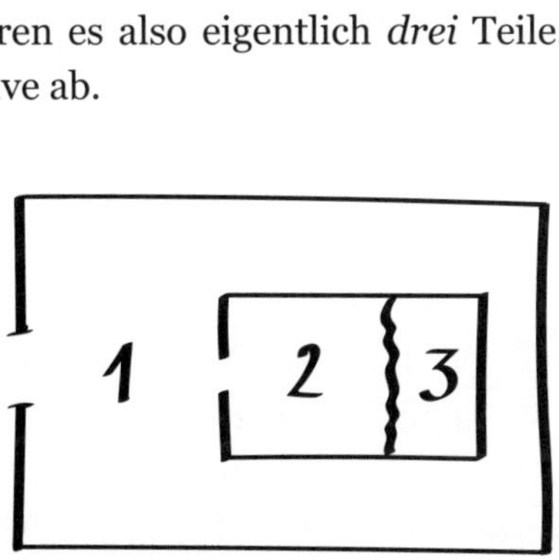

Häufige Missverständnisse kommen daher, dass die Worte „Seele“ und „Geist“ fast austauschbar verwendet werden. Beide haben ähnliche Eigenschaften. Im ersten Kapitel des Lukasevangeliums sagt Maria zum Beispiel Folgendes: *„Meine Seele erhebt den Herrn, und mein Geist frohlockt in Gott, meinem Heiland.“*

So kommt die fast gleiche Handlung einmal von der Seele und einmal vom Geist.

Man könnte sagen, Seele und Geist sind wie eine Münze, die man von verschiedenen Seiten betrachtet. Der Geist beschreibt das innere Leben des Menschen in Verbindung mit Gott, während die Seele dasselbe Leben beschreibt, aber in Verbindung mit dem Körper und der materiellen Welt. Der Geist ist also der unsichtbare Teil des Menschen, der durch den Heiligen Geist mit Gott verbunden ist, während die Seele, genau wie der Geist, nicht greifbar, „immateriell“ ist und durch den Körper und seine Sinnesorgane mit der Erde und der Außenwelt verbunden ist.

Um noch einmal auf das Bild des Tempels zurückzukommen: Der Vorhof war der sichtbare und zugängliche Teil, während das Allerheiligste der Ort war, an dem Gott wohnte. Das Heiligtum war der Raum dazwischen.

Sehen wir uns also an, wie das mit der Sünde, unserem Körper und unserer Identität zusammenhängt.

Als Adam sündigte, kam die Sünde in die Welt und der Tod breitete seine Herrschaft auf alle Menschen aus, weil alle sündigten. (Römer 5,12-14) Der Mensch starb in dem Moment, als er sündigte. Starb er körperlich? In Epheser 2,1 heißt es: *„Die ihr tot wart in euren Vergehungen und Sünden“*. Tot – und doch konnten sie noch sündigen. Also tot und doch physisch lebendig.

Das macht deutlich, dass es sich um den geistlichen Tod handelt. Der unsichtbare Teil des Menschen ist gestorben. Genauer gesagt der Geist. Denn die Seele (Wille, Verstand und Gefühle) war noch aktiv. In Epheser 2,3 heißt es weiter: *„Unter denen auch wir einst alle unseren Wandel führten in den Begierden unseres Fleisches, indem wir den Willen des Fleisches und der*

Gedanken taten.“

Der Verstand war also noch aktiv, aber der Mensch hoffnungslos verloren.

Wenn ein Mensch wiedergeboren wird, wird er auch aus dem Geist geboren. (Johannes 3,3-6) Das ist wie eine geistliche Auferstehung von den Toten. Das funktioniert folgendermaßen: Zuerst empfängt die Person den Geist (Römer 8,15) und dann beginnt der Geist Gottes mit unserem Geist zu kommunizieren. (Römer 8,16) So wie Eheleute körperlich zu einem Fleisch werden, wird der Gläubige ein Geist mit dem Herrn. (1. Korinther 6,17)

Das ist *epignosis*.

Das ist die innige Beziehung, die Gott zu den Menschen haben möchte.

Und mit diesem Wissen über unsere Anatomie kehren wir zu unserer Frage zurück:

Wo befindet sich meine Identität?

Die wahre Kraft, die Furcht des Herrn zu leben

Kleine Zusammenfassung:

- Der Körper ist gut.
- Die Sünde ist im Körper.
- Aber Sünde ist etwas anderes als das „Ich“

Wo ist also das „Ich“? Wo ist meine Identität, wenn nicht im Körper?

Die Identität liegt im Geist. Römer 8,9 ist glasklar: *„Ihr aber seid nicht im Fleisch, sondern im Geist.“* Was den Christen ausmacht, ist seine neue Identität im Geist. Paulus sagt: *„Ich habe Lust am Gesetz Gottes, nach meinem inneren Menschen.“* Der innere Mensch ist also zu 100 % neu. Perfekt. Aber das Problem ist, dass es im äußeren Menschen, im Körper, ein *„Gesetz der Sünde gibt, das in meinen Gliedern wohnt.“*

Paulus sagt über diesen Zustand, dass er ziemlich erbärmlich ist.

Innerlich perfekt – äußerlich noch Sünde in mir.

Innerlich haben wir den Geist der Sohnschaft. (Römer 8,15)

Äußerlich warten wir noch auf die Sohnschaft: die Erlösung unseres Leibes. (Römer 8,23)

Paulus drückt es treffend aus: *„Ich elender Mensch! Wer wird mich retten von diesem Leib des Todes?“* (Römer 7,24)

Der Körper ist nicht das Problem – er ist sehr gut.

Das „Ich“ ist nicht das Problem – es ist perfekt im Geist.

Der „Leib des Todes“ ist das Problem. Der Körper mit der Sünde in ihm.

Das ist es, was Paulus hasst. Das ist es, was *du* hasst, wenn du fällst. Du hasst, was in deinem Körper ist.

Und weißt du, wie man diesen Zustand nennt?

Die Furcht des Herrn.

Du hasst das Böse – in dir. Die Erfahrung aus Römer 7 ist nichts anderes, als dass Gott uns täglich die Furcht des Herrn lehrt. Das Böse aus Erfahrung zu hassen. *Epignosis*-Erkenntnis. Wir fangen an, das Böse jeden Tag ein bisschen mehr zu hassen, so wie Gott es tut. Das ist Heiligung.

Aber wie können wir das Böse überwinden? Wie kann ich in den nächsten 60 Sekunden wirklich *nicht* sündigen? Die Bibel sagt: *„... durch die Furcht des HERRN weicht man vom Bösen.“* (Sprüche 16,6)

Nicht durch eine Strategie, nicht durch ein Programm.

Nicht, indem du in die Kirche gehst, viel in der Bibel liest oder betest.

Nein, das kannst du nicht!

Das kann nur Gott.

Und die gute Nachricht ist: Gottes Geist ist jetzt in dir.

Aber das nur zu wissen ist Kopfwissen. *Gnosis*. Wenn du das in deinem Leben erfahren willst, muss es zur *epignosis* werden. Wissen durch Erfahrung. Du musst Gott praktisch fürchten, was bedeutet, dass du dich radikal von allem trennst, was sein Wirken in dir behindert. Aus eigener Kraft schaffst du das nicht. Das Fleisch ist schwach (Matthäus 26,41), auch wenn der menschliche Geist willig ist. Wir brauchen eine äußere Kraft, denn durch die Sünde in unserem Körper sind wir schwach. Wir brauchen eine göttliche Kraftquelle in uns.

Der Heilige Geist in uns.

Jesus CHRISTUS ist durch die Rechte Gottes erhöht worden und hat vom Vater die Verheißung des Heiligen Geistes erhalten. Und er hat ihn jedem gegeben, der ihm gehorcht. (Apostelgeschichte 5,32) Jedem, dessen Sünden durch das Blut zugedeckt sind (Ägypten) und der im Tod mit seinem neuen Herrn identifiziert ist (Rotes Meer).

Wir können endlich die Furcht des Herrn ausleben. Wir haben die Kraft dazu. *„Wandle im Geist und du wirst die Lust des Fleisches nicht vollbringen.“* (Galater 5,16)

Jetzt verstehen wir auch, wenn Johannes sagt, dass dieses neue „Ich“ nicht mehr sündigen kann, weil es aus Gott geboren ist. In 2. Korinther 5,17 steht: *„Wenn jemand in Christus ist, da ist eine neue Schöpfung; das Alte ist vergangen, siehe, Neues ist geworden.“* Das ist die Erfüllung der Verheißung aus Hesekiel 36: *„Und ich werde euch ein neues Herz geben* (wie wird das geschehen?) *und einen neuen Geist in euer Inneres geben ... Und ich werde meinen Geist in euer Inneres geben; und ich werde bewirken, dass ihr in meinen Satzungen wandelt und meine Rechte bewahrt und tut.“*

Als Christ hast du ein neues und ungeteiltes Herz: genau das, was Gott im Alten Testament wollte. Um noch einmal auf den Vergleich mit dem Tempel zurückzukommen: Die Sünde ist immer noch im Vorhof, aber nicht mehr im Heiligtum.

Freunde, könnt ihr euch vorstellen, was das bedeutet?

Gott hat uns ein neues Herz gegeben, ein neues „Ich“.

Alles ist neu. Wir sind *im Geist.*

Das ist unsere neue Identität.

TAKEAWAYS

(1) **Es gibt eine spirituelle Anatomie des Menschen.** Man kann den Menschen als zwei Teile (innerer Mensch – äußerer Mensch) oder als drei Teile (Geist, Seele und Körper) sehen. Da der Mensch aber eine Einheit ist, ist es schwierig zu verstehen, wo die neue Identität liegt.

(2) **Das Gesetz hilft dabei, die neue Identität zu finden.** Wenn wir unseren inneren Willen mit dem Gesetz als objektivem Ausdruck des Willens Gottes vergleichen, erkennen wir, dass unser innerer Mensch sich jetzt an Gottes Willen erfreut. Wenn wir sündigen, dann mit unserem äußeren Menschen gegen unseren inneren Willen. Deshalb erkennen wir, dass unser innerer Mensch tatsächlich umgewandelt wurde - mit Jesus geistlich zu sterben und mit ihm identifiziert aufzuerstehen, hat uns verwandelt. Wenn also die Sünde noch in unserem Körper ist, ist sie nicht mehr Teil unserer Identität.

(3) **Unsere neue Identität ist im Geist.** Gott hilft uns jetzt durch den Geist, in der Furcht des Herrn und in Heiligkeit zu leben. Durch eine innige Verbindung führt, hilft und unterstützt er uns und lässt uns von Herrlichkeit zu Herrlichkeit wachsen.

GEBET

Danke, Herr, für meine neue Identität im Geist. Danke, dass du mir durch den Geist näher bist als mein engster Freund. Erfülle mich mit dem Geist und trenne mich von der Sünde.

KAPITEL 12

UNSER TÄGLICHES KREUZ

WIE MAN IM SCHATTEN DES KREUZES LEBT
UND DIE SÜNDE JEDEN TAG HASST

Stellt eure Leiber als ein lebendiges Schlachtopfer dar.

– Römer 12,1

Das leere Haus

Getrennt von einer sündigen Welt (Ägypten).
Getrennt von meiner Identität als Sünder (Rotes Meer).
Getrennt von der Sünde in mir (Schlange).

Ok, getrennt ... aber warum?

Trennung ist in der Bibel nie das Ziel per se. Sie ist ein Mittel zum Zweck. Israel wurde vom Rest der Völker getrennt, um Gottes Exzellenz zu zeigen. Josua sonderte sich vom Volk ab, um in der Gegenwart Gottes zu sein. Nehemia baute eine Mauer, um den Altar zu bauen. Die Furcht des Herrn bedeutet, das Böse zu hassen, um das Gute zu tun.

Lass das einen Moment auf dich wirken.

Nicht nur das *Böse hassen*. Sondern auch das *Gute tun*.

Wenn du Netflix abbestellst, ohne die Leere stattdessen mit geistlichen Aktivitäten zu füllen, kann ich dir sagen, wie schnell du auf YouTube sein wirst. Jesus veranschaulichte dieses Phänomen in dem Gleichnis vom leeren Haus. Er sagte, dass ein Mensch wie ein Haus ist. Wenn ein Dämon das Haus verlässt, kehrt er vielleicht irgendwann zurück. Wenn er das Haus „leer, gefegt und sauber" vorfindet, wird es noch schlimmer. Der Dämon wird sieben weitere Dämonen mitbringen, von denen jeder noch böser ist als der vorherige, sodass der Zustand dann noch viel schlimmer wird als zuvor.

Die Lektion ist einfach: Bleib nicht leer.

Das Ziel, sich von Ägypten zu trennen, war nie ein Selbstzweck. Gottes Plan war es, sie aus der Hand der Ägypter zu befreien und sie aus diesem Land *„in ein gutes und geräumiges Land, in ein Land, das von Milch und Honig fließt"* zu führen.

Raus aus Ägypten, *rein in* das gelobte Land.

Das bedeutet, dass die gesamte Reise durch die Wüste nicht Gottes Endziel war. Für die Menschen war es notwendig, das Böse in all seinen Facetten zu hassen. Aber für Gott war das Endziel das gelobte Land. Um da reinzukommen, musste das Volk noch durch den Jordan. Wenn du also in deinem Glauben wirklich weiterkommen möchtest und in das Land gehen willst, in dem Milch und Honig fließen, musst du noch einen weiteren Schritt machen – durch den Jordan.

Der Jordan

Die Durchquerung des Roten Meeres und die Überquerung des Jordans beschreiben beide das Werk am Kreuz, aber aus unterschiedlichen Blickwinkeln. Ich möchte dir zeigen, wie die Heilige Schrift sie zusammenbringt und sie fast als eins sieht.

> *Denn der HERR, euer Gott, hat die Wasser des Jordan vor euch ausgetrocknet, bis ihr hinübergezogen wart, so wie der HERR, euer Gott, mit dem Roten Meer tat, das er vor uns austrocknete, bis wir hinübergezogen waren.* – Josua 4,23

> *Das Meer sah es und floh, der Jordan wandte sich zurück;* – Psalm 114,3

> *Er verwandelte das Meer in trockenes Land, sie gingen zu Fuß durch den Strom; dort freuten wir uns in ihm.* – Psalm 66,6

Du siehst, wie das Meer und der Fluss eng miteinander verbunden sind. Aber es geht sogar noch weiter. Israel zog mitten in das Rote Meer, aber wir sehen nicht, wie sie wieder herauskamen.

> *Und die Kinder Israel gingen mitten in das Meer hinein auf dem Trockenen, und die Wasser waren ihnen eine Mauer zur Rechten und zur Linken.* – 2. Mose 14,22

Für Gott waren sie im Wasser des Roten Meers, bis sie den Jordan verließen. Die ganze Wüstenreise wird aus Gottes Sicht einfach „geskippt". Bei der Jordanüberquerung steht nicht, dass sie in den Jordan gingen. Nur, dass sie herauskamen.

> *Und das Volk stieg aus dem Jordan herauf am Zehnten des ersten Monats; und sie lagerten in Gilgal an der Ostgrenze von Jericho.* – Josua 4,19

Der Jordan hat große Ähnlichkeiten mit dem Roten Meer.

Er floss über (in Josua 3,15 steht, dass es vollständig über die Ufer trat) und war ein großes Hindernis. Israel ging in das Wasser des Todes im Roten Meer und kam am Jordan in der Auferstehung wieder heraus. Diese beiden Wassermassen stehen für zwei Seiten des Werkes Christi.

> *Untergehen* – Israels Durchzug durch das Rote Meer zeigt die Identifikation mit Christus, der für uns in den *Tod* ging.

> *Herausgehen* – Die Überquerung des Jordans dagegen spricht vom Glauben an unsere *Auferstehung* mit Ihm.

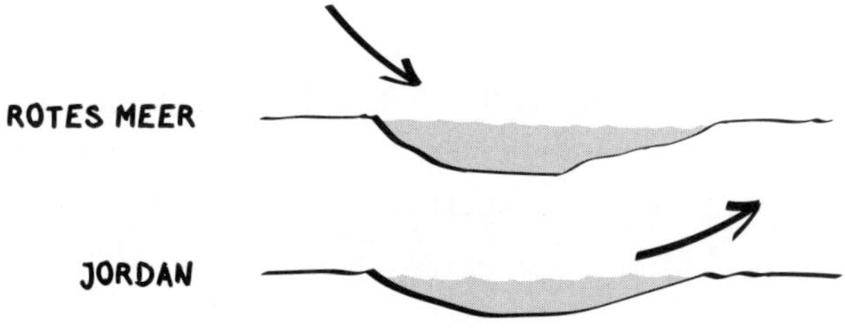

Beim Durchzug durch das Rote Meer war das Wasser (der Tod) *sehr präsent.* Es war wie Mauern. Bei der Überquerung des Jordans war das Wasser (der Tod) überhaupt *nicht sichtbar.* Es war weit entfernt stehen geblieben. (Josua 3,16)

Das zeigt, dass der Jordan vom Tod Christi spricht, aber mit einem besonderen Blick auf die Auferstehung. Das ist sehr wichtig, denn im Christentum geht es nicht nur um den Tod. Der Tod ist zentral; das Kreuz ist das Zentrum der Geschichte.

Aber mit dem Kreuz kommt die *Auferstehung.*

Paulus sagt, dass, wenn die Auferstehung nicht real wäre, wir den ganzen christlichen Kram vergessen könnten. Vergiss die Furcht des Herrn. Vergiss das Trennen vom Bösen. Er sagt, dass wir dann die *„elendesten von allen Menschen“* wären. (1. Korinther 15,19) Und wenn die Toten nicht auferweckt würden, *„lasst uns essen und trinken, denn morgen sterben wir.“* (1. Korinther 15,32) Lasst uns nach Ägypten zurückkehren und Gurken, Melonen, Lauch, Zwiebeln und Knoblauch essen.

Aber das ist nicht der Fall.

Christus ist auferstanden!

Und genauso, wie Gott mich mit dem Tod Christi im Roten Meer identifiziert, hat er mich mit dem Leben Christi in der Auferstehung identifiziert! In Römer 6,5 heißt es:*„Denn wenn wir mit ihm einsgemacht worden sind in der Gleichheit seines Todes, so werden wir es auch in der seiner Auferstehung sein.“*

Und hier kommt meine Frage an dich: Kennst du den *auferstandenen* Christus?

Nicht Jesus von Nazareth, sondern den *erhöhten Christus* im Himmel.

Schau mal – viele Christen konzentrieren sich auf den Christus hier auf der Erde. Der Zimmermann. Als Maria dem Herrn nach seiner Auferstehung begegnete, wollte sie die gleiche Beziehung wie vor der Auferstehung mit ihm haben. Sie wollte ihn berühren, wie sie es tat, als sie ihm die Füße salbte. Als er noch der Mensch Jesus war. Der Rabbi aus Kapernaum. Aber Jesus erklärt, dass sich die Dinge geändert haben. Er war auferstanden. Er war Teil der Auferstehungswelt. Er war nicht mehr von dieser Welt. Ja, er hatte einen Körper, der noch Fisch und Brot essen konnte.

Aber er war nicht mehr Teil dieser Welt.

Die Welt hat ihn zuletzt am Kreuz gesehen. Danach sahen ihn nur noch die Gläubigen.

Paulus erklärt diesen Beziehungswechsel in 2. Korinther 5,16: *„Wenn wir Christus dem Fleisch nach gekannt haben, kennen wir ihn doch jetzt nicht mehr so.“* Mein Freund, das ist so wichtig. Es ist der Schlüssel zu einem Leben in der Kraft der Auferstehung. Des Sieges.

Wenn du Jesus immer noch so *kennst*, wie die Jünger ihn kannten, dann bist du nichts weiter als ein guter religiöser Israelit. Du hast vielleicht immer noch ein Problem mit Gesetzlichkeit und neigst dazu, Christus wie einem Guru zu folgen. Eine Art prominenter Influencer des ersten Jahrhunderts. Vielleicht betrachtest du die Bibel sogar als ein Update, eine moderne Version des Gesetzes.

Aber Christus ist auferstanden.

Und das ändert *alles*.

Wir haben eine Beziehung mit dem auferstandenen Christus. In 2. Korinther 5,15 heißt es: *„Und er ist für alle gestorben, damit die, die leben, nicht mehr sich selbst leben, sondern dem, der für sie gestorben und auferweckt worden ist.“* Wir zitieren auch oft Vers 17: *„Daher, wenn jemand in Christus ist, da ist eine neue Schöpfung; das Alte ist vergangen, siehe, Neues ist geworden.“*

Warum ist jemand laut diesem Vers eine neue Schöpfung?

Weil wir glauben, dass das Lamm gestorben ist?

Nein!

Weil wir mit dem Tod von Christus identifiziert werden?

Nein!

Damit wärst du immer noch in der Wüste.

Alles wird *dann* neu, wenn du dich mit der Auferstehung von Jesus Christus identifizierst.

Wenn du dich mit dem von den Toten auferstandenen Christus eins machst. *„Wenn jemand in Christus ist“* bedeutet, dass du dein ganzes Wesen *in dem auferstandenen Christus* findest. Du bist in ihm und er ist in dir.

Das ist vollständige Identifikation. Das ist die intimste Beziehung, die du haben kannst.

Und – wie lebe ich das jetzt aus?

Gilgal

Falls du es noch nicht bemerkt hast: Wir haben gerade das gelobte Land betreten. Wir sind über den Jordan! Wir sind in Kanaan. Das wunderbare Land. Milch und Honig fließen von allen Seiten. Endlich leben! Einfach himmlisch.

Dieser Zustand wird im Neuen Testament „die himmlischen Örter“ genannt. Es ist der beste Ort, an dem du sein kannst. Es ist der Augenblick, wenn du deine Augen schließt und in der Gegenwart des Herrn bist. Wenn du anfängst, deine Segnungen zu zählen und die Zeit mit dem Segensspender genießt.

Für einen Israeliten waren diese Segnungen materielle Dinge wie Milch, Honig, Weintrauben, Felder, Vieh und eine große Familie. Für Christen sind es geistliche Segnungen wie die Tatsache, Kinder Gottes zu sein, Erben zu sein, mit dem Heiligen Geist versiegelt zu sein, Zugang zum allerhöchsten Gott zu haben, eine große *geistliche* Familie und eine neue Identität zu haben.

Lies den Epheserbrief – es ist unglaublich.

Aber als die Israeliten nach Kanaan kamen, gab es dort nicht nur Milch und Honig.

Es gab Riesen!

Riesen, die ihre Feinde am liebsten wie Milch und Honig verschlangen!

Warte, was? Hatten wir nicht schon genug Drama für eine Generation?

Als Christen stehen wir auch vor Riesen. Nicht *physische*

Riesen. *Geistliche* Riesen.

Was sind also die Feinde der Christen? In Epheser 6,12 heißt es: *„Denn unser Kampf ist nicht gegen Fleisch und Blut, sondern gegen die Fürstentümer, gegen die Gewalten, gegen die Weltbeherrscher dieser Finsternis, gegen die geistlichen Mächte der Bosheit in den himmlischen Örtern."*

Ein Christ kämpft gegen geistliche Mächte.

„Geistlich" bedeutet: auf der Ebene der Gedanken und Ideen. (2. Korinther 10,5) Du hast vielleicht gerade eine tolle Gebetszeit, singst in deinem Auto oder sprichst mit jemandem über Christus ... und plötzlich kommt dir ein böser Gedanke in den Sinn.

Das ist der Kampf!

Wo findet der Kampf statt?

In deinem Körper, denn die Sünde ist immer noch in deinem Körper. Wir sind das in Kapitel 11 durchgegangen. In der Vergangenheit hast du ein böses Denkmuster gepflegt und jetzt benutzt der Teufel äußere Anreize, um dich in eine Gewohnheitsroutine zu bringen.

Hier brauchst du Gilgal.

Gilgal war der erste Ort, an den die Israeliten nach der Überquerung des Jordans kamen.

Dort sagte Gott zu Josua, dass er eine wichtige *Routine* vergessen hatte! Die Beschneidung. Beschneidung bedeutet die Entfernung der männlichen Vorhaut. Sie war ein Zeichen für den Bund, den Gott mit Abraham schloss, um ihn von der Welt zu trennen. Beschneidung bedeutet Selbstgericht. Sie ist im Grunde die Furcht des Herrn in Aktion. Es hätte normalerweise bei jedem Mann gemacht werden sollen, aber sie hatten es vergessen. (Josua 5,2-7) In Josua 5,9 wird sie als „Schande Ägyptens" bezeichnet. Im Grunde hatten sie Ägypten den ganzen Weg mitgenommen, weil sie kein Selbstgericht ausgeübt hatten.

Fallen wir auch in die Sünden Ägyptens, weil wir Ägypten in unserem Herzen haben?

Wir haben uns vielleicht äußerlich von unseren Sünden getrennt

– wir machen keine wilden Partys oder stellen unsere Sünden offen zur Schau ... aber was ist, wenn niemand zusieht?

Die geistliche Beschneidung muss für den Christen zur täglichen Routine werden: *„In dem ihr auch beschnitten worden seid mit einer nicht mit Händen geschehenen Beschneidung, in dem Ausziehen des Leibes des Fleisches, in der Beschneidung des Christus."* (Kolosser 2,11) Diese Beschneidung ist offensichtlich geistlich und nicht körperlich, so wie für Israel. Sie ist die *„Beschneidung des Christus"*. Wir können die Beschneidung Christi nur genießen, wenn wir sie in die Praxis umsetzen und alles verurteilen, was von der Sünde in uns kommt.

Wie sieht das praktisch aus? Die Epheser zum Beispiel haben all ihre götzendienerischen Dinge weggeworfen.

Kolosser 3 gibt uns eine lange Liste, was das beinhaltet:

> *„Jetzt aber legt auch ihr das alles ab: Zorn, Wut, Bosheit, Lästerung, schändliches Reden aus eurem Mund. Belügt einander nicht, da ihr den alten Menschen mit seinen Handlungen ausgezogen und den neuen angezogen habt, der erneuert wird zur Erkenntnis nach dem Bild dessen, der ihn erschaffen hat."* – Kolosser 3,8-10

Das klingt nach einer Liste, die auch heute noch aktuell ist, oder?

Das ist die Furcht des Herrn leben. Das Böse in Theorie und Praxis ablehnen. Du bringst deinen Körper als tägliches Opfer dar und statt ein „Körper des Todes" zu sein, wird er zu Gottes Werkzeug, um das Leben hervorzubringen! In Römer 6,13 heißt es: *„Stellt eure Glieder Gott zu Werkzeugen der Gerechtigkeit dar."*

Was war die Folge der Beschneidung? Das Passahfest wurde gefeiert. Was? Das Passahfest? Der Anfang? Ja! Sie konnten den Sieg über Ägypten richtig genießen, weil sie ihn praktisch auslebten. Die Trennung vom Bösen veranlasste sie zu feiern.

Die Furcht gipfelte in Freude.

Und es geschah noch etwas: *„Und das Man hörte auf am nächsten Tag, als sie vom Erzeugnis des Landes aßen, und es gab für die Kinder Israel kein Man mehr; und sie aßen vom Ertrag des Landes Kanaan in jenem Jahr.“* (Josua 5,12)

Sie hörten auf, Wüstennahrung zu essen (lies die Liste oben noch einmal), weil sie frei waren, sich an den guten Dingen zu freuen, die das Land bot. Sie sehnten sich nicht mehr nach Milch, sondern nach fester Nahrung. Sie hatten ihr Ziel erreicht und konnten nun das Land einnehmen und Gott würde ihnen den Sieg schenken, wo immer sie ihren Fuß hinsetzten.

Willst du ein siegreiches Leben führen?

Das ist das Rezept! Jedes Mal, wenn die Israeliten nach Gilgal zurückkehrten (und sich an die Beschneidung erinnerten), siegten sie. Jedes einzelne Mal.

Fürchte den Herrn und du wirst jeden Tag siegen.

Ein Plädoyer für die Furcht

Wir haben die Furcht des Herrn jetzt aus vielen verschiedenen Blickwinkeln betrachtet. Hoffentlich hat dieser Gang durch die Bibel gezeigt, dass die Furcht des Herrn wirklich wichtig ist und dass sie sogar ein Element der Angst mit sich bringt.

Aber sollst du sie wirklich ausleben?

Deine erste Reaktion könnte Unsicherheit sein. Denn in unserer hedonistischen Gesellschaft wird Angst als etwas völlig *Negatives* angesehen. Deswegen möchte ich dir das Gegenteil beweisen. Angst kann wirklich eine Kraft für das Gute sein. Sie kann Veränderung bringen. Deshalb möchte ich dir sechs Punkte zeigen, wie die Angst dein bester Freund werden kann.

1. Schutz

Angst schützt dich. Ohne Angst würdest du wahrscheinlich nicht sehr lange leben. Angst ist wie ein innerer Wachhund. Sie macht dich auf die Bedrohungen um dich herum aufmerksam und hilft dir, kluge Entscheidungen zu treffen. Wenn du Angst hast, schaltest du in den „Kampfmodus". Ohne sie hättest du nicht die Energie, den Fokus, die Geschwindigkeit oder die Kraft, um dich zu wehren oder zu fliehen. Im geistlichen Sinne hilft dir die Angst, vor dem moralisch Bösen zu fliehen oder gegen falsche Lehren anzukämpfen. *„In der Furcht des HERRN ist ein starkes Vertrauen, und seine Kinder haben eine Zuflucht."* (Sprüche 14,26)

2. Motivation

Angst ist ein großartiger Motivator, vielleicht sogar besser als Liebe. Experimente haben gezeigt, dass Menschen mehr Schmerz empfinden, wenn sie 1 € verlieren, als wenn sie die Chance verpassen, 10 € zu gewinnen. Das mag wirtschaftlich unlogisch sein, ist aber statistisch bewiesen. Die Angst vor dem Verlieren ist stärker als die Liebe zum Gewinnen.

Das sehen wir auch bei Noah, der *„von Furcht ergriffen eine Arche baute, zur Rettung seines Hauses"* (Hebräer 11,7). Seine Motivation war nicht Liebe, sondern Angst. Und seine Furcht war nicht Respekt, sondern die buchstäbliche Angst, dass seine ganze Familie ertrinken würde. Auch für uns Christen ist es nicht nur die Liebe, die uns dazu drängt, das Evangelium mit anderen zu teilen. In 2. Korinther 5,11 heißt es: *„Da wir nun den Schrecken des Herrn kennen, so überreden wir die Menschen."*

Noch einmal: Es geht hier nicht um Respekt. Es geht um die Angst vor dem schrecklichen kommenden Gericht Gottes. Das motiviert uns, auf die Straße zu gehen und die gute Nachricht zu verkünden.

3. Schutz vor Götzendienst

Die Furcht hält uns davon ab, einen falschen Gott anzubeten. Das muss ich vielleicht kurz erklären. Du könntest nämlich sagen, dass es genau diese Angst vor einem strafenden Gott ist, die die Sekte der Pharisäer überhaupt erst ins Leben gerufen hat. Und es ist diese Angst vor der Weltlichkeit, die auch heute noch viele Christen gesetzlich macht.

Nein. Es gibt zwei Arten von Götzendienst.

Der *liberale* Weg – zu denken, dass Gott so gut ist, dass wir tun können, was wir wollen. Dieser Weg nimmt das Wort zwar ernst, aber man sagt, dass der Geist viel wichtiger ist. Aber dabei vermischt man den Heiligen Geist mit dem menschlichen Geist und manchmal sogar mit der Seele. Dieser „Weg" ist sehr einfach zu entlarven, denn ihre falschen Gedanken zeigen sich in ihren Taten oder sogar in Irrlehren. In diesem Fall musst du einfach nur in der Bibel lesen, um das Falsche aufzudecken.

Aber es gibt auch einen *konservativen* Weg. Konservative Menschen benutzen eine Schein-Gottesfurcht, um sich von Gott loszusagen. Das machten auch die Pharisäer. Sie wollten nie wieder von Gott bestraft werden und dachten logisch nach: *Wie können wir es Gott unmöglich machen, uns zu strafen? Indem wir es uns unmöglich machen, seine Gebote zu übertreten.* Also denkt man sich eine Menge zusätzlicher Gesetze aus, um alles abzudecken, bis man ja nicht mehr die Möglichkeit hat, Gottes Gebote zu übertreten.

Aber ironischerweise führt ein solcher Weg nicht zur Gottesfurcht, zur Erkenntnis Gottes und zu seiner Vertrautheit. Genau wie der liberale Weg macht er uns unabhängig und sagt: „Ich bin mehr als perfekt in meinem Verhalten, deshalb brauche ich nicht mehr auf Gott zu hören." Dieser Weg ist sehr trügerisch. Menschen mit dieser Denkweise waren die entschiedenen Gegner des Herrn Jesus, weil der Herr durch seine echte Gottesfurcht ihre Heuchelei entlarvte.

4. Furchtlosigkeit

Fürchte, damit du nicht fürchtest. Das klingt paradox, ist es aber nicht. Wenn wir Schmerzen haben, beißen wir uns auf die Lippen. Wir erzeugen Schmerz, um Schmerz zu lindern. Übertragen auf die Angst bedeutet das, dass Gott will, dass wir ihn fürchten, damit wir nichts anderes fürchten müssen. Das unterstreicht noch einmal die Wahrheit, dass es bei der Furcht des Herrn ganz klar um Angst geht. Angst vernichtet Angst.

Hier sind 2 Beispiele, warum die Furcht des Herrn die Furcht der Menschen beseitigt. In Jesaja 8,12-13 heißt es: *„Und fürchtet nicht ihre Furcht und erschreckt nicht davor. Den HERRN der Heerscharen, den sollt ihr heiligen; und er sei eure Furcht, und er sei euer Schrecken.“* Und in Matthäus 10,28 heißt es: *„Und fürchtet euch nicht vor denen, die den Leib töten, die Seele aber nicht zu töten vermögen; fürchtet aber vielmehr den, der sowohl Seele als Leib zu verderben vermag in der Hölle.“*

5. Gemeinschaft

Wir haben bereits gesehen, dass die Furcht des Herrn der Anfang von Intimität ist. Warum ist das so? Weil Gott Schmerz empfinden kann. Das sehen wir zum Beispiel in den Tagen vor der Sintflut, als *„es den HERRN reute, dass er den Menschen gemacht hatte auf der Erde, und es schmerzte ihn in sein Herz hinein.“* Gott schützt sich vor der Schlechtigkeit der Menschen, aber er offenbart sich den Menschen, die wahrhaftig sind. „Wahrhaftige Menschen“ sind diejenigen, die Gott so behandeln, wie er wirklich ist. Und Gott ist wirklich schrecklich. Er ist furchterregend in seiner Gestalt und wunderbar in seinem Wesen. So wunderbar, dass wir uns vor ihm fürchten, wenn wir uns seiner Gottheit nähern. Menschen, die das verstehen, sind Menschen, mit denen der Herr sprechen kann. Er sagt in Psalm 25: *„Das Geheimnis des Herrn ist für die, die ihn fürchten.“* Wir könnten genauso gut sagen: „Der Herr hat enge Vertrautheit mit denen, die ihn fürchten."

Möchtest du den Herrn besser kennenlernen? Fürchte ihn. Und er wird zu dir kommen und sagen: „Fürchte dich nicht."

6. Heiligung

Heiligung bedeutet, dass wir mehr und mehr so werden, wie Gott ist: heilig. Das war von Anfang an Gottes Plan, aber das Problem war, dass der Mensch vergessen hat, ihn zu fürchten. Paulus fasst das ganze Problem der Menschheit in Römer 3,18 zusammen: *„Es ist keine Furcht Gottes vor ihren Augen."* Die Furcht des Herrn ist der einzige Weg, das rückgängig zu machen, mit der Heiligung zu beginnen und sie auch zu vollenden.

Lesen wir dazu 2. Korinther 7,1: *„Da wir nun diese Verheißungen haben, Geliebte, so lasst uns uns selbst reinigen von jeder Befleckung des Fleisches und des Geistes, indem wir die Heiligkeit vollenden in der Furcht Gottes."*

Paulus sieht also die Furcht des Herrn als das Herzstück der Heiligung. Warum? Weil die Furcht mich davon abhält, Böses zu tun. Sie ist eine ständige Reinigung vom Bösen und die Ausübung des Guten, die uns in eine immer tiefere Beziehung zu Christus führt. Und dadurch werde ich ihm immer ähnlicher.

TAKEAWAYS

1. **Trennung ist kein Ziel an sich.** Die Furcht des Herrn hat nicht nur eine negative Seite (das Böse hassen), sondern auch eine positive (Gutes tun). Die Trennung muss zu etwas anderem führen.

2. **Wenn wir etwas abtrennen, müssen wir es durch etwas ersetzen.** Gott hat dich nicht aus der Welt gerettet, ohne dir eine neue anzubieten: die Welt der Auferstehung. Das verändert unseren kompletten Lebensstil.

3. **Um die Kraft der Auferstehung zu genießen, ist Selbstgericht nötig.** Die Furcht des Herrn muss eine tägliche Übung sein, wenn wir in einer tiefen Beziehung zu Christus bleiben wollen. Im Bild ist das die Beschneidung in Gilgal, wohin man immer wieder zurückkehren musste.

GEBET

Herr, bitte offenbare mir durch den Heiligen Geist, ob es Sünde in mir gibt, und hilf mir, dir meine Sünden täglich zu bekennen. Ich danke dir für diese neue Auferstehungswelt, in die du mich eingeführt hast. Schenke mir die Freude über meine Errettung!

TEIL IV

DIE DRINGLICHKEIT:

DIE ZEIT, GOTT ZU SEHEN, IST JETZT

KAPITEL 13

100 SEKUNDEN BIS MITTERNACHT

AN DIE ARBEIT! DIE UHR TICKT.

Van Neistat, der ältere Bruder von YouTuber Casey Neistat, ist selbst ein talentierter Filmemacher.

Im März 2021 veröffentlichte er ein Video, das mich auf das Buch *„The Fourth Turning“* aus dem Jahr 1997 aufmerksam machte. Der Verlag schreibt dazu: „Die Autoren blicken auf die letzten 500 Jahre zurück und entdecken ein bemerkenswertes Muster: Die moderne Geschichte bewegt sich in Zyklen, von denen jeder etwa so lang dauert wie ein Menschenleben. Jeder Zyklus besteht aus vier Epochen – oder *Turnings* –, die etwa zwanzig Jahre dauern und immer in der gleichen Abfolge auftreten.“[42]

In seinem Video veranschaulichte Neistat die im Buch erwähnten Zyklen anhand einer brillanten Analyse des Zeitraums vom Zweiten Weltkrieg bis heute. Das sieht in etwa so aus:

- „Hochphase“ (Wirtschaftsboom nach dem Zweiten Weltkrieg),
- „Bewusstseinsrevolution“ (1960er Jahre/Summer of Love/Bob Dylan),
- „Auflösung“ (9/11, Nahost-Konflikt),
- „Krise“ (Börsencrash 2008 + Corona + Trump).

Angenommen diese Zyklen sind zutreffend, dann ist die Botschaft sehr simpel: Wir befinden uns mitten in einer Krise.

Und das hat mich ernsthaft zum Nachdenken gebracht.

Nicht, weil die Theorie so überzeugend ist. Ich muss kein 300-seitiges Buch lesen, um zu merken, dass wir in einer Krise

42 https://www.penguinrandomhouse.com/books/174648/the-fourth-turning-by-william-strauss/

stecken. Dafür reicht ein Blick auf die aktuellen Schlagzeilen. Aber mir wurde bewusst, dass auch Menschen außerhalb des christlichen Glaubens einen großen Wandel kommen sehen.

Das kann man auch an der sogenannten „Weltuntergangsuhr" sehen.[43] Anhand verschiedener Faktoren untersucht eine Expertengruppe, wie weit wir von einer weltweiten Katastrophe entfernt sind. Das stellt sie dann anhand einer Uhr symbolisch dar. Im Januar 2020 kam der Zeiger so nah an Mitternacht heran, wie seit dem Kalten Krieg nicht mehr. *100 SEKUNDEN BIS MITTERNACHT.* Zuletzt kam der Zeiger so nah an die Zwölf, als die USA und die Sowjetunion ihre ersten thermonuklearen Waffen getestet haben.

Die Welt „spürt", dass ein Wandel bevorsteht.

Bevor ich jetzt in das „Jesus-kommt-bald-Horn" blase, hier ein kurzer Disclaimer: Du kannst die nächsten Kapitel ruhig weiterlesen (und hoffentlich richtig motiviert werden), auch wenn du *nicht alle* meine Standpunkte bezüglich der Zukunft teilst. Egal, ob du glaubst, dass Jesu Rückkehr unmittelbar bevorsteht oder nicht – wir können Freunde bleiben und uns trotzdem weiter unterhalten. Aber worin wir uns vielleicht einig sind, ist, dass es eine *Veränderung* geben wird.

Entweder, es ist wirklich der wahre König oder künstliche Intelligenz.

Entweder, es ist das Königreich oder wir werden mit ansehen, wie neue Machtstrukturen entstehen.

In jedem Fall müssen wir nahe bei Christus bleiben, um bestehen zu können. Wir müssen Gott fürchten, damit wir uns nicht vor anderen Dingen fürchten und Kompromisse eingehen. Wir müssen Gott sehen, um die Zukunft sehen zu können. Unabhängig davon, wie wir diese Zukunft im Einzelnen definieren.

Amen!?

43 https://thebulletin.org/doomsday-clock/

Es ist noch nicht zu spät!

Vielleicht ist schon bald alles vorbei – aber *noch* ist es nicht soweit!

Das ist wichtig für einige zu hören. Es kann nämlich sein, dass du dieses Buch bis hierher gelesen hast und soweit mitgehst.

Aber du bist überhaupt nicht ermutigt! Im Gegenteil, es lässt dich geradezu verzweifeln! Du siehst nicht nur eine dunkle Zukunft vor dir, sondern auch eine pechschwarze Vergangenheit hinter dir. Mein Freund – ich weiß: das ist richtig hart.

Es ist bitter, wenn du endlich die Lösung vor Augen hast, aber einfach nicht mehr kämpfen kannst. Wenn du schon von Kindesbeinen an hättest lernen sollen, wie man die Bibel erforscht und studiert, du sie aber jetzt nicht einmal fünf Minuten am Stück lesen kannst. Wenn du's endlich gecheckt hast, aber schon 25 bist und deine besten Jahre hinter dir gelassen hast. Du hast jetzt einen Job, der deine ganze Zeit in Anspruch nimmt. Oder du hast eine Familie und nicht die Kraft, nebenher Predigten vorzubereiten oder anderen Menschen zu helfen. Oder noch tragischer: Du bist schon 70 Jahre alt und dir wird klar: *Ich hab mein ganzes Leben verschwendet.* Jetzt sehe ich zwar die Lösung, kann aber nichts mehr tun.

Das Schlimmste, das einem Menschen passieren kann, ist, das ewige Leben zu verpassen.

Das Zweitschlimmste ist, *sein irdisches Leben zu verschwenden.*

Aber es gibt Hoffnung!

Noch ist es nicht zu spät, glaub mir. Oder noch besser: Glaub der Bibel!

Simson war der letzte Richter im Buch der Richter. Auch damals gab es einen Wendepunkt. Einen letzten Zyklus. Gott hatte ihm unglaubliche Befähigungen gegeben … die er vollkommen verschwendet hatte! Sein ganzes Leben war dem Vergnügen untergeordnet! Er war sozusagen ein gottesfürchtiger Hedonist. Genuss und Gott. Spaß und die Bibel. Frauen und Gottes auserwähltes Volk. Im letzten Kapitel seines Lebens landete er blind im Gefängnis. Im Gefängnis seiner eigenen Lust. Aber seine Gefangenschaft war nicht das Schlimmste. Es war die Blindheit. Die konnte er nämlich nicht rückgängig machen! Er hatte keine Augen mehr! Wie konnte er jetzt noch die Kraft zum Kämpfen aufbringen? Vielleicht fragst du dich das auch.

„Wie kann Gott einen Verlierer wie mich gebrauchen?"

Zumindest *wusste* Simson im Gefängnis, dass er blind war. Erinnerst du Dich an Kapitel 8, wo ich dir sagte, dass Blindheit so wichtig ist? Paradoxerweise hatte Simson nie zuvor so klar sehen können wie jetzt, blind in einer Zelle. Auch Jakob sah nie klarer als zu dem Zeitpunkt, wo er blind war. Selbst Paulus musste blind werden, um endlich sehen zu können.

Ich kann mir vorstellen, wie Simson dort im Gefängnis sitzt und über seine Situation, seinen Gott und seine eigene Identität nachdenkt.

Er hasste sein Leben.

Und doch würde es noch schlimmer kommen: Simson wurde aus seiner Zelle in einen Tempel gebracht. Normalerweise hätte er dort mit den Frauen geflirtet und sich von der Schönheit des Tempels überwältigen lassen. Der ganze Stolz der Philister. Aber jetzt war er blind. Er war diesen Dingen gestorben – so wie es auch in Römer 6,11 heißt:*„So auch ihr, haltet dafür, dass ihr der Sünde tot seid, Gott aber lebend in Christus Jesus."*

Simson hatte es auf die harte Tour lernen müssen, dass er die Sünde nicht besiegen konnte.

Die Philister hatten ihm die Augen ausgestochen, aber das wurde ihm jetzt zum Segen. Er ließ sich nicht mehr von der ganzen Schönheit um ihn herum ablenken; all das konnte ihn nicht mehr in die Irre führen. Wir lesen nicht mehr: „Simson *sah* ... und fiel".

Er konnte nichts mehr sehen, also begann er zu hören. Und was hörte er? Er hörte, wie sie seinen Gott verhöhnten und Simson bei seiner wahren Identität nannten: Feind. Wenn wir unsere wahre Identität nicht von Gott lernen wollen, werden unsere Feinde sie uns beibringen.

Und das tut weh.

Wie Essig auf der Wunde. Simson musste sogar zur Melodie ihres Spottes tanzen.

Er dachte sich: „Es reicht! Ich hasse mein Leben! Ich bring mich um! Mein ganzes Gedankensystem ... alles falsch und kläglich gescheitert." Und weißt du, wie sich das nennt?

Die Lösung.

Die Lösung ist der Tod.

Simson erkennt:

> *Was wäre, wenn ich sterbe? Wenn ich nicht mehr danach strebe, ein großartiger Richter zu sein? Wenn ich mein Leben aufgebe, um für Gottes Ehre zu kämpfen? Wenn ich nach außen hin zeige, was ich innerlich erlebe? Nämlich, dass das ganze philosophische Gedankensystem der Philister in mir zerbrochen ist? Was wäre, wenn ich diesen Tempel zerstöre?*

Die gesamte Elite war zusammengekommen. Alle militärischen, politischen und religiösen Führer waren in diesem Tempel versammelt. Simson hatte geglaubt, seine Chance verpasst zu haben, aber an seinem absoluten Tiefpunkt erkannte er: *Das ist die Chance meines Lebens!* Er war in der Lage, das gesamte System der Philister mit einem Schlag auszulöschen.

Und so betete er, und aus seinem Gebet können wir schließen, was in seinem Herzen vor sich ging. Er schrie zu *Jahwe Adonai*. Zuvor hatte er immer nur *„du"* zu Gott gesagt und ihn als „Elohim" bezeichnet. Elohim bedeutet „der gute Herr-Gott" – eine sehr distanzierte Beziehung.

Aber hier sagt er YAHWEH.

Das ist der Gott, der eine *Beziehung* zu den Menschen hat.

Und zweitens sagte er ADONAI.

Das bedeutet *Herr*. Kyrios. Er erkennt an, dass Gott von nun an der Herr in seinem Herzen ist. Gott sitzt auf Simsons Thron! Er trennt sich vom Bösen in seinem Inneren, stirbt sich selbst und er*kennt* plötzlich den Herrn, den Kyrios! Die Furcht des Herrn ist der Anfang der Erkenntnis.

Und was ist das Ergebnis? Die Bibel sagt: *„Und die Toten, die er (Simson) in seinem Tod tötete, waren mehr als die, die er in seinem Leben getötet hatte."* (Richter 16,30)

Mein Freund – selbstverständlich will ich dich hier keineswegs dazu ermutigen, Kamikaze auf dein Umfeld zu machen. Aber geistliche Kamikaze kann *alles* verändern. Wenn du – nach allem, was wir gesehen haben – heute dein Leben aufgibst, wird der Rest deines Lebens effektiver sein als alles, was du bisher getan hast. Es ist noch nicht zu spät. Nimm dir jetzt Zeit zum Beten. Übergib Gott den Rest deines Lebens. Es ist höchste Zeit.

Wir sind auf den letzten Metern. Dafür braucht Gott Menschen, die sich Christus völlig hingeben.

Gott braucht „Simsons". Gott braucht dich. Vorbehaltlos.

Jetzt.

Fürchte Gott. Ehre den König.

Aus drei Gründen ist es höchste Zeit, in der Furcht des Herrn zu leben. Weil uns nicht mehr viel Zeit bleibt. Weil es noch nicht vorbei ist. Weil noch eine wichtige Entscheidung ansteht:

Beuge ich mich den Mächten der Erde oder folge ich meinem Herrn?

Diese Frage hat sich uns viele Jahre lang *nicht gestellt*, weil wir in einem christlichen Land leben. Aber wenn die Menschen immer gottloser und Regierungen immer mehr Macht beanspruchen werden, wird das Kreuz wieder sichtbar. Warum?

Was ist das Kreuz überhaupt?

Das Kreuz ist der Platz, den die politische Welt für unseren Herrn hatte. Er wurde für unsere Sünden gekreuzigt – das stimmt, aber aus Sicht der Welt kreuzigte man ihn, weil er eine Bedrohung für die Regierung darstellte. Man klagte ihn an, der *König der Juden* zu sein. Auch wenn wir Christen manchmal dazu bereit sind, zwei Herren zu dienen – die Welt tut das mit Sicherheit nicht.

Sie will deine *ganze* Aufmerksamkeit. Deine *ganze* Loyalität.

Und sie wird alles dafür tun, sie zu bekommen.

Wenn wir also versuchen, den Fragen auszuweichen und diplomatisch vorzugehen, schieben wir damit das Problem nur auf. Lass mich dir folgende Frage stellen: *Beruht dein Handeln auf der Furcht des Herrn oder auf Menschenfurcht?*

Wir müssen den Herrn *fürchten* und den König *ehren*. Gott fürchten und Regierungen respektieren. Nicht andersherum.

Ich habe allerdings den Eindruck, dass wir unsere Ängste einfach nur verlagern, weil wir unsere Definition von „Gott fürchten" mit „Gott respektieren" verwechseln. Ich möchte dich ernsthaft ermutigen, zu lernen, den Herrn in deinem täglichen Leben zu fürchten. Das wird dir am Ende helfen, all die anderen Ängste zu überwinden, die in Krisenzeiten aufkommen.

Nimm dir die Worte Jesajas zu Herzen: *„Fürchtet nicht ihre Furcht und erschreckt nicht davor. Den HERRN der Heerscharen, den sollt ihr heiligen; und er sei eure Furcht, und er sei euer Schrecken."* (Jesaja 8,12-13)

Ihm allein gilt unsere Loyalität: Gott, unsere Furcht!

TAKEAWAYS

1. **Es ist fast vorbei!** Ob du an die baldige Wiederkehr Christi glaubst oder nicht: Etwas wird kommen. Wir müssen uns auf unsere Arbeit fokussieren und alles geben.

2. **Noch ist es nicht vorbei!** Vielleicht hast du dein ganzes bisheriges Leben vergeudet. Es ist noch nicht zu spät. Denk an Simson, der alles verschwendet hat und seinen größten Sieg in den letzten Sekunden seines Lebens errungen hat. Aber dafür musste er bereit sein zu sterben. Der Sieg kam durch den Tod.

3. **Fürchte Gott, ehre den König.** Pass auf, dass du nicht die falschen Dinge fürchtest. Deine Furcht entscheidet über deinen täglichen Fokus. Achte darauf, dass du nicht den falschen Dingen Macht über dein Leben einräumst.

GEBET

Herr, ich will auf diesen letzten Metern alles geben. Lass mein Herz dich in heiliger Liebe fürchten und lass keine andere Furcht mein Herz oder meinen Verstand erobern. Du bist der Größte, du hast mich aus Hölle und Tod gerettet und ich will dir treu sein, komme was wolle! Hilf meinem schwachen Körper durch deinen Heiligen Geist!

KAPITEL 14

DIE GROSSE RÜCKKEHR

10X DEINE ENERGIE

Die Lehre von Jesu zweitem Kommen ist traditionell ein Schwerpunkt der christlichen Theologie: Sie war eine treibende Kraft für die Mission, sie war eine Quelle der Hoffnung für leidende Christen und sie half, den christlichen Gottesdienst zu gestalten.[44]

– Christianity Today

Bei einer Harvard-Studie in den 1950er Jahren setzte Dr. Curt Richter ein paar Ratten in ein Wasserbecken, um zu testen, wie lange sie sich über Wasser halten konnten. Im Durchschnitt hielten sie es nicht länger als 15 Minuten aus und gingen unter. Kurz bevor sie vor Erschöpfung aufgaben, angelten die Forscher sie heraus, trockneten sie ab und ließen sie ein paar Minuten ausruhen. Dann setzten sie sie für eine zweite Runde wieder hinein.

Was glaubst du, wie lange sie jetzt durchgehalten haben? Denk daran, dass sie erst vor ein paar Minuten bis zum Gehtnichtmehr gestrampelt hatten ... Was denkst du?

Weitere 15 Minuten? 10 Minuten? 5 Minuten?

Nein!

Ganze 60 Stunden! Ohne Witz! 60 Stunden Schwimmen.

Das ist 240-mal so lang.

Die Schlussfolgerung war, dass die Ratten ihren Körper weit über das hinaus treiben konnten, was sie vorher für möglich hielten, weil sie *glaubten*, dass sie irgendwann *gerettet* werden würden.

Hoffnung war der entscheidende Faktor.

44 https://www.christianitytoday.com/ct/podcasts/quick-to-listen/end-times-apocalypse-2020-pandemic-podcast.html

Als Jesus Christus sagte, dass er *bald* wiederkommen würde, wusste er, was er tat.

Er gab seinen Jüngern *Hoffnung*.

Gestern habe ich mit meinem Bruder telefoniert und er sagte zu mir: „Natha, es ist schon erstaunlich, wie du dich verändert hast. Du arbeitest wie verrückt. Wenn ich da so an früher denke ... Du warst nicht von Natur aus der fleißigste Typ. Etwas hat sich geändert. Was ist dein Geheimnis? Welche Pillen nimmst du?"

Die gleiche „Pille" wie die strampelnde Ratte: Hoffnung.

In diesem Kapitel verrate ich dir meine Zutaten, damit wir alle auf demselben Stand sind.

Als ich jung war, konnte ich mit Prophetie nichts anfangen. Sie war super kompliziert und ich wusste nicht, was sie mit meinem Glauben zu tun hat. Ich kannte Jesus, sprach mit Leuten in meiner Schule über ihn, gab Konzerte und kämpfte für das Reich Gottes. Das Königreich *jetzt* war so viel wichtiger als das Königreich *dann*.

Bis ich merkte, dass „dann" bald „jetzt" sein könnte.

Das war meine „Pille". Der Gedanke, dass ich sehr bald vor Jesus Christus stehen werde. Vor dem, der an meiner Stelle gestorben ist und den „kolossalen Feuerball", der mir galt, auf sich genommen hat. Ich wollte zu ihm laufen, seine Hände und Füße sehen und ihn für alle Ewigkeit anbeten. Ich habe mit anderen Menschen um mich herum gesprochen und konnte sehen, wie der Funke übersprang. Es ist ein Unterschied, ob du glaubst, dass Jesus *irgendwann* wiederkommt, oder ob du überzeugt bist, dass er *wirklich bald wiederkommt*. Vielleicht fragst du dich jetzt: Wie bekomme ich dieses Feuer?

Die Antwort ist – dreimal darfst du raten –: in der Furcht des Herrn zu leben.

Der Groschen fiel, als ich erkannte, dass es bei Prophetie nicht nur um irgendwelche verrückten Bilder in der Offenbarung geht, sondern um meine nahe Zukunft. In der Vergangenheit dachte ich: *Ich weiß sicher, was jetzt gerade passiert. Aber was in der*

Zukunft sein wird, das lass ich mal auf mich zukommen. Es wird sowieso passieren – also zerbreche ich mir jetzt nicht den Kopf darüber.

Aber ich habe mich geirrt. Als ich begann, mich ernsthafter mit Prophetie zu beschäftigen, stellte ich fest, wie eng das Verständnis der „Zeiten" mit der Gottesfurcht verbunden ist. Lies selbst, was in Daniel steht:

> *„Und ich hörte es, aber ich verstand es nicht; und ich sprach: Mein Herr, was wird das Ende davon sein? Und er sprach: Geh hin, Daniel; denn die Worte sollen verschlossen und versiegelt sein bis zur Zeit des Endes. Viele werden sich reinigen und weiß machen und läutern, aber die Gottlosen werden gottlos handeln; und alle Gottlosen werden es nicht verstehen, die Verständigen aber werden es verstehen."*
>
> – Daniel 12,8-10

Wer sich reinigt, wird es verstehen!

Die Furcht des Herrn ist der Anfang der prophetischen Erkenntnis.

Das ließ mich aufschrecken: „Wow – wenn die Endzeit wirklich vor der Tür steht, dann muss ich mich reinigen. Es wird nämlich eine riesige Verführung geben." 2. Timotheus 3 warnt uns, dass es unglaublich intelligente Menschen in der Kirche geben wird, die andere mit erstaunlichen Dingen auf's Glatteis führen werden. Das wird nicht *einfach so passieren.* Das wird inszeniert sein. Und es könnte sein, dass ich ihnen auf den Leim gehe.

Niemals zuvor war es so wichtig, richtig zu stehen. Es gibt Menschen, die alles über Prophezeiungen wissen und trotzdem in tiefer Sünde leben. Das ist fatal. Die Pharisäer wussten alles über das Kommen des Messias. Als er kam, konnten sie sogar das Dorf nennen, in dem er geboren werden würde. (Matthäus 2,5)

Aber sie erkannten ihn nicht an, weil sie ihn nicht kannten. Und sie kannten ihn nicht, weil sie den Herrn nicht fürchteten. Sie liebten das Geld. (Lukas 16,14)

Sie waren im Grunde genommen Hedonisten.

Das ist der Grund, warum ich sage: Moralische Reinheit ist viel wichtiger als intellektuelles Wissen.

Lass mich dir noch ein paar Denkanstöße geben.

Weil FdH am Ende der Schlüssel ist

Ob du an die Endzeit glaubst oder nicht und was auch immer du darunter verstehst, eins steht fest: Die Furcht des Herrn ist der Schlüssel in Zeiten der Veränderung. Sie ist der Schlüssel in den entscheidenden Momenten der Geschichte. Entscheidend am Ende eines Zyklus, wie wir im letzten Kapitel gesehen haben. Ob es nun die letzte Krise ist oder nicht.

Ich möchte dir drei Beispiele nennen:

Als die Flut kam, war es absolut notwendig, dass Noah und seine Familie sich vom Rest der Menschheit getrennt haben. Als Sodom und Gomorra verurteilt wurden, war es lebensrettend, dass Abraham (und später Lot) getrennt waren. Ähnlich ist es am Ende des Alten Testaments:

Alles ging den Bach runter. Es war das Ende einer Ära. Die Hochmütigen wurden als glücklich bezeichnet. Den Übeltätern ging es gut und das Schlimmste war: Diejenigen, die Gott versuchten, entkamen (Maleachi 3,15).

Aber es gab eine Gruppe, die von Gott als *anders* bezeichnet wurde.

Was machte sie aus?

> *„Da unterredeten sich miteinander, die den HERRN fürchten, und der HERR merkte auf und hörte; und ein Gedenkbuch wurde vor ihm geschrieben für die, die den HERRN fürchten und die seinen Namen achten."* – Maleachi 3,16

Die Furcht des *Herrn*.

Diese Menschen trennten sich von ihrer sündigen und hochmütigen Umgebung und sprachen miteinander.

Das Ergebnis: Intimität mit Gott!

> *„Und sie werden mir, spricht der HERR der Heerscharen, zum Eigentum sein an dem Tag, den ich machen werde; und ich werde sie verschonen, wie ein Mann seinen Sohn verschont, der ihm dient."* – Maleachi 3,17

Das gleiche Prinzip finden wir auch im Neuen Testament in 2. Korinther 6,17-18:

Zuerst die Furcht vor dem Herrn: *„Darum geht aus ihrer Mitte hinaus und sondert euch ab, spricht der Herr, und rührt Unreines nicht an ..."*

... und dann die Vertrautheit mit Gott: *"... und ich werde euch aufnehmen; und ich werde euch zum Vater sein, und ihr werdet mir zu Söhnen und Töchtern sein, spricht der Herr, der Allmächtige."*

Diese Intimität ist das Beste, was du schmecken kannst. Auch wenn die Leute dich rauswerfen. Wenn Menschen dich „canceln", wie den ehemals blinden Mann in Johannes 9, der aus der Synagoge geworfen wurde.

Rate mal, wer draußen wartete? Jesus.

Er ist bei denen, die den *wahren* Namen Jesu bekennen – koste es, was es wolle.

Die Furcht des Herrn ist der Schlüssel zum Überleben.

In den kommenden Monaten geht es vielleicht nicht ums *Über*leben, sondern um neues *Auf*leben! Vielleicht bist du enttäuscht, in einer Zeit zu leben, in der ein Zyklus zu Ende geht. Brauchst du nicht! Es ist super aufregend und es ist eine Ehre. Vielleicht ist es sogar die beste Zeit in der Geschichte, um zu leben.

Das nächste Kapitel wird dir zeigen, warum.

TAKEAWAYS

1. **Die Wiederkunft Christi ist die christliche Hoffnung.** Es gibt keine größere Hoffnung als den Gedanken, dass wir Jesus Christus bald sehen werden. Das sollte dich jeden Tag dazu motivieren, mit Dringlichkeit zu handeln!

2. **Die Furcht des Herrn ist der Schlüssel, um Prophetie zu verstehen.** Prophetie hat nicht nur eine intellektuelle Komponente. Es ist auch wichtig, sich vom Bösen zu trennen, um Einblicke in die Prophetie zu bekommen.

3. **Gib niemals auf.** Unabhängig von deinem Alter, deiner Position oder deiner Erfahrung ist es *jetzt* an der Zeit zu handeln.

GEBET

Herr, ich warte auf dein Kommen wie der Wächter auf den Morgen. Ich wünschte, du wärst schon hier. Ich sehne mich danach, für immer bei dir in deiner Gegenwart zu sein. Hilf mir, in der Furcht vor dir zu leben, damit ich einsichtig und nicht töricht werde. Hilf mir, eine Hilfe zu sein, während ich auf dich warte.

KAPITEL 15

ERWECKUNG LIEBEN

ES GAB NOCH NIE EINE ZEIT WIE DIESE

Angenommen du hast eine durchschnittliche Lesegeschwindigkeit, rate mal, wie viele Menschen gestorben sind, seit du dieses Buch begonnen hast? An dieser Stelle hast du über 50.000 Wörter gelesen. Die durchschnittliche Lesegeschwindigkeit liegt bei 250 Wörtern pro Minute. Das bedeutet, dass du ungefähr 200 Minuten reine Lesezeit gebraucht hast, um bis zu diesem Kapitel zu kommen.

Traurigerweise sterben jede Sekunde im Schnitt 1,8 Menschen[45]. Das macht 108 Menschen pro Minute.

Während der 200 Minuten, die du gelesen hast, sind weltweit also 21.600 Menschen gestorben. (Nur damit das klar ist: Ich bin dankbar, dass du das hier liest, bitte hör nicht auf. Ich will nur einen Punkt verdeutlichen: Die Zeit drängt.)

Es ist eine atemberaubende Tatsache, dass jede Minute 108 Menschen sterben und in die Ewigkeit und die Gegenwart Gottes treten. Wie viel mehr sollte uns das ermutigen, den Menschen zu sagen, wer Gott wirklich ist!

Aber um noch weiter zu gehen: Wusstest du, dass heute unverhältnismäßig mehr Menschen leben als in allen Jahrhunderten der Menschheitsgeschichte zusammen? Das Missionsfeld (die gesamte Weltbevölkerung) umfasste im 15. Jahrhundert etwa 461 Millionen[46] Menschen.

Heute sind wir 7,9 *Milliarden.*[47]

45 https://www.medindia.net/patients/calculators/world-death-clock.asp

46 https://www.statista.com/statistics/1006502/global-population-ten-thousand-bc-to-2050/

47 https://www.worldometers.info/world-population/#:~:text=7,9%20Milliarden%20(2021),Nationen%20Schätzungen%20erstellt%20von%20Worldometer.

Das sind fast 20-mal mehr Menschen als noch vor 500 Jahren.

Das bedeutet, dass wir uns unverhältnismäßig viel Mühe geben sollten, das Evangelium zu verbreiten. Leider sehen die aktuellen Zahlen ganz anders aus, wie wir in Kapitel 2 gesehen haben. Aber es gibt einen Hoffnungsschimmer. Lass mich erklären, warum ich zwei große Chancen sehe.

Die Chance unserer Zeit

Es ist eine unglaubliche Zeit, am Leben zu sein.

Wahrscheinlich ist es die aufregendste Zeit in der Geschichte der Kirche. Vielleicht sogar in der gesamten Menschheitsgeschichte. Denk mal drüber nach: Die große Mehrheit der Menschen im Himmel wird aus Menschen des 20. und 21. Jahrhunderts bestehen. Also, wenn du eine imposante Krone bekommen willst, bist du in der Pole Position, weil das „Erntefeld" riesig ist.

Es gibt so viele Menschen da draußen und du und ich können sie zum Herrn bringen!

Im Grunde haben wir die Möglichkeit, den Sieg nach Hause zu fahren. Wie groß wird der Sieg von Christus sein!

Und was ist der Schlüssel zu diesem Sieg? *Du!*

Du denkst vielleicht: Was, ich? Ja, du! (Keine Sorge, ich bin mir bewusst, dass wir ohne Gott nichts tun können.) Aber trotzdem! Du bist die beste Person für diese Art von Problemen. Weißt du, warum ich mir da so sicher bin? Weil Gott dich geschaffen hat, um in dieser wichtigen Zeit der Menschheitsgeschichte zu leben.

Er hat dich gesehen.

Deine Identität, deine Stärken und deine Schwächen.

Gott hat dich „für eine Zeit wie diese" an diesen Ort gestellt. Königin Esther musste diese Worte hören, als sie zweifelte, ob sie ihr Leben für Gott riskieren sollte. (Esther 4,14) Vielleicht geht es dir genauso. Ich will dich anfeuern! Wie Mordochai damals Esther! Gib alles!

Stell dir dein Leben wie einen Staffellauf vor. Was für eine unglaubliche Ehre, als vierter Läufer der Staffel zu laufen! Gott hätte 1.000.000.000 andere Menschen machen können, aber er hat dich gemacht. Er wusste, dass diese Zeiten hart sein würden, und deshalb hat er *dich* geschaffen! Er hat beschlossen, dich die letzten Meter laufen zu lassen. Was für eine Ehre!

Ich weiß, was du jetzt vielleicht denkst: Wer bin ich schon? Aber guck nicht auf dich, wie Gideon es tat oder Mose, als er sagte: „Ich kann nicht sprechen." Es geht nicht um dich, es ging nie um dich. Es geht um den Herrn. Die Schlacht ist des Herrn. Der Herr brauchte keine Armee von Helden, um eine Erweckung herbeizuführen; er beruft immer einzelne gottesfürchtige Männer und setzt sie mit großer Wirkung ein.

Es war ein Mann, Noah, der die Menschheit rettete.

Es war ein Mann, David, der Israel von Goliath befreite.

Es war ein Mann, der Herr Jesus Christus, der die Welt gerettet und den Sündern das Heil gebracht hat.

Und wenn du dir die Geschichte des Evangeliums ansiehst, hat der Herr Jesus keine *Armee* aufgebaut, um die Welt zu erreichen, sondern eine sehr überschaubare *Gemeinschaft*. Er verbrachte seine ganze Zeit mit 12 Männern – 12 fehlbaren Männern – und doch konzentrierten sie sich nicht auf ihre Unzulänglichkeiten, sondern auf Gott.

Weil sie das taten, stellten diese 12 Männer die damalige Welt auf den Kopf.

Vielleicht wird Gott eine Erweckung schenken. Im letzten Zyklus der Geschichte Israels geschah genau das. Bevor der Messias kam, brach eine große Erweckung aus: die Bewegung um Johannes den Täufer.

Werden wir das Gleiche bald vor seinem Kommen erleben?

Ich weiß es nicht, aber das ist mein Gebet. Wenn es passiert, werden wir dann diejenigen sein, die es erwarten, oder schlafen wir, wie die meisten Israeliten damals? Werden wir es sogar ablehnen, wie die Pharisäer Johannes den Täufer und schließlich Christus selbst ablehnten?

Mein Freund, ich kann nicht in die Zukunft sehen, aber Gott hat noch einige erstaunliche Joker in seinem „Kartenset der Weltgeschichte“ übrig. Lass uns beten, als ob alles von Gott abhinge, und arbeiten, als ob alles von uns abhinge. Das ist meine Pille. Das ist meine Leidenschaft. Ich arbeite wie ein Verrückter, weil ich weiß, dass ich, auch wenn ich spät dran bin, immer noch die gleiche Belohnung bekomme.

Denke an das Gleichnis vom Weinberg (Matthäus 20,9). Einige kamen eine Stunde vor Tagesende in den Weinberg. Aber sie bekamen den gleichen Lohn wie die anderen – *aus Gnade*! Wir haben einen Gott der Gnade! Die Letzten werden die Ersten sein. Auch wenn du schwach bist, jung im Glauben, ein Abtrünniger, was auch immer. Es gibt einen Gott der Gnade! Stell dir vor, Jesus käme in einer Woche wieder. Du würdest die komplette Belohnung bekommen, wenn du *jetzt* anfängst zu arbeiten! Wie dumm wäre es, das nicht zu tun?

Bro – hast du es verstanden?

VOLLGAS!

Die Chance der Technologie

In einem Artikel des Magazins *Forbes* heißt es: „Jeden Tag werden mehr als 2,5 Quintillionen Bytes an Daten erzeugt, aber dieses Tempo beschleunigt sich immer mehr durch das wachsende ‚Internet der Dinge‘“. Zur Einordnung: Der weltweite Datenverkehr pro Sekunde beträgt 130.000 GB. Um dir das besser vorstellen zu können: Du würdest diese Menge an Daten nutzen, wenn du neun Jahre ununterbrochen Videos gucken würdest. Und das ist der Datenverkehr einer Sekunde!

„Die Zahl der Smartphone-Nutzer ist im letzten Jahr um 2,3 % gestiegen und hat sich in 12 Monaten um 117 Millionen erhöht.“[48]

Das sind fast 10 Millionen neue Nutzer pro Monat.

48 https://www.forbes.com/sites/bernardmarr/2018/05/21/how-much-data-do-we-create-every-day-the-mind-blowing-stats-everyone-should-read/?sh=40422aa160ba

Aus dem Bericht „Digital 2021“ von Hootsuite geht hervor, dass es weltweit 5,27 Milliarden Smartphone-Nutzer gibt, was knapp 67 % der Weltbevölkerung entspricht.

67 % aller Menschen!

Das ist eine unglaubliche Chance. Die Einstiegshürde, um Inhalte zu verbreiten, ist heutzutage unvorstellbar niedrig. Während man vor ein paar Jahren noch an den Gatekeepern wie Radiosendern, Fernsehsendern und Filmstudios vorbeikommen musste, kann heute jeder etwas produzieren und es über Spotify, YouTube oder andere soziale Plattformen in Umlauf bringen.

Komplizierte Software ist längst Mainstream geworden und die wenigen Dinge, die du lernen musst, kannst du dir ganz einfach mit DIY-Tutorials auf YouTube aneignen. Das Internet ist für uns wirklich das, was der Buchdruck für die Reformation war.

Es ist auch eine *große* Chance für das Evangelium. Es ist ein wunderbares Werkzeug für Christen, die sich nach einer Erweckung sehnen. Aber weil es so einfach ist, hat es auch seine Kehrseite. Sie kann einen Erwecker in einen Opportunisten verwandeln.

Was ich damit sagen will: Evangeliumsarbeit ist schwierig.

Es ist die Geburt eines Menschen. Niemand wird „aus dem Nichts“ geboren – ohne eine lange Vorbereitungsphase und eine Menge Schmerzen. Genauso ist es mit Schmerzen verbunden, wenn du jemanden zu Christus bringst. Daran kann auch das Internet nichts ändern. Was das Internet aber tun kann, ist, uns die *Illusion vermitteln*, dass wir hart arbeiten, während wir in Wirklichkeit völlig ineffizient sind.

Wir schauen auf die Gimmicks statt auf die Ergebnisse.

Wir sehen Posts, die angesehen, geteilt und geliked werden, anstatt dass Seelen gerettet, erlöst und verwandelt werden.

Ich weiß, dass das sehr hart ist, aber ich bin besorgt um dich.

Ich möchte, dass du in den Himmel kommst und die Worte „Gut gemacht“ hörst. Ich will nicht, dass du hörst: „Du warst zwar sehr beschäftigt, aber nicht fokussiert.“

Hier ist mein Rat:

Konzentriere dich auf dein spirituelles Wachstum und nicht auf dein Instagram-Wachstum. Als ich mein eigenes Unternehmen mit Hilfe des Internets aufgebaut habe, habe ich mit den besten Marketingexperten in den USA gearbeitet. Was ich von Masterminds und aus jahrelanger persönlicher Erfahrung gelernt habe, ist Folgendes: Content ist *wirklich* alles. Viele Menschen wissen, dass es auf den Content ankommt, setzen aber trotzdem auf Gimmicks wie Design, ein schickes Studio und die neueste Kamera! Und ganz ehrlich – auf den ersten Blick fallen wir alle darauf herein. Aber das Design ist nur die Verpackung. Auf den Inhalt kommt es an. Denn wer interessiert sich schon für ein gut aussehendes, aber wertloses Produkt? Niemand. Deshalb siehst du oft toll aussehende Inhalte, die kaum angesehen werden. In der Bibel war es genau umgekehrt:

- Mose *wirkte auf* den Pharao wahrscheinlich wie ein heruntergekommener Hirte – aber der Inhalt war gut.
- Johannes der Täufer *sah* ziemlich seltsam aus (Kamelhaar und Ledergürtel) – aber der Inhalt hatte es in sich.
- Jesus hatte kein begehrenswertes Äußeres (Jesaja 53,2) – aber der Inhalt war göttlich.

Weißt du, was sie von anderen unterschied?

Sie waren von Gott gesandt. Das Einzige, was christliche Inhalte großartig macht, ist Christus. Großartiger Content entsteht, wenn der große „Content Creator" entscheiden kann, wer sprechen wird. Wer vor der Kamera steht. In Römer 10,15 steht: *„Wie aber werden sie predigen, wenn sie nicht gesandt sind?"* Wenn jemand nicht gesandt ist, kann er zwar viel Staub aufwirbeln, aber es werden keine *geistlichen* Ergebnisse dabei herumkommen.

Gott wählt seine Arbeiter aus.

Gott spricht durch sein Wort zu den Menschen und dieses Wort wird von Predigern verkündet. Johannes der Täufer bezeichnete sich selbst als *eine Stimme*. In Epheser 4,8 steht, dass Christus, als er in den Himmel kam, „den Menschen Gaben gab". Die Gaben sind tatsächlich die Menschen selbst. Also die Apostel, Propheten, Evangelisten, etc... Nicht nur die Worte, die sie sagten, sondern ihre ganze Persönlichkeit. Was also wirklich wichtig war, war die Vorbereitung dieser Männer. Jesus nutzte die drei Jahre seines Dienstes nicht dafür, ein kluges Buch zu schreiben, sondern formte 12 Männer. Zwölf Gaben für die Menschheit.

Deine Vorbereitungszeit mit Gott ist also entscheidend, wenn du einen (Online-)Dienst beginnen willst. Die Menschen brauchen Gott. Wenn du Gott nicht zu den Menschen bringst, hörst du besser gleich wieder auf. Alle Männer Gottes, die in der Geschichte wirklich etwas bewirkt haben, haben eines gemeinsam – ich glaube, du weißt, worauf ich hinaus will: sie fürchteten den Herrn. Sie trennten sich vom Bösen und schätzten sein Wort mehr als alles andere.

Bevor du also online gehen und ein „Weltveränderer" sein willst, denke über diese Worte eines Mannes nach, der in seiner Generation buchstäblich die Welt verändert hat:

> *„Gebt mir hundert Prediger, die nichts als die Sünde hassen und nichts als Gott begehren; sie allein werden die Pforten der Hölle erschüttern und die Welt verändern."*
>
> – John Wesley

Du stehst vor der größten Chance der Geschichte und du hast das beste Werkzeug in der Hand. Hasse nichts als die Sünde und begehre nichts als Gott und, wenn Gott es zulässt, werden wir die größte Erweckung in der Geschichte der Menschheit erleben.

TAKEAWAYS

1. **Du hast eine einmalige Gelegenheit.** Nie war das Missionsfeld größer, und du bist genau hier, jetzt, in einer Zeit wie dieser. Nimm es an und sei bereit, an die Arbeit zu gehen.

2. **Du hast die einmalige Gelegenheit, eine nie dagewesene Technologie zu nutzen.** Nie zuvor war es leichter, die Botschaft des Evangeliums so weit zu verbreiten.

3. **Was zählt, ist, dass du dich auf dein *geistliches* Wachstum konzentrierst.** Wenn du geistlich aufgetankt bist, kannst du gar nicht anders, als „gute Inhalte“ herauszusprudeln.

GEBET

Herr, du siehst die überwältigende Chance. Aber du siehst auch das überwältigende Angebot des Vergnügens. Hilf mir, in deiner Furcht zu leben und mich von Unnötigem zu trennen, um jede Minute für dein Reich zu nutzen.

KAPITEL 16

FAKE REVIVAL HASSEN

ECHTE ERWECKUNG ENTLARVT FALSCHE ERWECKUNG

Zeit und Technologie eröffnen also ganz neue Möglichkeiten für Erweckung. Es hat aber immer einen Nebeneffekt: Scheinerweckung. Warum? Weil wir in der Bibel und in der Geschichte sehen, dass jede Erweckung eine Gegenbewegung hatte.

Immer wenn Gott zu wirken beginnt, wird auch der Teufel sofort aktiv. Lass mich dir einige *biblische* Beispiele zeigen. Gott schuf die Menschen und gab ihnen Anweisungen für das Leben. Der Teufel konterte sofort und gab seine eigenen Anweisungen (1. Mose 3,1). Gott vollbrachte große Wunder durch Mose. Satan kopierte einige von ihnen durch Jannes und Jambres (2. Timotheus 3,8; 2. Mose 7,8-13.22; 8,7). Die Erweckung unter Esra wurde von Widersachern boykottiert, die vorgaben, beim Bau des Tempels mithelfen zu wollen (Esra 4). Jesus schlug heftiger dämonischer Widerstand durch viele besessene Personen entgegen. Die Anfänge der Kirche waren von offenen und versteckten Gegenangriffen geprägt: Petrus bekam es mit Simon, dem Zauberer, zu tun (Apostelgeschichte 8), Paulus stand Elymas gegenüber (Apostelgeschichte 13), Johannes musste den Gnostizismus bekämpfen (1. Johannes).

Auch in jüngerer Zeit zeigt die *Geschichte*, dass echte Erweckung oft zu falscher Erweckung führt.

Die Reformation im Jahr 1517 war der Auslöser für zwei Gegenbewegungen:

Erstens, die Gründung der „Societas Jesu" (der Jesuiten) im Jahr 1539, deren Ziel es war, die Reformation rückgängig zu machen.

Zweitens, die Gründung der „Zwickauer Propheten“ im Jahr 1522, die einen Spiritualismus einführten, der direkte Offenbarungen des Heiligen Geistes zur Autorität machte und somit die Heilige Schrift subtil aushebelte.

2 An die Zweite Große Erweckung von 1790 bis 1840 schloss sich der Beginn der Mormonen im Jahr 1830 an.

3 Die Dritte Große Erweckung in den 1850er bis 1900er Jahren brachte die Zeugen Jehovas hervor, die 1870 in Pennsylvania ihren Anfang nahmen.

Selbst die letzte Erweckung, die Jesus-Bewegung der späten 1960er und frühen 1970er Jahre, wurde durch dämonische Parallelaktivitäten schwer angegriffen und schließlich erstickt. Richard F. Lovelace, ein Professor für Kirchengeschichte, schreibt:

> *„Auf die Jesus-Bewegung, die zeitweise ein Flickenteppich fleischlicher Religiosität war, folgte ein Zirkus okkulter und östlicher Sekten, die geistliche Fülle und Realität versprachen. Universitäten, die vor kurzem noch von einem neuen evangelikalen Zeugnis durchdrungen waren, ertranken nun in mystischer Propaganda.“* [49]

Ich denke, die größte Gefahr für die Kirche ist nicht ein Mangel an Erweckung, sondern falsche Erweckungen. Wenn es „keine Erweckung“ gibt, sehnst du dich danach. Und du kannst beten. Aber eine scheinbare Erweckung stillt den Wunsch nach echter Erweckung. Man betet nicht einmal um echte Erweckung, weil man in der falschen lebt und denkt, sie sei echt.

Die Bibel warnt uns vor falschem Christentum. In 2. Timotheus 3 steht, dass es am Ende der Zeiten Menschen geben wird, *„die eine*

49 Richard F. Lovelace, Dynamics of spiritual life (Inter-Varsity Press,US, 1979), 455.

Form der Gottseligkeit haben, deren Kraft aber verleugnen". Auf den ersten Blick sehen sie aus wie Christen, verleugnen aber die wahre Kraft. Auf ihrer Instagram-Bio findest du „Evangelist, Jesus rettet, Kingdom Warrior", aber wenn du ihre Inhalte näher betrachtest, wirst du die wahre Furcht vor dem Herrn vermissen. Es sieht dann eher nach *„selbstsüchtig, geldliebend, prahlerisch* usw." aus.

Klingelt da was?

Was müssen wir also tun, wenn es falsche Erwecker gibt?

Nichts.

Die Bibel sagt einfach: Meide solche Menschen (2. Timotheus 3,5). Vermeide es, Inhalte zu konsumieren, die du etwas merkwürdig findest. Geh nicht zu Veranstaltungen, die dir seltsam vorkommen. Wenn sie echt sind, wird Gott es offenbaren. Wenn nicht, wird das sehr bald klar werden.

Wie? Ich habe keine Ahnung, aber der Herr wird die Dinge klarstellen, so wie er es mit Jannes und Jambres tat. Diese beiden religiösen Wundertäter widersetzten sich Mose, als er kam, um Israel wahre Umkehr und Erweckung zu bringen. Sie nutzten ihre Fähigkeit, Wunder zu vollbringen, um die Worte Gottes auszulöschen. Aber es gab einen Moment, in dem sie sich der Wahrheit beugen mussten.

Auf dieselbe Weise wird uns der Herr die Dinge sehr deutlich vor Augen führen. Er sagt über diese falschen religiösen Menschen: *„Aber sie werden nicht weiter fortschreiten, denn ihr Unverstand wird allen offenbar werden, wie auch der von jenen es wurde."* (2. Timotheus 3,9)

Die wichtigsten Kriterien, um das Echte vom Falschen zu unterscheiden, sind die Furcht des Herrn und die strikte Treue zur Heiligen Schrift. Das ist der Ratschlag, den Paulus Timotheus gab, als dieser ähnliche Zeiten durchlebte wie wir heute. Im Grunde sagt er Timotheus: *In diesem ganzen Chaos ist es schwer, Falsches und Echtes zu unterscheiden. Vermeide es, auf die schiefe Bahn zu geraten, indem du den Herrn in deinem persönlichen*

Leben fürchtest und mit anderen Menschen zusammen bist, die das auch tun. Hier sind seine genauen Worte: *„Die jugendlichen Begierden aber fliehe; strebe aber nach Gerechtigkeit, Glauben, Liebe, Frieden* (persönlich) *mit denen, die den Herrn anrufen aus reinem Herzen.“* (2. Timotheus 2,22)

Fliehe vor schlechten Dingen. Strebe nach guten Dingen.

Das ist die Furcht des Herrn. Sie führt automatisch zu einer Trennung von Menschen, die einen anderen Jesus anbeten. Die Flucht vor schlechten Dingen und das Streben nach guten Dingen bringt Klarheit in deine Welt.

In dieser Klarheit lernst du, das Gute vom Bösen *korrekt* zu unterscheiden.

Falsche Kriterien für Trennung

Es ist wichtig, zu bedenken, dass es *gute* und *schlechte* Trennungen gibt.

Eine gute Trennung resultiert aus echter Gottesfurcht. Eine schlechte Trennung resultiert aus Mangel an Furcht. Licht von Dunkelheit zu trennen ist gut. Aber das Licht vom Licht zu trennen ist böse. Gott hasst diese Trennung. (Sprüche 6,19, Maleachi 2,16)

Um eine falsche Trennung zu vermeiden, müssen wir das Böse definieren.

Wir müssen definieren, was schwarz und was weiß ist.

Aber es gibt ein Problem: Oft sind die Dinge grau. Nicht bei Gott, sondern in unserer begrenzten Wahrnehmung.

Hier ist also meine Meinung dazu. Ich hoffe, sie kann dir helfen.

Keiner von uns hat die volle Wahrheit. Wir alle sehen in einen undeutlichen Spiegel, wir alle erkennen nur stückweise (1. Korinther 13,12). Was tun wir also, wenn wir etwas hören, das laut der Bibel nicht wahr ist? Wir müssen unterscheiden, zwischen *Personen* und *Lehre*.

Personen. Es gibt einen Unterschied zwischen falschen Lehrern und Menschen, die etwas Falsches lehren. Falsche Lehrer sind Menschen wie Hymenäus. (2. Timotheus 2,17) Sie verbreiten ganz bewusst elementare Irrlehren. Diese Leute sollte man meiden. Aber dann gibt es auch Leute wie Apollos (Apostelgeschichte 18,26). Das sind Menschen, die vielleicht erstaunliche Gaben haben, aber nur einen *Teil* der Wahrheit kennen. Wir müssen an diesen Menschen dran bleiben und die Heilige Schrift in den Mittelpunkt stellen, so wie Priszilla und Aquila es taten.

Lehre. Die meisten christlichen Lehren sind gut verständlich, ergänzen sich und legen sich gegenseitig aus. Wenn du dich entscheidest, das Wort Gottes wörtlich zu nehmen, wird alles viel einfacher. Aber es gibt auch Lehren, die nicht ganz klar sind. Graubereiche. Ich denke, die Bibel unterscheidet zwischen Kernwahrheiten und Randwahrheiten. Wir können das in Matthäus 3,23 sehen:

> *"Wehe euch, Schriftgelehrte und Pharisäer, ihr Heuchler! Denn ihr verzehntet die Minze und den Dill und den Kümmel* (Rand) *und habt die wichtigeren Dinge des Gesetzes* (Kern) *beiseite gelassen: das Gericht und die Barmherzigkeit und den Glauben. Diese aber hättet ihr tun und jene nicht lassen sollen."* – Matthäus 23,23

Bei den Kernwahrheiten geht es um *geistige* Realitäten. Bei den Randwahrheiten geht es um *materielle* Aspekte.

Bitte beachte, dass es *nicht heißt,* dass wir Randwahrheiten *vernachlässigen* können. Aber es gibt Prioritäten und Schwerpunkte. Eine weitere Stelle, die auf Randwahrheiten hinweist, ist Römer 14, wo sie als „strittige Überlegungen“ bezeichnet werden. Die Bibel spricht also von Dingen, die grau sind.

Falsche Lehrer wollen *alles* für grau, nebensächlich und diskutabel erklären. Aufgrund unserer rasanten Zeit und der Allgegenwart von Irrlehrern im Internet hat man das Gefühl, dass eine

Kernlehre nach der anderen zur Nebensache erklärt wird. Wenn du also einen Realitätscheck machen und herausfinden willst, was Christen als „Kern“ betrachten, lies einfach die christlichen Glaubenbekenntnisse wie z. B. das Westminster Bekenntnis von 1647. Sie sind nicht perfekt, aber sie geben uns einen guten Eindruck davon, was die wichtigsten Lehren des Evangeliums waren.

Kernwahrheiten beziehen sich auf Dinge wie:

- Die Lehre über den Christus (1. Johannes 4,1-3)
- Die Autorität der Bibel (2. Timotheus 3,16; Offenbarung 22,18)
- Das Evangelium des Paulus (Galater 1,6-9)

Randwahrheiten betreffen Dinge wie:

- Ernährung
- Feiertage
- Kleidung
- Gemeindestunden

Wir sollten sehr vorsichtig sein, worüber wir streiten. (Lies diesen Satz noch einmal!)

Wir müssen unsere begrenzte Energie auf Kämpfe verwenden, die wirklich wichtig sind. Lasst die Hirten nicht über Dinge streiten, die zweitrangig sind, während die Herde geistlich hungert. Gott hasst das. Lasst uns die Sünde der falschen Trennung fürchten. Wenn wir unsere Faust gegen unseren Bruder erheben, lasst uns daran denken, dass wir eines Tages vor dem Gott stehen werden, der diesen Bruder erschaffen und gerettet hat und ihn verteidigen wird.

Wir werden für jedes Wort, das wir gesprochen haben, Rechenschaft ablegen müssen.

Lasst uns zittern und in Frieden leben. Lasst uns in Demut voneinander lernen.

Richtige Kriterien für Trennung

Darum geht es in der Furcht des Herrn. Trennung von bösen Gedanken bedeutet auch Trennung von Menschen, die solchen Gedanken nachgehen und sie verbreiten. Das sind Menschen, die gottesfürchtig aussehen, aber nicht echt sind.

Johannes erinnert sich: *„Sie sind von uns ausgegangen, aber sie waren nicht von uns."* (1. Johannes 2,19)

Petrus schreibt: *„Sie locken unbefestigte Seelen an."* (2. Petrus 2,14)

Paulus schreibt: *„Wende dich weg!"* (2. Timotheus 3,5)

Aber, um ehrlich zu sein, ist das ziemlich kompliziert, weil die Täuschung in unserer Zeit immer raffinierter wird. Durch das Internet ist es für falsche Lehrer sehr einfach, bestimmte Gemeinden zu analysieren und ihre Lehren und ihren Stil zu übernehmen. Es ist auch viel einfacher, bestimmte Gemeinschaften ins Visier zu nehmen und auf ihre Schwachstellen anzusprechen. Und weil falsche Lehrer oft über Videos kommunizieren, siehst du sie immer in einem perfekten Licht. Du siehst selten ihre *wahren* Schwachstellen.

Wie kannst du also erkennen, ob etwas *ernsthaft* schief läuft? Ich meine nicht Randwahrheiten. Ich meine, ob etwas im Kern nicht stimmt.

Durch die Brille der Bibel und des Geistes.

Aber heute ist es noch komplizierter. Sorry, aber so ist es nun mal. Denn heute kann jemand dir zu 100 % zustimmen und trotzdem ein falscher Fünfziger sein.

Damit das Sinn macht, muss ich ein wenig ausholen. Zuerst müssen wir verstehen, was die derzeitige Denkweise ist. Schlaue Leute nennen das: *Zeitgeist*. Die meisten Menschen würden heute wahrscheinlich mit einem schicken Wort wie *Postmoderne* daherkommen. Wenn du denkst, dass wir in einer postmodernen Welt leben, erlaube mir, diese Ansicht in Frage zu stellen. Ich denke, wir sind bereits in eine neue Ära eingetreten:

Nämlich die Metamoderne.

Um es ganz einfach zu machen, möchte ich kurz erklären, wie sie sich aus zwei anderen Bewegungen entwickelt hat. Hier ist die Entwicklung, die ich schnell durchgehen möchte:

- Moderne
- Postmoderne
- Metamoderne

Die *moderne* Philosophie war der Meinung, dass die Wissenschaft der Weg in die Zukunft ist und die Menschen befreien wird. Industrielle Revolution – Hurra! Die Maschine ist die "Wahrheit"! Dann kamen zwei Weltkriege und die Menschheit entdeckte: Die Maschine ist nicht die Lösung; die Maschine hat mehr Menschen getötet als alles andere. Die Philosophen wurden zynisch.

So entstand die *Postmoderne*. Sie wirft einen kritischen Blick auf Wissen und Wissenschaft und war in den letzten Jahrzehnten vor allem an den Universitäten sehr beliebt. Aber zynisch zu sein und ohne jede Wahrheit zu leben, ist auch nicht wirklich hip. Warum also nicht den Mittelweg wählen? So wurde die Metamoderne geboren.

Die *metamoderne* Philosophie ist eine neue Art der Philosophie, die mit dem Aufkommen des Internets und der sozialen Medien ihren Anfang nahm. Es ist eine Sichtweise, die den *modernen* Fortschrittsglauben mit der *postmodernen* Kritik verbindet. Die Metamoderne wird oft mit einem Pendel veranschaulicht, das sich ständig zwischen beiden bewegt. Zwischen Schöpfung und Zerstörung, Hoffnung und Zweifel, Optimismus und Realismus.

Um mal konkret zu werden, möchte ich dir ein Beispiel in Bezug auf „Wahrheit“ geben, indem ich untersuche, wie Vertreter aller drei Weltanschauungen auf folgenden Satz reagieren würden: *„Jesus ist die Wahrheit.“*

- Der Modernist würde sagen: „Ha, nein, ihr liegt falsch. Die Wissenschaft ist die Wahrheit.“

- Der Postmodernist würde antworten: „Ich kann nicht wissen, ob du Recht hast. Niemand *kennt* die Wahrheit. Gibt es *Wahrheit?*"
- Der Metamodernist würde sagen: „Du hast 100 % Recht. Jesus *ist* die Wahrheit. Super, wie du das gesagt hast. Ich hätte es nicht besser sagen können." (Aber zwei Minuten später könnte er mit einem Buddhisten sprechen und sagen: „Der Buddhismus scheint es wirklich zu verstehen. Ich glaube, er trifft wirklich den Kern.") Dabei hätte er kein Problem damit, mit diesen gegensätzlichen Weltanschauungen zu leben.

Das ist Wahnsinn.

Bei der Metamoderne geht es darum, das Dazwischen zu erforschen. Sie umfasst zwei gegensätzliche Ideen zur gleichen Zeit. Der Metamoderne balanciert die beiden Ideen *nicht* wie in einem Paradoxon aus, sondern schwankt zwischen ihnen.

Leider macht diese Denkweise nicht an der Kirchentür halt. Vielleicht denkst du wie ich: *Es ist verrückt, aber ich sehe diese Art von Verhalten immer öfter*. Die Menschen stimmen zwei Optionen zu, obwohl sie direkt gegensätzlich sind. Sie schauen zwei Predigern zu, obwohl sie das totale Gegenteil sagen.

Das ist völlig realitätsfern.

Es ist eine Mischung aus zwei Gegensätzen in einem Cocktail.

Wahrheit und das Gegenteil von Wahrheit. Licht und Dunkelheit. Warm und kalt.

Das ist der Höhepunkt der laodizeanischen Mentalität. Das ist die hypoxische Kirche.

Von der Theorie zur Realität

Das Böse in einem solchen Kontext zu erkennen, ist super schwierig. Während der Modernist dir sagen wird, dass du dich irrst, und der Postmodernist, dass es ihm egal ist, ist der Metamodernist schwerer zu fassen.

Weil jeder „seine Wahrheit“ haben kann, wird der Metamodernist dir zu 100 % zustimmen.

Er wird sich nicht wirklich mit deinem Weltbild auseinandersetzen. So spielt es sich in der Welt ab. Heutzutage sehen sich die Menschen Videos von zwei völlig gegensätzlichen Lehrern an und lieben beide. Sie merken nicht einmal, dass sie eigentlich unvereinbar sind. Aber weil wir Metamodernisten sind, vermischen wir die Dinge, ohne uns um Logik oder Wahrheit zu scheren.

Wie können wir unter dieser Weltanschauung Christus predigen?

Nicht durch Predigten über gute Dinge. Warum? Weil alle zustimmen werden.

Nicht indem du das Positive ansprichst. Die Menschen werden sich gebauchpinselt fühlen.

Nein, es gibt nur einen Weg. In einer Welt, in der alles gut ist, wird der „Hass auf das Böse“ die trennende Formel sein. Das ist das Konzept, das die Party der Illusion crasht. Als Israel betrunken um das Kalb tanzte, machte die Einführung des Gesetzes der Party ein Ende.

Wir müssen das Böse auf eine neue Art und Weise fürchten, wenn wir der Metamoderne wirksam entgegentreten wollen.

Allein die Furcht des Herrn wird eine neue Ära der erneuerten Gotteserkenntnis eröffnen.

Aber Predigen allein reicht nicht aus. Christen müssen die Furcht des Herrn *leben*. In einer illusionisierten Welt macht die *Realität* den Unterschied. Die Metamoderne ist mit allen *Theorien* einverstanden. Aber die Realität eines gottesfürchtigen Lebensstils wird sie vor eine Entscheidung stellen.

Als Christen müssen wir unseren Lebensstil ändern und in Trennung vom Bösen leben.

Das Ergebnis wird sein, dass ein religiöser Metamoderner die Realität sieht und dies die kraftvollste Predigt sein wird, die er je gehört ... und gesehen hat. Sie müssen Gott sehen.

Du bist derjenige, der das möglich machen kann.

Teil 5 zeigt dir, wie du das jeden Tag tun kannst.

TAKEAWAYS

(1) **Wahre Erweckung wird durch falsche Erweckung gekontert.** Zahlreiche Beispiele in der Geschichte zeigen, dass der Teufel das, was Gott zu tun beginnt, durch Nachahmung angreift. Die Furcht des Herrn ist ein wichtiges Unterscheidungskriterium.

(2) **Vorsicht vor falscher Gottesfurcht.** Die Furcht des Herrn bedeutet, das *Böse* zu hassen. Nicht das Gute. Hüte dich davor, Menschen, Bewegungen und Dienste vorschnell zu verurteilen.

(3) **Die richtigen Kriterien helfen dir, zwischen Kernwahrheiten und Randwahrheiten zu unterscheiden.** Wenn du die Zweideutigkeit der Metamoderne verstehst, kannst du in den Kernbereichen vorankommen.

GEBET

Herr Jesus, schenke mir die Freude an deiner Gegenwart. Wirke zuerst eine echte Erweckung in mir. Gib mir die Liebe zu all meinen Brüdern und Schwestern und die Weisheit zu erkennen, wenn etwas nicht stimmt. Gib mir die Geduld, die Dinge so anzugehen, wie du es tun würdest, und leite mich durch deinen Heiligen Geist.

TEIL V

DIE TAKTIK:

WIE DU GOTT JEDEN TAG SIEHST

KAPITEL 17

BÖSES HASSEN

WIE DU AUFHÖRST STÄNDIG ZU FALLEN

Manche Leute denken, dass der Kauf eines Laufbands eine gute Idee ist, um ihren Körper in Form zu bringen. Aber nach ein paar Tagen merken sie: Tägliches *Laufen* auf dem Laufband bringt den Körper in Form.

Ein großer Unterschied.

Alles Wissen über die Kraft der Furcht des Herrn ist wertlos, wenn du es nicht täglich praktizierst. Um dir den Einstieg zu erleichtern, möchte ich dir einige bewährte Konzepte zeigen, die du sofort umsetzen kannst. Ich habe sie in zwei einfache Bereiche unterteilt, die dir vielleicht bekannt vorkommen ...

1. Hasse Böses.
2. Tue Gutes.

Klingt einfach, oder?

In diesem Teil wirst du sehen, wie du jeden Tag das Böse hassen und das Gute tun kannst. Ganz praktisch. Im ersten Teil geht es um *Hass* und im zweiten Teil darum, *Gutes* zu *tun*. Zuerst sehen wir, warum Hass gut ist, dann, wie du die Sünde effektiv hassen kannst, und zum Schluss gehen wir in dein Zimmer und räumen auf!

Warum Hass gut ist

Neulich habe ich ein schockierendes Video gesehen. X aß gerade etwas. Plötzlich kam Y in totaler Wut in die Szene und schlug X so hart, dass dieser weglief.

Und weißt du was? Mir hat es gefallen!

Seltsam, oder? Das ist doch grausam! Aber dir hätte es auch gefallen. Ich verrate dir auch, warum. X war ein *Bär*. Das Essen war ein *Hund* und Person B war die Frau, die versuchte, ihren Welpen zu retten.

Wenn man das weiß, bekommt die Situation eine ganz andere Bedeutung.

Plötzlich wird der Hass gegenüber dem Bären ehrenvoll.

Wir haben die natürliche Neigung zu denken, dass Liebe und Hass nichts miteinander zu tun haben. Das ist falsch. Liebe und Hass sind sogar enger miteinander verbunden, als du denkst.

Neurologisch gesehen sind Hass und Liebe eng verknüpft. Forscher des University College London haben herausgefunden, dass das Gehirn nicht in der Lage ist, zwischen Liebes- und Hassreizen zu unterscheiden.[50] Deshalb ist es nicht ungewöhnlich, dass Beziehungen leicht von Liebe in Hass umschlagen. Nimm zum Beispiel die biblische Geschichte von Amnon und Tamar. Zuerst liebte Amnon Tamar, aber gleich nachdem sie miteinander geschlafen hatten, hasste er sie. *„Und Amnon hasste sie mit sehr großem Hass; denn der Hass, mit dem er sie hasste, war größer als die Liebe, mit der er sie geliebt hatte.“* (2. Samuel 13,15)

Siehst du, wie nah „Hass“ und „Liebe“ beieinander liegen können?

Hass und Liebe sind auch *rational* miteinander verbunden. Wir können die Wahrheit nicht lieben, ohne Lügen und Betrug zu hassen. Wir können das Leben nicht lieben, ohne Krebs, AIDS und andere Krankheiten zu hassen.

Also: Wer liebt, muss auch hassen.

Denke an die Geschichte mit dem Bären. Die Frau liebte den Welpen und griff den Bären körperlich an. Ihre Liebe zu dem Welpen drückte sich in Hass gegenüber dem Bären aus.

Schließlich und vor allem stehen Hass und Liebe in einem *biblischen* Zusammenhang. Das Alte Testament zum Beispiel ist voll von diesem Hass-Liebe-Dualismus, den Amos mit den

50 https://www.independent.co.uk/news/science/scientists-prove-it-really-is-a-thin-line-between-love-and-hate-976901.html

Worten *„Hasst das Böse und liebt das Gute"* zusammenfasst. Besonders deutlich wird diese Verbindung im Neuen Testament, wo die Liebe buchstäblich die Furcht des Herrn umschließt.

Lies Römer 12,9-10:

FURCHT DES HERRN

„Die **Liebe** sei ungeheuchelt.
Verabscheut das Böse, haltet fest am Guten.
In der Bruder**liebe** seid herzlich zueinander."

Siehst du, wie „Liebe" und „das Böse hassen" Hand in Hand gehen? Es klingt kontraintuitiv, aber zu lieben heißt zu hassen. So können wir auch verstehen, warum Jesus, als er gebot, ihn zu lieben, als Bedingung daran knüpfte, alles andere zu *hassen* (Lukas 14,26).

Vielleicht ist diese Art des Denkens neu für dich. „Krass, als Christ soll ich also hassen?"

Vielleicht hast du nie daran gedacht, dass Hass ein Teil deiner Identität ist.

Vielleicht hast du dich an das Denken der Welt gewöhnt, dass Hass grundsätzlich etwas Schlechtes ist.

Und doch lehrt die Bibel: Wir sollen hassen, weil Gott auch hasst. In Offenbarung 2,6 sagt Gott: „Aber dieses hast du, dass du die Werke der Nikolaiten hassest, die auch ich *hasse*."

Gott hasst. Wenn er das nicht täte, wäre er nicht Liebe.

Und wann immer Menschen mit dem Heiligen Geist erfüllt wurden, war Hass die Folge:

- Jesus hat falsche Traditionen verbal angegriffen.
- Paulus hat gegen Gesetzlichkeit gepredigt.
- Johannes der Täufer prangerte Herodes wegen seiner Heirat an.

Die paradoxe Wahrheit ist einfach: Wenn du nicht bereit bist, ein „Hater" zu sein, kannst du kein Diener Gottes sein.

Die Taktik der Sünde

> *Wenn du den Feind kennst und dich selbst kennst, brauchst du das Ergebnis von hundert Schlachten nicht zu fürchten. Wenn du dich selbst kennst, aber nicht den Feind, wirst du für jeden gewonnenen Sieg auch eine Niederlage erleiden. Wenn du weder den Feind noch dich selbst kennst, wirst du in jeder Schlacht untergehen.*
>
> – Sun Tzu, *„Die Kunst des Krieges"*

Um die Sünde effektiv zu hassen, musst du ihre Logik kennen.

Sünde hat eine Logik. Es hat eine Weile gedauert, bis ich das verstanden habe.

Sünde ist tatsächlich „ein Ding".

Wir haben gesehen, dass sie *in jedem Christen* steckt, sich aber *von* der Identität des Christen unterscheidet .

Sünde hat ein Eigenleben. Seltsam, oder?

Aber sie ist nicht nur ein Konzept, sondern ist ein echter Gegner in dir – und zwar einer, der stärker ist als wir einfache Menschen.

Deshalb können wir die Sünde nicht bekämpfen. Wir sollten die Sünde nicht „tot halten", sondern *uns selbst* der Sünde tot halten. In Römer 6,11 heißt es: *„So auch ihr, haltet dafür, dass ihr der Sünde tot seid, Gott aber lebend in Christus Jesus."*

Dafür müssen wir dieses Biest „Sünde" und seine Logik/Taktik besser verstehen. Sünde ist nicht wie Gott, dessen Gedanken höher sind als unsere Gedanken, sondern Sünde ist ganz ähnlich wie der Teufel: unsichtbar, aber wir können sie trotzdem durchschauen (2. Korinther 2,11). Im Fall von Simson können wir die Logik der Sünde deutlich sehen:

> *„Und Simson ging nach Gaza, und er sah dort eine Hure und ging zu ihr ein."* – Richter 16,1

Er ging, er sah und er nahm.

Dieses einfache Muster der Sünde findet sich immer wieder.

Im Neuen Testament z. B. wird dieses Muster in Jakobus 1,14-15 erklärt: *„Jeder aber wird versucht, wenn er von seiner eigenen Begierde fortgezogen und gelockt wird. Danach, wenn die Begierde empfangen hat, gebiert sie die Sünde; die Sünde aber, wenn sie vollendet ist, gebiert den Tod."*

Diese beiden Verse beschreiben drei klare Schritte, durch die wir immer wieder fallen. Es ist fast wie eine mathematische Gleichung. Wenn du sie verstehst, dann weißt du auch, wann du Stopp sagen musst. Zum besseren Verständnis schauen wir uns ein Beispiel an: Stell dir vor, jemand angelt, aber nicht mit einem Netz, sondern mit einer Angel – mit Haken und Köder. Nun versetze dich in die Lage des Fisches.

Wir sehen die ersten drei Schritte in Vers 14.

Schritt 1: Die Voraussetzung

Jeder aber wird versucht ...

Der Fisch gleitet durch den See und denkt, er sei völlig sicher. Der Haken kann ihm nichts anhaben! Warum wird der Fisch dann trotzdem gefangen? Weil die Gefahr nicht nur vom Haken außerhalb des Fisches ausgeht, sondern von etwas im Inneren des Fisches. Es ist sein inneres Verlangen zu essen, das den Fisch wie ein Magnet zum Haken anzieht. Und *das* ist die Voraussetzung.

Du musst verstehen, dass du einen „Magneten" in deinem eigenen Körper hast. Du hast etwas in dir, das gegen dich arbeitet. Aus Kapitel 11 wissen wir, dass es „die in uns wohnende Sünde" ist. Jeder Mensch – Christen eingeschlossen – hat das, solange er noch in diesem Körper ist. Deshalb sagt Jakobus: „*wird* versucht" im Präsens. Das bedeutet, dass diese Sache ständig stattfindet. Aber es ist auch passiv. Jeder Mensch wird versucht. Es bedeutet, dass es nicht mehr DU bist, sondern etwas Fremdes in dir, das dich in Versuchung führt – „die in uns wohnende Sünde".

Schritt 2: Die Lust

... von seiner eigenen Begierde.

Wir sehen hier, was in deinem Körper vor sich geht – und das ist einfach faszinierend.

Du hast Begierden. Das Wort für Begierden (ἐπιθυμία) steht nicht unbedingt für etwas Schlechtes. Begierden sind Dinge wie Hunger, Durst, Sexualität usw. Aber jeder von uns wird gelockt ... von seinen eigenen Begierden. In Jakobus 3,2 steht: *„wir alle straucheln in vieler Hinsicht"*. Es gibt viele Möglichkeiten, wie du fallen kannst.

In unserem Beispiel bist du ein Fisch, der durch die Gegend schwimmt, und ab und zu von verschiedenen Angelhaken angelockt wird. Eine andere Farbe, eine andere Größe, ein anderer Geschmack.

Eines ist sicher: Der Teufel weiß *genau*, was du magst. Was dich in Versuchung führt.

Warum? Weil er dich beobachten kann. Er weiß genau, bei welchen Bildern du stehen bleibst, wenn du durch deinen Instagram-Feed scrollst, welche Profilbilder du dir zwei- oder dreimal ansiehst, welche Nachrichten du speicherst und auf welchen Websites du dich herumtreibst. Wenn allein Google und Facebook 40.000 Datenpunkte über dich haben, wie viel mehr die unsichtbare Welt?

Satan weiß, welchen Köder er zu welchem Zeitpunkt für dich einsetzen muss.

Und er lässt ihn verlockend tanzen.

Schritt 3: Der Köder

„ gelockt ... und verführt."

Wenn der Teufel dich in Versuchung führt, wird er nicht mit etwas total hässlichem und unattraktiven um die Ecke kommen. Nein, er wird etwas superintelligentes *„für dich Gemachtes"* erschaffen.

Was bedeutet das für uns?

Sun Tzu sagte: „Wenn du weder den Feind noch dich selbst kennst, wirst du in jeder Schlacht unterlegen sein."

Deshalb verlieren wir so oft.

Wir sind viel zu selbstbewusst. Wir kennen uns selbst nicht.

Und der Feind hat seinen großen Tag.

Vor allem im Zeitalter des Internets hat der Teufel sein Waffenarsenal aufgestockt. Metaphorisch gesprochen bedeutet das: Wenn Jugendliche früher gegen Zigaretten kämpfen mussten, kämpfen sie heute gegen Heroin, das auf Spielplätzen verteilt wird.

Dieser verlockende Köder wird ins Wasser geworfen, und es gibt ihn in den abgefahrensten Farben und Formen, die du dir vorstellen kannst. Er ist für jeden von uns maßgeschneidert. Er basiert auf jahrelangen Daten, die durch Algorithmen ständig optimiert werden.

Wer gibt ihnen die Informationen? Du. Direkt von deinem Gerät.

Und du glaubst, du kannst widerstehen? Wirklich? Der Teufel weiß genau, was er tut, und er nutzt deine eigenen Sinne. Vielleicht ist es ein Lied, das du schon einmal gehört hast, als du in einer Beziehung warst ... das deine Gedanken anregt. Das meiste aber läuft über deine Augen. Wie Lot, der nach Sodom schaute und die bewässerten Ebenen am Jordan sah ... oder David, der auf seiner Terasse war, als Bathseba ein Bad nahm.

Wenn das passiert, übernimmt das „Objekt der Begierde" – der Köder – die Oberhand und beherrscht deine Gedanken. In diesem Moment vergessen wir die Furcht des Herrn. Wir fangen nicht an, Gott zu hassen – wir vergessen ihn nur völlig. Wir vergessen all die schönen Dinge, die wir sonst genießen könnten. All die Bäume des Gartens.

Wir wollen nur diese *eine* Sache.

Diesen einen Baum.

Und warum? Weil er auf dich zugeschnitten ist!

Er überwältigt deine Sinne.

Er setzt dein Verlangen frei.

Es scheint nah genug zu sein, um ihn zu berühren.

Er ist zauberhaft.

Und dann: ZACK – Beißt du an!

„Danach, wenn die Begierde empfangen hat, gebiert sie die Sünde; die Sünde aber, wenn sie vollendet ist, gebiert den Tod.“ (Jakobus 1,14-15) Von diesem Moment an kannst du es im Grunde vergessen ... das Spiel ist aus.

Wenn eine Frau schwanger wird, kommt ein Baby zur Welt.

Wenn die Verlockung bis zur Empfängnis geführt hat, *wird* sie die Sünde „zur Welt bringen“. Das Endresultat ist dann der Tod.

Vielleicht fragst du dich jetzt: Okay, aber an welchem Punkt kann ich noch aufhören? Wann kann ich noch Nein sagen? Wenn ich die Versuchung spüre? Oder das brennende Verlangen? Wann habe ich noch Macht?

Wie kann ich aufhören?

Um diese Frage zu beantworten, müssen wir noch tiefer in die Materie einsteigen. Wir müssen uns den ersten Punkt genauer ansehen, nämlich die Voraussetzung, unter der jede Person versucht wird.

In dieser Phase gibt es drei Schritte bis zum Sturz:

- **Ort:** Dort findet die potenzielle Sünde statt.
- **Auslöser:** Der Auslöser zum nächsten Schritt.
- **Handlung:** Der Punkt, an dem du die Grenze überschreitest.

Die Geschichte von Simson (Richter 14,1) illustriert eindrucksvoll, wie sich das immer wieder abspielt.

- Simson ging nach Timna (Ort), sah eine Frau (Auslöser) und nahm sie (Handlung).
- Simson ging in den Weinberg (Ort), sah den Honig (Auslöser) und aß ihn (Handlung).
- Eva war neben dem verbotenen Baum (Ort), sah, dass der Baum gut war (Auslöser), und aß (Handlung).

Erkennst du das Muster? Ort, Auslöser und Handlung.

Aber jetzt kommt die Ironie. Für uns ist es glasklar, wenn *andere* mit der Katastrophe liebäugeln. Aber in unserem Fall denken wir immer: „*Ich* kann die Reißleine ziehen, wenn es soweit ist. Es ist okay, hinzuschauen. Ich werde nichts anfassen. Ich werde nur so nah wie möglich an den Rand gehen, aber ich werde nicht von der Klippe fallen."

Das ist Selbstbetrug!

Wir betrügen uns selbst ... und vernichten uns selbst. Wir sind zu selbstsicher. Und genau das war auch Simsons Problem. Er dachte, er hätte alles unter Kontrolle. Er strotzte nur so vor Selbstbewusstsein. Genau davor will Jakobus uns warnen: vor dem Punkt, an dem es kein Zurück mehr gibt. Der Moment, in dem wir weggelockt werden, führt zur Empfängnis! Von diesem Punkt an ist eine Bauchlandung nur noch eine Frage der Zeit.

Aber wie kannst du diesen Kreislauf der Sünde unterbrechen?

Es ist wichtig zu erkennen, dass du das nicht alleine schaffst. Der Köder ist nicht nur unglaublich lecker, sondern du hast auch noch die Sünde in dir. Den Magnet. Lust von außen und von innen. Das ist eine tödliche Kombination.

Du kannst es also auf keinen Fall selbst schaffen. Das ist unmöglich.

Paulus sagt: „*Wir vertrauen nicht auf Fleisch*" (Philipper 3,3).

Vor dem Kampf gewinnen

Sobald du die Macht der Sünde wirklich verstehst, kann das eine beängstigende Angelegenheit sein. Du denkst vielleicht sogar: *Das werde ich nie schaffen. Ich werde jede Schlacht von vornherein verlieren.* Das hört sich pessimistisch an, ist aber tatsächlich die Lösung!

Der Weg zum Sieg ist, gar nicht erst in die Schlacht zu ziehen.

Schau dir David in seinem Kampf gegen Goliath an. Goliath war der Größte der Philister. Ein Riese. Hat David gekämpft? Nein. Keiner will gegen einen Riesen *kämpfen*. Doch genau das war Sauls Vorschlag. Saul war ein starker, großer Mann. Ein Krieger. Und das leitete sein Denken. „Hier, nimm die Rüstung und schlag den Kerl nieder.“

David zögerte kurz, bis ihm klar wurde: So werde ich nie gewinnen!

Wie hat David gekämpft?

Er ließ es gar nicht erst zum Kampf kommen. Wie hat er das gemacht? In zwei Schritten:

Zuerst bereitete sich David vor. *„Zieht den Herrn Jesus Christus an und treibt nicht Vorsorge für das Fleisch zur Befriedigung seiner Begierden.“* (Römer 13,14) David nahm seine Munition (fünf glatte Steine) aus dem Wasser. Das ist ein Bild für Gottes Wort (Epheser 5,26). Selbstkritische Christen suchen ihr Vertrauen nicht bei *sich selbst* oder anderen *Menschen*, sondern im Wort Gottes.

Unsere Kraft für den Kampf kommt aus dem Wort Gottes, in der täglichen Gemeinschaft, *vor* dem Kampf. David griff ins Wasser und fand die Steine, *bevor* er sich dem Riesen stellte. Steine, die du nicht in der Tasche hast, nützen dir nichts. Wenn es erst zum Kampf kommt, wirst du keine Zeit haben, noch schnell etwas nachzuschlagen.. Du musst dich *jetzt* vorbereiten und nicht erst, wenn die Schlacht schon tobt.

Zweitens: David hielt Abstand zu Goliath.

Goliath war auf einen Nahkampf aus. Er schrie: „Komm schon!

Komm her und ich mache dich fertig!“ Aber in einem engen Eins-zu-Eins-Kampf wäre David in Stücke gerissen worden.

Nein, er blieb auf Distanz. Deshalb hatte er auch Sauls Rüstung abgelehnt. Weil Davids Strategie die *Distanz* war, wählte er eine Schleuder, eine Fernkampfwaffe.

Um auf Distanz zu bleiben, musste er *zuerst* die Initiative ergreifen. Er musste seine Schleuder abfeuern, bevor Goliath in der Nähe war, sonst wäre er ein toter Mann gewesen. David warf einen Stein auf Goliaths Schädel und schlug ihn bewusstlos, bevor er überhaupt wusste, was passiert war.

So viele Christen denken heute, dass sie mit Goliath flirten können.

Sie gehen auf Kuschelkurs. Genau wie Simson, der dachte: „Oh, damit werde ich schon fertig“.

Nein! Die Lösung heißt *Abstand*!

Abstand vom Bösen.

Das ist die Furcht des Herrn!

Fliehe vor dem Bösen.

Wie machst du das? Lass Goliath nicht zu nahe kommen. Du darfst nicht zulassen, dass es zu einem Kampf kommt. Du musst die Initiative ergreifen!

Du wirst die Schlacht nur gewinnen, wenn du es nicht zu einer Schlacht kommen lässt.

Der Galaterbrief sagt nicht: „Geht wirklich in den *Nahkampf* mit der Sünde, und ihr werdet das Verlangen des Fleisches nicht erfüllen.“ Er sagt: *„Wandelt im Geist.“* Das bedeutet, sich auf etwas ganz anderes zu konzentrieren. Sei ganz woanders. „ ... und ihr werdet die Lust des Fleisches nicht vollbringen“ (Galater 5,16).

Dein Fokus sollte nicht darauf liegen, die Sünde zu bekämpfen. Du solltest dich gar nicht erst in der Nähe der Sünde aufhalten!

Halte dich zu Gott und er wird für dich kämpfen.

Wenn du das einmal verstanden hast, ändert sich deine Perspektive und es wird einfach, das umzusetzen.

Wie man sich von der Sünde distanziert

Aron Ralston kletterte allein in den engen Canyons von Utah.

Plötzlich löste sich ein Felsbrocken und klemmte seinen rechten Arm ein.

Er war gefangen in der Wildnis des Bluejohn Canyons.

Alles, was er hatte, war ein kleiner Rucksack mit einem Liter Wasser, zwei Burritos und ein paar Schokostückchen. Er hatte Kopfhörer und eine Kamera dabei, aber kein Handy – außerdem hatte er sowieso keinen Empfang. Das Dümmste war, dass er niemandem gesagt hatte, wohin er gehen würde. Er leerte seinen Wasservorrat, während er stundenlang vergeblich an dem 350 kg schweren Felsen herumdokterte. Erschöpft von den Strapazen merkte er, wie er langsam in ein Delirium verfiel. Er musste sich entscheiden, ob er sterben wollte ... oder zu einer drastischen Maßnahme greifen sollte: sich selbst den Arm abschneiden! Er tat das Undenkbare. Er schnappte sich das kleine Messer aus seinem billigen Multitool-Kit ...

... und schnitt sich selbst den Arm ab. Aber das rettete ihm das Leben.

Es hatte 127 Stunden in diesem gefangenen Zustand gebraucht, um ihn an diesen Punkt zu bringen. Den Punkt, an dem er das Leben mehr wollte als seinen Arm.

Ich glaube wirklich, dass die meisten Menschen sich nicht ändern, weil sie nicht verzweifelt genug sind. Sie wären gern frei, aber nicht so sehr, dass sie echte Opfer bringen würden. Aron wollte leben. Notfalls mit nur einem Arm.

Er war bereit, seinen Arm zu opfern, bevor er sein Leben verlieren würde.

Was ist dir deine Freiheit wert?

Freiheit erfordert schmerzhafte Opfer. Jesus wusste das, als er in Matthäus 5,30 eben genau das Abschneiden einer Hand als Beispiel verwendete: *„Und wenn deine rechte Hand dir Anstoß gibt, so hau sie ab und wirf sie von dir; denn es ist besser für dich,* *dass eins deiner Glieder umkomme, als dass dein ganzer Leib in die Hölle komme.“* Jesus sprach nicht von Selbstverstümmelung, sondern von einer Handlung, die sich wie Selbstverstümmelung anfühlen würde: der Kampf gegen die Sünde.

Kombinieren wir nun den Gedanken der radikalen Amputation mit der Trennung, wie sie im vorherigen Kapitel besprochen wurde: Wenn du wirklich frei sein willst, musst du die Sünde aus deiner Umgebung entfernen. Du musst Sünde radikal aus deinem Leben entfernen.

Werde *alles* los, was dich direkt in die Sünde führt. Schneide es ab. Lösche es. Wenn du nicht weißt, wie das aussehen könnte, findest du hier einige bewährte Ideen. Ich habe mehr als 6.000 junge Menschen gefragt, nachdem sie meinen Kurs über die *Furcht des Herrn* absolviert hatten, was sie verändert haben und inwiefern ihnen das geholfen hat. Das haben sie gesagt:

WOVON ICH MICH GETRENNT HABE	WOBEI MIR DAS GEHOLFEN HAT
WELTLICHE FREUNDE	ALKOHOLKONSUM
WELTLICHE FREUNDE	SCHLECHTER EINFLUSS
WELTLICHE MUSIK	FALSCHES BILD VON LIEBE / TRAURIGKEIT
SNAPCHAT	IN SÜNDE FALLEN
PLAYSTATION	MANGEL AN STILLER ZEIT / KONZENTRATION
FILME	ZEIT VERSCHWENDEN / UNGEDULDIG MITANDEREN SEIN / FALSCHES BILD VOM LEBEN HABEN
SERIEN	ZEITVERGEUDUNG

INSTAGRAM	ZEITVERGEUDUNG
INSTAGRAM	SEXUELLE LUST
PARTYS	MANGELNDER FORTSCHRITT IN MEINEM SPIRITUELLEN LEBEN
GESANGSWETTBEWERBE	FOKUS AUF DIE WELT
CHRISTLICHE ROMANZEN	SOFTPORNOGRAFIE
FACEBOOK	KEINE CHRISTLICHEN BÜCHER LESEN
SPIELEN	KEIN LEBEN AUßERHALB MEINES ZIMMERS
NETFLIX	ZEITVERGEUDUNG / SEXUELLE LUST
FERNSEHEN	DUMMHEITEN ANSTELLEN
MEIN AUTO	KEINE ZEIT FÜR GOTT
WELTLICHE INSTAGRAM-KONTEN	KEINE ZEIT FÜR GOTT
WHATSAPP	FOMO
WHATSAPP STUMMGESCHALTET	STÄNDIGE ABLENKUNG
OBERFLÄCHLICHE FREUNDSCHAFTEN	SPIRITUELLE HUNGERSNOT
LIBERALE KIRCHE	KEINE GEMEINSCHAFT MIT GOTT
YOUTUBE-SUCHT	KEINE BEZIEHUNG ZU JESUS

Ich hoffe, dass diese Liste dich dazu inspiriert, auch in deinem Leben aufzuräumen. Wenn du ein Beispiel aus der Bibel brauchst, sieh in Apostelgeschichte 19,17-20 nach, was die Epheser getan haben.

> *„Und Furcht fiel auf sie alle, und der Name des Herrn Jesus wurde erhoben. Und viele von denen, die gläubig geworden waren, kamen und bekannten und verkündeten ihre Taten. Viele aber von denen, die Zauberei getrieben hatten, trugen die Bücher zusammen und verbrannten sie vor allen; und sie berechneten deren Wert und kamen auf fünfzigtausend Stück Silber. So wuchs das Wort des Herrn mit Macht und nahm überhand.“*

Von Furcht motiviert verbrannten sie *alles*, was sie davon abhielt, Gott zu folgen.

In heutiger Währung betrug der Wert etwa 1.000.000 Euro. Das ist wahnsinnig viel Geld. Aber lies, was direkt danach passiert:

Es gab geistliches Wachstum.

Was ist dir geistliches Wachstum wert? Bist du bereit, Opfer dafür zu bringen?

Ich weiß, dass es überwältigend sein kann, aber wenn du mit der Sache anfangen willst, die die größte Wirkung hat, fang hier an:

1. Schränke deinen Medienkonsum radikal ein.

2. Beende jede geistlich schlechte Beziehung.

Wenn du deinen Medienkonsum einschränkst, gewinnst du Zeit für die Dinge, die wichtig sind, und bekommst einen richtigen Blick auf die Welt. Wenn du dein Umfeld veränderst, wird sich zwangsläufig auch dein Charakter verändern.

Als ich aktiv ein Jünger des Herrn Jesus Christus wurde, veränderte das meine Beziehungen. Es war wirklich schmerzhaft, aber ich preise Gott heute dafür. Die Bibel sagt: *„Lasst euch nicht verführen: Böser Verkehr verdirbt gute Sitten.“* (1. Korinther 15,33). Du kannst nicht mit Menschen zusammen sein, ohne dass das abfärbt.

Ändere dein Konsumverhalten, ändere deine Kontakte, und du wirst einen großen Schritt nach vorn machen.

TAKEAWAYS

1. **Hass und Liebe gehören zusammen:** Neurologisch gesehen sind Hass und Liebe eng verknüpft. Hass und Liebe sind auch *rein logisch* miteinander verbunden. Wer liebt, muss auch hassen. In der Bibel geht Hass immer mit Liebe einher.

2. **Sünde hat eine Logik:** Sünde passiert nicht einfach so. Es gibt eine offensichtliche Logik: Ort-Auslöser-Handlung. Statt selbstsicher an gefährlichen Orten zu sein, sollten wir auf Distanz mit der Sünde gehen. Dies bedarf kluger Initiative.

3. **Ergreif die Initiative:** Räum in deinem Leben auf. Zwei Punkte möchte ich dir besonders ans Herzen legen: deinen Medienkonsum und geistlich schlechte Beziehungen.

GEBET

Herr Jesus, hilf mir, das Böse zu hassen und das Gute zu lieben. Hilf mir, beides mit Leidenschaft zu tun. Du siehst, wie oft ich mich unnötig in Gefahr begebe und dann falle. Lehre mich, gehorsam zu sein und durch deinen Geist mit der Sünde auf Distanz zu gehen. Öffne mir die Augen für Bereiche, die ich in meinem Leben ändern soll. Gib mir die Kraft, es auch zu tun.

KAPITEL 18

GUTES TUN

EIN KICKSTART FÜR EINE HÖHERE BERUFUNG

Liebe nicht den Schlaf, damit du nicht verarmst;
tu deine Augen auf, so wirst du satt Brot haben.

– Sprüche 20,13

Wenn du dein Leben wirklich ändern willst, musst du die Furcht des Herrn zu deinem Lebensstil machen. Es geht nicht nur um „böse" Dinge. Es gibt auch legitime Dinge, die dich aufhalten können. *„Lasst auch uns, indem wir jede Bürde und die leicht umstrickende Sünde ablegen, mit Ausharren laufen den vor uns liegenden Wettlauf"* (Hebräer 12,1).

Der Hebräerbrief ermutigt uns nicht nur, die Sünde abzulegen, sondern auch „jede Bürde".

Wenn du einen Sportler triffst, wirst du merken, dass er auf einer ziemlich strengen Diät ist. Darf er essen, was er will? Sicher. Aber mit dieser Einstellung wird er die Olympischen Spiele nicht gewinnen. Es ist ein Entweder-Oder. Entweder konsumierst du, so viel du willst, und verfehlst deine Ziele *oder* du disziplinierst dich, um wettbewerbsfähig zu sein.

Es gibt legitime Dinge, die trotzdem hinderlich sind. Sie belasten dich.

Wenn du dieses Bewusstsein in allen Facetten deines Lebens integrierst, geht's vorwärts. Weniger ist mehr. Wenn du dich auf das Wesentliche konzentrierst, kannst du Dinge, die nicht wichtig sind, weglassen.

Hört sich ein wenig nach Minimalismus an, oder? Ziemlich hip zurzeit. Ich glaube in der Tat, dass der Minimalismus-Trend ganz klar auf die Furcht des Herrn zurückzuführen ist. Allerdings ohne Gott.

Ich möchte dich ermuntern: Werde ein geistlicher Minimalist und lass die Furcht des Herrn zu einem wesentlichen Prinzip werden, das dich in allen Bereichen deines Lebens leitet. Wie der amerikanische Songwriter Michael Card es in einem Lied ausdrückt, wirst du lernen: „It's hard to imagine the freedom we find, from the things we leave behind."[51]

Kickstart für den Geist

Als ich anfing, über die Furcht des Herrn zu predigen und den Prozess mit vielen Menschen durchzugehen, entdeckte ich etwas Erstaunliches: Viele kämpfen nicht so sehr damit, Dinge loszuwerden. Ihr Problem ist eher das Vakuum, das dadurch entsteht.

Was mache ich mit all der freien Zeit?

Ein Beispiel: Ein junger Mann hört auf, von 19 Uhr abends bis 1 Uhr nachts Videospiele zu spielen. Jetzt hat er sechs zusätzliche Stunden zur Verfügung und weiß nicht, was er damit anfangen soll. Selbst wenn er meinen Rat befolgen würde, um 22 Uhr ins Bett zu gehen, bleiben ihm immer noch drei Stunden zu füllen.

Drei Stunden sind eine gefühlte Ewigkeit ... eine, die die Sünde gerne ausfüllen wird.

Sich von Dingen zu trennen, ist kein Ziel an sich. Die Leere muss sofort mit guten Aktivitäten gefüllt werden. Sonst kommen die Dämonen zurück, wie wir in Kapitel 12 gesehen haben.

Wenn du dich also durchgerungen hast, Raum für Gott zu machen, möchte ich dir zeigen, wie du ihn auch mit Gott füllen kannst. Und zwar an Geist, Seele und Körper.

Dein *Geist* braucht Nahrung.

Diese Nahrung ist das Wort Gottes.

Am Anfang wird es schwer für dich sein, weil du eine hedonistische Vergangenheit hast. Es wird dir schwerfallen, von Videos oder Musik auf Bücher mit langen, schwierigen Sätzen umzusteigen.

51 „Es ist schwer vorstellbar, welche Freiheit wir finden durch all die Dinge, die wir zurücklassen."

Um dir die Umstellung zu erleichtern, haben wir ein paar Videos erstellt, die dir helfen werden, schneller in den biblischen Text einzusteigen. Du findest sie auf *www.crosspaint.tv* zusammen mit visuellen Workbooks, die helfen, tiefer in den Text einzusteigen.

Den Effekt davon habe ich neulich live erlebt, als ich Daniel und Thomas traf, zwei Jungs aus der Mitte Österreichs, einem katholischen Land. Sie sind erst seit zwei Jahren Christen und hatten keine evangelische Kirche, zu der sie gehen konnten. Aber sie fanden Crosspaint und gingen auf Schatzsuche. Ich war erstaunt, als ich sah, welch tiefes Wissen sie über die Bibel hatten. Sie hatten ein tieferes Verständnis des Wortes Gottes als viele 25 Jahre alte „Kirchgänger" aus christlichen Familien.

Erst gestern hat mir ein anderer Besucher erzählt, dass ein Mann aus seiner Gemeinde mit unseren Videos angefangen hat, die Bibel zu lesen. Er war erstaunt, dass er nur drei Monate brauchte, um mit anderen, die Christus schon seit Jahren folgen, in tiefe theologische Gespräche einzusteigen.

Lass dich nicht entmutigen. Es kann schnell aufwärts gehen. Setz dich mit dem Wort auseinander! Das Internet bietet dir erstaunliche Möglichkeiten.

Kickstart für die Seele

Wenn es um deine Seele geht, versuche, mit Menschen zusammen zu sein, die den Herrn fürchten. Es ist nicht gesund, sich von einer Gemeinde nach der anderen zu trennen und zu Hause zu bleiben, um sich von YouTube-Videos zu ernähren. Irgendwann wirst du auf falsche Lehren hereinfallen und eine ungute Entwicklung nehmen.

Im Hebräerbrief werden wir ermutigt, zusammenzukommen, vor allem, wenn wir sehen, dass der Tag des Herrn näher rückt. (Hebräer 10,25) Wenn du also weißt, dass der Herr bald kommt, versteck dich nicht in deinem Bunker und irgendwelchen Chatgruppen, sondern geh raus und triff dich mit anderen Christen.

Werde auch für andere ein gesunder Einfluss. Übernimm Verantwortung. Es gibt so viele junge Leute, die den Einfluss eines guten älteren Bruders oder einer Schwester brauchen. Sei die Schulter, an die sich andere anlehnen können. Vielleicht kannst du jemanden in deinem Umfeld weiterbringen oder einer Jugendgruppe beitreten. Aber sitze nicht nur alleine herum.

Kickstart für den Körper

Körperliche Bewegung ist wichtig. Zu Paulus' Zeiten war es völlig normal, ein paar Kilometer zu laufen, bevor man irgendwo zu einer Bibelstunde ging. Heute kannst du einen ganzen Tag verbringen, ohne mehr als 100 Schritte zu gehen.

Die Bibel zeigt, dass wir nicht dafür gemacht sind.

Der Körper des Menschen ist dafür gemacht, einen Garten zu bewirtschaften und nicht vor einem Computer zu sitzen. Aber so funktioniert die Welt heute in den Industrieländern. Deshalb müssen wir über Routine sprechen. Sonst nutzt der Teufel die Unzulänglichkeiten deines Körpers aus und macht sie zu Anlässen für Sünden.

Ein weiterer Punkt ist, dass Selbstbeherrschung etwas war, das in früheren Generationen viel mehr gelehrt wurde, während es heute völlig in Vergessenheit geraten ist. Wir müssen im Grunde Dinge trainieren, die für andere Generationen ganz normal waren.

Wenn es also um deinen Körper geht, schlage ich vor, dass du dich um fünf Dinge kümmerst:

- körperliche Fitness
- ausreichend Schlaf
- gutes Essen

- soziale Interaktionen
- morgendliches Bibelstudium

Wenn du das tust, kommst du ziemlich weit.

Warum manche nicht aus dem Quark kommen

„Du glaubst nicht, wozu du in der Lage wärst, wenn du keine Angst hättest", sagte einmal Sheryl Sandberg, COO von Facebook, einem Unternehmen, das so weit voraus ist, dass die Gesetzgeber finden, es sei *zu* erfolgreich. Das hättest du vielleicht nicht erwartet, aber der Grund Nummer 1, warum Menschen Ladehemmung haben, ist Angst.

Angst – *der* Hinderungsgrund, nicht zu Potte zu kommen.

Das ist natürlich ein gefundenes Fressen für die Furcht des Herrn. Sie hilft dir, diese Angst los zu werden und richtig durchzustarten. Sprich: ein geistlich produktives Leben zu führen.

Lass uns das mal zusammen durchdenken.

Das Erste ist die **Angst vor dem Scheitern.** Du denkst vielleicht, dass du aus Mangel an Ideen oder Informationen auf der Stelle trittst. Aber das ist nur die halbe Wahrheit. Informationen sind im Internet allgegenwärtig und dank Google leicht zugänglich. Aber trotzdem drehen sich viele junge Menschen im Kreis. Sie überhäufen sich selbst mit Informationen und denken immer, dass sie noch mehr brauchen.

Sie machen sich zu viele Gedanken, weil die Angst vor dem Versagen sie lähmt.

Die Angst vor dem Scheitern ist die Angst, es nicht gleich beim ersten Mal richtig zu machen. Denn man will nicht versagen. Man will sein Gesicht vor anderen (und sich selbst) nicht verlieren, also zögert man. Man will alles perfekt vorbereitet haben, damit es gleich beim ersten Mal klappt.

Ein gutes Beispiel ist die Kommunikation von heute. Laut einer aktuellen Umfrage von OpenMarket ziehen satte 75 Prozent der

Millennials das Texten dem Sprechen vor.[52] Dafür mag es mehrere Gründe geben, aber ich denke, einer der Hauptgründe ist, dass Textnachrichten fehlerfreier formuliert werden können als Audionachrichten und noch perfekter als echte Telefongespräche sind. In einem echten Gespräch geschieht alles in Echtzeit und ohne die Möglichkeit der Korrektur. Dein Zuhörer muss deine unvollkommenen Gedanken, deine „ähms" und „uhhhs" und deine fehlerhafte Ausdrucksweise hören. Beim Texten hast du die Möglichkeit, deine Nachricht *nur* dann zu senden, wenn sie perfekt ist, und selbst wenn nicht, kannst du sie noch einmal überarbeiten oder löschen.

Weißt du, was das ist? Menschenfurcht.

Für einen gottesfürchtigen Christen sollte die Angst, mal einen Fehler zu machen, kein Problem sein.

Warum? Weil du als „ein Mensch in Christus" weißt, dass du im Geist *vollkommen* bist, aber dass dein Körper und deine menschliche Erfahrung *unvollkommen* sein werden, bis du bei Jesus Christus bist. Diese Einstellung sollte sowohl auf deine kreativen als auch auf deine intellektuellen Unternehmungen einen Einfluss haben. Das Streben nach Spitzenleistungen im irdischen Bereich ist also nicht mehr das primäre Ziel. Fortschritt zeigt sich nicht darin, keine Fehler zu machen oder „keine Grenze zu überschreiten" (Gesetz), sondern in einer täglichen intimen Beziehung zu deinem Herrn zu wachsen (Gnade).

Das Einzige, was uns daran hindern sollte, etwas anzufangen, ist die Angst, Böses zu tun (FdH). Ansonsten sollten wir mutig sein und bereit, oft zu scheitern, denn wir sind nicht mehr unter dem Gesetz, sondern unter der Gnade.

Das zweite ist **Faulheit.** Faulheit ist auch Angst. Interessant, oder? Sprüche 22,13 entlarvt die Denke des Drückebergers: *„Der Faule spricht: Ein Löwe ist draußen; ich könnte mitten auf den Straßen ermordet werden!"* Faulheit ist also Angst vor Unbequemlichkeiten. Sie ist heutzutage ein großes Problem. Sie ist fast

52 https://www.openmarket.com/blog/millennials-prefer-text-over-talk/

zu einem Lebensstil geworden. Während Nichtstun in früheren Jahrhunderten eine „Kardinalsünde“ war, wird sie heute sogar in Filmen und der Werbung durch „brillante, aber faule“ Charaktere gefördert. Liebenswerte Faulpelze, die sich nicht anstrengen und trotzdem Großes erreichen.

Im echten Leben bedeutet Faulheit, dass du bei wichtigen Dingen kläglich versagst.

Als Christen müssen wir Faulheit energisch bekämpfen. Sie ist der Anfang von vielen anderen Übeln. Wir sollten uns davor fürchten, nicht zu arbeiten, denn Faulheit ist das Einzige, was der Meister dem „bösen Knecht“ in Matthäus 25 vorwirft.

Wie machen wir das? Wir lassen nicht den Körper unser Handeln diktieren, sondern wir lassen uns vom Geist leiten.

> *„Denn wenn ihr nach dem Fleisch lebt, so werdet ihr sterben; wenn ihr aber durch den Geist die Handlungen des Leibes tötet, so werdet ihr leben. Denn so viele durch den Geist Gottes geleitet werden, diese sind Söhne Gottes.“* – Römer 8,13-14

Das klingt einfach, ist aber ein echter Kampf.

Und ironischerweise ist es ein Kampf, den du kämpfst, indem du ihn nicht kämpfst. Du bekämpfst ihn, indem du im Geist wandelst. Aber bestimmte Dinge nicht zu tun und im Geist die Dinge zu hassen, die dein Körper liebt, fühlt sich manchmal wie Sterben an. Ich verstehe das und möchte dich ermutigen! Du bist in einer hedonistischen Welt aufgewachsen. Du hast Ablenkungen wie nie zuvor.

Aber mein Freund: die Belohnung ist groß!

Gott feuert dich an wie ein Vater sein Kind am Rande eines Fußballfeldes: *„Im Fleiß seid nicht säumig, seid inbrünstig im Geist; dem Herrn dienend.“* (Römer 12,11)

Ich zeige dir, wie du diese Art von Angst beiseite schieben und die Faulheit bekämpfen kannst, die dich zurückhält.

Lass uns gemeinsam loslegen

Da es schwer ist anzufangen, lass es uns doch gleich *gemeinsam* machen! Prävention ist der Schlüssel zu einem Leben in Heiligkeit. Nicht in die Gefahrenzone zu geraten. Lass mich dir also Schritt für Schritt zeigen, wie du die Furcht des Herrn in deinem Alltag umsetzen kannst. Der Schlüssel ist, dass du die FdH zu deiner Routine machst.

Du denkst vielleicht: *Jeder Mensch ist anders, wie kann man da einen einheitlichen Plan verfolgen?*

Genau da haben wir es wieder: Du grübelst statt anzufangen. Warte nicht auf eine perfekte, maßgeschneiderte Lösung. Zerbrich dir nicht den Kopf, sondern brich auf! Was ich dir hier gebe, ist eine Vorlage, die für 70 % der Menschen funktioniert, die sie ausprobieren. Du kannst es an deinen Lebensstil anpassen und es auf 90 % bringen. 100 % gibt's eh nicht. Nichts wird perfekt sein, aber es ist wichtig, dass du anfängst.

Los geht's!

Tägliche Körperliche Routine

Wenn du leuchten willst, steh auf, während es noch dunkel ist.

(1. Mose 28,18; 2. Mose 24,4; 1. Samuel 1,19; Hiob 1,5; Markus 1,35; 2. Chronik 29,20; Psalm 57,9; Psalm 119,147)

So könnte eine tägliche körperliche Routine aussehen.

22:00 UHR. Früh ins Bett, früh aufstehen. Geh um 22 Uhr ins Bett. Es macht nichts, wenn du nicht so früh schlafen kannst. Mach es einfach und dein Körper wird sich daran gewöhnen. Das wird schon klappen. Aber geh früh ins Bett. Bevor du dich schlafen legst, bekenne alle Sünden des Tages, die dir bewusst sind, und bitte Gott, dein Herz zu durchsuchen und herauszufinden, ob es versteckte Sünden gibt.

6:00 UHR Wenn du um 22:00 Uhr ins Bett gegangen bist, ist das Aufwachen um 6:00 Uhr ein Kinderspiel. Vielleicht nicht beim ersten Mal, aber nach einer Woche oder so wird es einfacher. Da viele Probleme haben, aus dem Bett zu kommen, hier ein Rat: Stell deinen Wecker auf die andere Seite des Zimmers, weg von deinem Bett. So bist du gezwungen, aufzustehen. Sobald du stehst, geh ins Badezimmer und trink ein Glas lauwarmes Wasser.

Jetzt hast du genug Energie, um in die Küche zu gehen. Mach Kaffee.

Wenn du leuchten willst,
verbringe Zeit in Gottes Licht.

(Matthäus 6,6; 2. Mose 33,11)

6:10 UHR. Geh an einen Ort, an dem du *jeden Morgen deine Andacht machst*. Andachten sind *kein* Bibelstudium. Das Bibelstudium ist strukturiert, die Andacht nicht so sehr. Andacht bedeutet, mit Gott über die Bibel zu sprechen. Beginne damit, die umwerfende Größe Gottes anzuerkennen. Er ist der Schöpfer, derjenige, der dir jede Sekunde die Luft zum Atmen gibt.

ER IST GOTT.

Denk über Gottes Liebe nach. Danke Gott für das Kreuz. Freue dich in dem Herrn, dass dein Name im Himmel geschrieben steht. Lies einen Abschnitt aus der Bibel und bete darüber.

Trinke ein wenig von deinem Kaffee. Sprich weiter mit dem Herrn. Lass das Wort Gottes in dich eindringen. Lies so viel oder so wenig, wie du willst. Quantität ist nicht das Ziel, sondern Qualität. Es geht um die Qualität der Zeit mit deinem Gott. Das ist der heiligste Teil des Tages. Das ist ein Ort, an dem dich niemand berühren kann. Das sind die himmlischen Örter.

(Die nächsten Teile können auch im Laufe des Tages oder am Ende des Tages durchgeführt werden).

6:40 UHR. Geh jetzt zu deinem Abschnitt und beginne mit deinem Bibelstudium.

Wenn du leuchten willst, poliere den Tempel,

(1. Korinther 6,19; 1. Timotheus 4,8)

7:30 UHR. Mache körperliche Übungen. Kardio- und Muskeltraining. Das Wichtigste ist, dass du schwitzt. Gott hat gesagt, dass der Mensch schwitzen wird. (1. Mo 3,19) Deswegen denke ich, dass es gesund ist, mindestens einmal am Tag zu schwitzen. Um ein gutes Trainingsprogramm zu finden, kannst du im Internet suchen, in ein Fitnessstudio gehen oder einen Freund fragen. Fang ganz klein an und steigere dich von dort aus. Beständigkeit ist das A und O. Übertreibe es nicht.

Wenn du diese drei Dinge tust – Bewegung, Andacht und Bibelstudium – wird sich dein Leben in den nächsten drei Monaten dramatisch verändern. Garantiert.

Teste und verbessere die Dinge hier und da, bis du deinen Sweet Spot gefunden hast.

Und dann machst du das so lange, bis es zum Automatismus wird. Zur Routine.

Bibelstudium Routine

Zuerst musst du einen ruhigen Ort finden. Das ist wichtig, denn du hast einen Verräter in dir – die Sünde, die es liebt, die Sinne deines Körpers zu benutzen, um dich abzulenken. Triff keine Vorsorge für das Fleisch – das heißt, schalte alle Ablenkungen aus! Selbst der Herr Jesus ging in die Wüste, obwohl er *ohne* Sünde war. Also lass dein Smartphone in einem anderen Raum. Ja, in einem *anderen* Raum. Bete, dass der Herr dein Herz öffnet und dir die Kraft gibt, dort 60 Minuten lang konzentriert zu sein.

Ich schlage vor, dass du die Bibel zunächst mit einem Weitwinkel-Panoramablick betrachtest. Wenn du das Ganze im Blick hast, lassen sich die einzelnen Themen viel leichter in einen Zusammenhang bringen. Paulus ermutigt Timotheus, einen Panoramablick der gesunden Lehre zu haben. Er nennt es ein Bild:

„Halte fest das Bild gesunder Worte“ (2. Timotheus 1,13)

Konzentriere dich in erster Linie darauf, einen Überblick über die zentralen Bücher der Bibel zu bekommen: Die 5 Bücher Mose, die Evangelien, die Apostelgeschichte und die Briefe des Paulus. Ich würde mit 1. Mose, Matthäus, der Apostelgeschichte und dem Römerbrief beginnen. Um dir den Einstieg zu erleichtern, lade dir unsere Workbooks herunter[53] und arbeite die Videos durch, indem du Anmerkungen in deine Bibel überträgst. Nach einer Weile wirst du den Dreh raus haben und in der Lage sein, ein Buch selbstständig zu studieren.

All das ist hilfreich, aber es ist immer schmerzhaft, eine neue Disziplin zu entwickeln. Du musst dich hinsetzen, lesen und an die Arbeit machen. Es ist wirklich wichtig, dass du *verstehst, was* du liest. Wenn du die Bibel weiterliest, ohne sie wirklich zu verstehen, wird sie sehr trocken und du wirst irgendwann aufgeben.

Damit das nicht passiert, hier ein Trick. Ich nenne es „Bible Treasure Hunting“. Das ist es, was meine Sicht auf die Bibel wirklich verändert hat.

Es war die Entdeckung, dass die Bibel kohärent ist. Was meine ich damit? Als Wissenschaftler in früheren Jahrhunderten auf die Suche nach physikalischen Gesetzen gingen, taten sie das, weil sie an den Gesetz*geber* glaubten. Sie glaubten, dass das Universum eine Ordnung hat und dass man Gesetze finden kann.

Das Gleiche gilt für die Bibel und das ist faszinierend. Die Bibel ist nicht nur ein Haufen unsortierter Sätze, sondern ein zusammenhängendes Buch mit übergreifenden Themen. Als ich das zum ersten Mal entdeckte, verwandelte sich meine Bibel von einem trockenen Gesetzesbuch in ein Buch voller Gesetze. Aber nicht Sinai-Gesetze, sondern ein Buch voll von Prinzipien, Pattern usw, die etwas über Gott aussagen.

Das Bibellesen wurde zu einer Schatzsuche.

Ein Schatz, ein Prinzip, das ich gefunden habe, war „Die Furcht des Herrn“ und es hat mein Leben verändert. Tatsächlich würdest

53 www.crosspaint.tv/workbooks/

du dieses Buch nicht in der Hand halten, wenn ich diesen Schatz nicht gefunden hätte. Und wie du siehst, ist es kein isoliertes Thema, sondern eines, das sich durch die ganze Bibel zieht.

Aber es gibt noch so viele mehr: Licht, Liebe, Freude, Wasser, Berge, Erlösung, usw...

Geh auf Schatzsuche!

Ich hoffe, dass dir das wirklich hilft, anzufangen. Wenn du dich täglich von der Sünde trennst, morgens mit dem Wort Gottes seine Gegenwart suchst, Sport treibst, um dich in Form zu halten, und intensiv die Bibel studierst, dann, mein Freund, sagt die Bibel, dass *du gesegnet bist*. Und du wirst automatisch ein *Segen* für andere sein.

„Glückselig der Mann,
der nicht wandelt im Rat der Gottlosen
und nicht steht auf dem Weg der Sünder
und nicht sitzt auf dem Sitz der Spötter,
sondern seine Lust hat am Gesetz des HERRN
und über sein Gesetz sinnt Tag und Nacht!
Und er ist wie ein Baum, gepflanzt an Wasserbächen,
der seine Frucht bringt zu seiner Zeit
und dessen Blatt nicht verwelkt;
und alles, was er tut, gelingt." – Psalm 1,1-3

Bro – das ist wirklich, was ich dir von Herzen wünsche. Glaub mir, es ist in Reichweite. Wenn ich könnte, würde ich für dich die Sterne vom Himmel holen. Aber das geht nicht. *Du* musst es machen. Du musst die Stadt verlassen, um die Sterne zu sehen. Wenn du das tust, wirst du Dinge sehen, die du nie für möglich gehalten hättest. Paulus ist der Beweis. Er sah die Herrlichkeit des Herrn Jesus und rieb sich anschließend auf wie wahrscheinlich niemand sonst. Der Preis, den man bereit ist zu zahlen, beweist den Wert des Objekts. Wenn du alles für Gott gibst, zeigt du, dass

Gott dir alles ist. Lass uns mal Paulus fragen: „Paulus, was hast du da oben im Himmel gesehen? Was ist dir Christus wert, Paulus?" Er würde sich umdrehen und dir eine Liste zeigen. Eine Liste von Strapazen, die er erlitten hat, weil er Jesus vor Augen hatte:

> *„Von den Juden habe ich fünfmal empfangen vierzig Schläge weniger einen.*
> *Dreimal wurde ich mit Ruten geschlagen.*
> *Einmal wurde ich gesteinigt.*
> *Dreimal habe ich Schiffbruch erlitten,*
> *einen Tag und eine Nacht habe ich in der Tiefe zugebracht;*
> *oft auf Reisen,*
> *in Gefahren durch Flüsse,*
> *in Gefahren durch Räuber,*
> *in Gefahren von meinem Volk,*
> *in Gefahren von den Nationen,*
> *in Gefahren in der Stadt,*
> *in Gefahren in der Wüste,*
> *in Gefahren auf dem Meer,*
> *in Gefahren unter falschen Brüdern;*
> *in Mühe und Beschwerde,*
> *in Wachen oft,*
> *in Hunger und Durst,*
> *in Fasten oft,*
> *in Kälte und Blöße;*
> *außer dem, was außergewöhnlich ist, noch das, was täglich auf mich eindringt: die Sorge um alle Gemeinden."*
>
> – 2. Korinther 11,24–28

So viel war ihm der verherrlichte Christus Jesus im Himmel wert.

Weißt, du...es hat einen Preis gekostet, die Fackel des Evangeliums in den Westen zu tragen. Und die Fackel wird nur von einer

Generation getragen werden, die bereit ist, den Preis dafür zu zahlen. Täglich.

Heute kein Vergnügen. Morgen ewige Herrlichkeit!

Jesus bis ich sterbe.

Ich möchte das Buch mit einer kurzen Geschichte beenden. Über meinen Bruder David. Er ist einer der humorvollsten Menschen, die ich kenne. Mit ihm hat man nicht nur Spaß, sondern es macht Spaß, mit ihm zusammen zu sein. Ich glaube, das kommt durch sein Talent, jeden innerhalb von zwei Minuten zu seinem Freund zu machen. Wahrscheinlich liegt das daran, dass er sehr gut darin ist, „Menschen zu spüren“ und ihnen gleichzeitig das Gefühl zu geben, geliebt zu werden.

Diese Empathie war ein wichtiger Grund, warum er ein exzellenter Musiker wurde. Ich habe selten jemanden gekannt, der die schwarz-weißen Tasten so berühren konnte wie er und der Lieder so schrieb, dass sie sofort ins Ohr gingen.

Doch diese Gabe hätte fast sein Leben ruiniert.

Einige ältere Jungs in der Schule erkannten sein Talent während eines Schulprojekts und holten ihn in ihre Band ... und in die Bars. Ein paar Jahre später gründete er seine eigene Funk 'n' Roll-Band und rockte das Leben. Außen sah alles top aus – innen lag einiges quer. Die Dinge wurden immer schlimmer, bis er schließlich eine Überdosis Drogen nahm.

Er überlebte, aber die Auswirkungen dieser Erfahrung ließen ihn seinen eigenen Körper so sehr fürchten, dass er begann, sein Leben neu zu überdenken. Zur gleichen Zeit startete seine Band richtig durch und wurde auf regionalen Radiosendern ausgestrahlt.

Er musste eine Entscheidung treffen.

Durch die Gnade Gottes verwarf er seinen hedonistischen Lifestyle und entschied sich für die Furcht des Herrn.

Ich sehe ihn noch immer weinend auf der Couch sitzen.

Der Traum von der Band war vorbei, aber der Albtraum eines vergeudeten Lebensstils auch.

Neustart.

David und ich studierten dann zusammen in Genf, und ich konnte sehen, wie der Herr begann, sein Leben zu heiligen. Er trennte sich mehr und mehr von bösen Dingen, aber er begann auch, Gutes zu tun, an sich zu arbeiten und seine Selbstdisziplin zu verbessern. Der Geist regte ihn dazu an, auf Menschen zuzugehen und sein von Gott gegebenes Talent einzusetzen, um andere für Christus zu gewinnen. Er nutzte jede Sekunde, um zu den Menschen zu sprechen – besonders zu den Armen und Schwachen. Das führte ihn von den Straßen der Schweiz in die Slums von Indien, wo er mehrere Jahre lang diente.

Im Jahr 2019 kehrte er zu meiner Freude nach Europa zurück.

Es war wie eine Reunion. Wir hatten wieder vermehrt dieselben Themengebiete und tauschten uns mehr und mehr über verschiedene Inhalte aus. Vor allem der Gedanke, dass Jesus bald kommen würde und wie großartig es wäre, gefunden zu werden, während man für ihn arbeitet, begeisterte uns. (Lukas 12,43)

Als COVID-19 ausbrach, startete er einen kleinen YouTube-Kanal. Es war eine intensive Zeit für ihn und mich. Geistig und körperlich. Aber wir kamen durch. Die Art, wie David mich während dieser Zeit ermutigte, zeigte mir noch mal die Größe seiner Seele.

Dann, am 13. Juli 2020, fuhr David zu seinem YouTube-Studio, um seine letzte Predigt vor seinem wohlverdienten Sommerurlaub aufzunehmen. Wie immer hielt er ein paar Kilometer vor dem Studio an, um allein zu beten. Als er vom Gebet aufstand, um weiterzufahren, kam ein bekannter Fremder auf ihn zu. Obwohl David ihn noch nie gesehen hatte, kamen ihm seine warmen Augen so vertraut vor. Er umarmte David und es fühlte sich irgendwie gar nicht fremd an. Nein, eigentlich fühlte sich die Umarmung an, als käme man von einer langen Reise nach Hause.

David sah die durchbohrten Hände und hörte die vertraute Stimme sagen:

„Wohl, du guter und treuer Knecht! Über weniges warst du treu, über vieles werde ich dich setzen; geh ein in die Freude deines Herrn."

Davids Herz hörte auf zu schlagen. Die Mission war erfüllt.

Er war zu Hause.

Davids Leiche wurde ohne Anzeichen eines Todeskampfes gefunden. Er war an einem plötzlichen Herzinfarkt gestorben. Er hinterlässt in unseren Seelen eine Lücke, die so groß ist, wie sein Herz es war. Wir denken jeden Tag an ihn. Und als ich einmal wieder über ihn nachdachte, geriet ich ins Staunen: Obwohl David die meiste Zeit seines erwachsenen Lebens auf der ganzen Welt herumgereist war, starb er nur ein paar Kilometer von dem Ort entfernt, an dem seine Rock'n'Roll-Band früher ihre Studios hatte.

An demselben Ort, an dem Satan versucht hatte, ihn von der Straße zu holen, feierte Gott seinen größten Sieg in Davids Leben. Der Ort, von dem er sich getrennt hatte, war der Ort, an dem sein Meister ihm schließlich begegnete. Er traf ihn so, wie er es sich erhofft hatte – auf dem Weg zum Dienst.

David wollte sein *Leben* nutzen, um viele Seelen in Deutschland zu gewinnen, aber Gott benutzte seinen *Tod*, um das zu erreichen. (Fällt dir was auf?) Sein Tod erreichte 100.000 Menschen auf der ganzen Welt. Verlorene Menschen fanden den Herrn und Christen widmeten ihr Leben Jesus neu.

Ich wünsche dir, dass auch du dich für die Furcht des Herrn entscheidest.

Dass du ihn *neu* kennen lernst und bis zum Ende deines Lebens radikal dienst.

Du wirst es nie bereuen.

Mein Bruder diente seinem Herrn bis zum letzten Atemzug.

Und du?

Dank

Die Crosspaint Family: Eure Gebete, Inputs und Spenden haben das Buch möglich gemacht!
Henni, mein Soulmate, für all deine Liebe, Hilfe und Opfer. Jeden Tag.
Corny, mein Partner in Crime, für deine kreative und unermüdliche Unterstützung.
Joas, mein Bro, für die Projektleitung, um ein Buch in 3 Monaten rauszubringen.
Jesse, für die Feinabstimmungen des englischen Textes während des Schreibprozesses.
Tim, für die Zeichnungen und deine praktische Hilfe.
GT, für die geniale Arbeit, das Buch mit erstaunlichen Posts zu begleiten.
Nico, für die wichtigen Recherchen.
Sylvia und Marianne, für eure helfende Hand, wann immer sie gebraucht wurde.
Chris, für unsere langjährige Freundschaft. Gold wert.
Philipp, für das „Schärfen meiner Säge" über die Jahre hinweg.
Tom, für deine Mithilfe in der Social Media Arbeit.
Caro, Johanna, Philipp und Katrin für das Lektorat.
Luc, Eckhard, Jens, Lukas, Manal, für euer Feedback.

In 6 Wochen frei von Pornografie

6/10
Christlichen Männern kämpfen mit Pornografie

Die Folgen? Einsamkeit, Selbstzweifel oder sogar Depressionen.

ABER: Freiheit ist möglich!

Wie? Mit dem 6-Wochen **ReStart-Programm**:

- Community mit 400+ Männern – *Du bist nicht allein.*
- >30h Videomaterial – *Du wirst Schritt für Schritt begleitet.*
- Anleitungen/ Programme und Tools – *Praktische Hilfe.*

Scanne heute den QR-Code und starte den Weg in deine Freiheit!

Sparks